O Segredo de Spalla

Marcelo Brambilla

Preparo de originais: Gabrielle Antunes
Revisão: Denise Himpel
Diagramação: Samanta Paleari
Capa: Fernanda Pereira

Catalogação na publicação
Elaborada por Bibliotecária Janaina Ramos – CRB-8/9166

B815s

Brambilla, Marcelo

O segredo de Spalla / Marcelo Brambilla. – Rio de Janeiro: Ases da Literatura, 2022.

N p. 314; 16 x 23 cm

ISBN 9786554286343

1. Ficção. 2. Literatura brasileira. I. Brambilla, Marcelo. II. Título.

CDD 869.93

Índice para catálogo sistemático

I. Ficção : Literatura brasileira

Editora Ases da Literatura

www.asesdaliteratura.pt

O Segredo de Spalla

Marcelo Brambilla

ASES DA LITERATURA

À minha família, amigos, alunos, ao Frederico e,
em especial, a Adenilce, leitora e conselheira.

Capítulo 1

O escolhido

Sempre gostei de tomar meu café da manhã em boa companhia. Compartilhar projetos, debater sobre as notícias quentes saídas do jornal, ou simplesmente falar sobre as banalidades do dia anterior. Detalhes que sempre me faziam despertar mais feliz. Se não fosse no calor da minha família, então deveria ser entre os meus amigos e eu tive o prazer de colecionar grandes amigos durante toda a minha vida. Existe nessa vida algo melhor do que dar boas risadas com aqueles que amamos, logo pela manhã?

Agora eu tinha todo tempo do mundo e poderia fazer as viagens que sempre desejei. Conhecer as culturas do mundo, pessoas interessantes e as belas paisagens que me traziam a paz de espírito de que precisava. Planejei viajar tranquilamente, conhecer os detalhes e as particularidades de cada povo. Enfim, tudo o que a necessidade e a objetividade do meu trabalho pouco me permitiam, agora seria possível.

Era pouco mais de dez horas de uma quarta-feira, bastante ensolarada, quando, depois de um farto café, no Magdala Hotel, em Pequim, chamei um táxi. Tentei expressar meu destino, porém após duas palavras em mandarim, fui reprimido pelo olhar apavorado do taxista pelo retrovisor, confirmando que meu pequeno treino no quarto do hotel, de nada havia adiantado. Então, logo emendei no bom e velho inglês.

— *National Museum, please.*

Foi hilário ver a satisfação do motorista por compreender o meu inglês, desprezando a minha tentativa de fazer amizade, utilizando meu incompreensível mandarim. Agora, ele balançava a cabeça e gargalhava em sinal de aprovação. O que deveria ser engraçado, certamente me ajudava da melhor forma, a fazer uma nova amizade. Os chineses sorriem facilmente e nesse episódio não poderia ter sido diferente.

No caminho, tive renovadas algumas lembranças, ainda bem frescas em minha memória, e era impossível não pesar as diferenças entre correr o mundo no ritmo alucinado que o trabalho me impunha e viajar livremente, sem dia e hora marcada. A aposentadoria forçosamente antecipada me proporcionava essa liberdade e eu desejava muito aproveitá-la ao máximo.

As pessoas que estavam envolvidas na minha rotina diária, certamente me fariam muita falta. Eram as coisas com que eu mais me importava, trabalho, amigos e família. Confesso que estava atônito, com esse distanciamento repentino de tudo, nessa nova realidade e nos momentos de introspecção, avaliava os presentes que a vida havia me proporcionado. Estava ali para me aventurar em uma nova etapa e sentia uma necessidade desmedida de escrever sobre a história das pessoas que passaram pela minha vida.

Lembrei-me dos muitos livros que li e que não existia na literatura mundial uma lenda que relatasse uma história de amor tão próxima à nossa realidade. A existência de um amor que transcende a vida terrena, os desejos, anseios, a entrega da vida e da própria alma por um sentimento, além das provas reais da existência de um Ser Superior, fariam com que essa história e os meus dizeres nela escritos fossem interpretados como fatos de uma mera obra de ficção.

Porém, aqueles que acreditam na reencarnação, no reencontro de almas em diferentes épocas de suas vidas terrenas, e os que creem na existência de um Deus, talvez pudessem encontrar um ponto de apoio para as suas reflexões, sobretudo aquelas que extrapolam aos ensinamentos e às imposições de suas crenças religiosas. Jamais teria a petulância de escrever sobre teorias ou descrever conceitos religiosos. Eram apenas relatos a mim passados. Não me importava com as recomendações e muito menos com as interpretações.

O primeiro insight veio em longas conversas, na visita do meu companheiro e depois com a chegada inesperada de outra pessoa que marcou a minha vida. E então, o livro tomou forma e essência pelas minhas vivências com pessoas, ou melhor, com seres de luz, certamente selecionados para trazerem um pouco de alegria àqueles marcados pela miséria, tristeza, sofrimento e a necessidade de evoluir.

A minha mão tornou-se, por vários momentos, um mero instrumento do contar as histórias compartilhadas de vidas que, em uma breve e intensa passagem por esse mundo, puderam deixar as suas marcas. Eram duas partes de uma vida que jamais estiveram desunidas e que se reencontravam em corpos terrenos através dos séculos, porém distanciados espiritualmente. Esse livro tem o objetivo de ser mais um balizador do tempo, um marcador de um futuro reencontro.

Assim, por meio de Tommy, conscientizei-me que seria o instrumento de comunicação entre dois mundos. Jamais tive a pretensão de tornar-me protagonista de uma história de amor tão intensa, iniciada pelo toque do próprio Deus.

O livro por mim escrito é o elo entre um casal e a procura dele pela solução de seus problemas, provocados por encontros carnais e desencontros espirituais. Sendo assim, preciso me apresentar, falando um pouco da minha vida, para que todos entendam porque eu fui o escolhido para escrever a história que se passa ao longo de alguns séculos.

Eu sou Buhba, nascido na República Democrática do Congo, anteriormente conhecida como República do Zaire, um dos países mais pobres da África, contrastando com uma das maiores riquezas naturais e biodiversidade do planeta. Sou o sétimo filho de oito irmãos de uma família pobre da comunidade de Beni, próximo à divisa com Uganda. Costumava ser um menino calmo, dedicado aos estudos e incentivado por minha mãe, um buscador de conhecimentos. Não era de me embrenhar pela mata, nadar nos rios ou jogar futebol, como a maioria dos outros meninos fazia para se divertir. O meu passatempo preferido era estar entre os livros e revistas.

Sempre tive os meus pais como meu maior orgulho. Infelizmente, a minha vivência ao lado do meu pai foi muito curta, chegando até mim suas histórias contadas pela minha mãe e por toda a comunidade. Ele era tratado como o herói que enfrentou a guerrilha na salvaguarda da floresta e animais, frente à guarda do parque. Minha mãe era o meu maior exemplo, que buscava as forças da sua alma para, na falta do seu marido, cuidar de todos os seus filhos e ainda assumir as aulas da escola.

Minha mãe era professora e ensinava a leitura e a escrita a várias crianças de diferentes idades, embaixo de uma lona, onde a temperatura ultrapassava facilmente os quarenta graus, fazendo a nossa escola parecer um forno. Os bancos eram feitos com alguns pedaços de madeira, na maioria das vezes apenas entrelaçados, suprindo com extrema criatividade a falta de pregos, parafusos e ferramentas. O quadro negro era improvisado em uma folha de zinco, emoldurado em madeira reaproveitada, pintado com uma tinta de tom verde bem escuro, quase negro, deixando-a um pouco mais lisa, permitindo ao giz deslizar, ainda com certa dificuldade, sobre sua superfície.

Ironicamente, do outro lado daquele pedaço de lata, que agora servia como lousa, apresentava-se uma propaganda de refrigerante famoso. Na foto, o refrigerante estava servido com muito gelo, o que a maioria das crianças raramente via e algumas nunca tiveram o prazer de sentir. A lousa tinha talvez um metro de altura por dois metros, ou um pouco a mais de largura. Alguns diziam ter sido uma oferta de uma turista à antiga professora. Contrariando a realidade do seu propósito, naquela pobre aldeia uma placa de propaganda com uma criança loira de olhos claros tomando refrigerante, tornou-se material nobre, mesmo que às avessas, literalmente.

Algumas crianças, não conseguindo alojar-se nos bancos, ajeitavam-se no chão, perto da professora para que pudessem aprender. Eles se aconchegavam a ela de forma muito carinhosa e não se importavam com a poeira que subia diretamente da terra, nos passos acelerados da professora. Aliás, tanto a professora, quanto a terra eram muito valorizadas por aquele povo. Naquela escola improvisada, poderia até faltarem o caderno e o lápis, mas jamais faltaria o respeito à dona Abeni. Assim, elas viam a professora como seu porto seguro, que os defendia como filhos e, por eles, ela certamente morreria. Sempre foi e para sempre seria o maior orgulho daquelas pobres crianças.

Era amável e rígida ao mesmo tempo. Somente assim conseguia colocá-los nos trilhos dos bons caminhos. Sem o impulso que ela lhes dava para a busca de conhecimentos, provavelmente estariam fadados a cumprir aquele destino de repasse de miséria a cada uma de suas gerações. Repudiava as mazelas que a vida daquela comunidade e do próprio país podiam oferecer. Assim, ela lutava com todas as suas forças em uma revolta armada por livros e conhecimentos para que essa realidade um dia pudesse ser transformada. Ela a intitulava de "A revolta dos livros".

Sempre esperava animada e esperançosa com toda dedicação por dias melhores para seus "filhos", como ela carinhosamente chamava a cada um de seus alunos e não somente aqueles que haviam saído de seu ventre. Os seus verdadeiros filhos acostumaram-se a não ter a mãe somente para si, entendendo perfeitamente a necessidade da doação de todo tempo e carinho para aquela comunidade.

A busca pela sobrevivência era imperativa em um país assombrado por epidemias, conflitos deflagrados por diferenças religiosas, fome e tantos outros problemas sociais. Porém, a grande maioria ainda não compreendia o sentido de evolução que a professora propunha e simplesmente acreditava que aquele seria o seu destino.

Eu, em minha ingenuidade, jamais conseguiria compreender como um país tão rico por natureza seria, ao mesmo tempo, tão pobre pela razão humana, governos conhecidamente incompetentes e corruptos. Era como se aquela comunidade repudiasse os presentes oferecidos pela bondade divina. Como poderia um povo abster-se de toda aquela generosidade oferecida pela natureza, trocando-a pelas migalhas que os homens ofereciam?

Jamais, antes dessa chance de conhecer o mundo, poderia compreender o porquê a vida oferece oportunidades tão distintas a cada um de nós. A discrepância das relações de poder entre as nações mais ricas e o continente africano reflete diretamente nas pessoas e jamais será desfeita sem uma evolução pessoal e global. Somente o desprendimento espiritual das vaidades humanas e a doação de si mesmo poderiam pôr um fim a essas diferenças. A igualdade de direitos deveria ser o ponto primordial para a evolução humana.

A professora sempre compreendeu a educação como a única forma de tirar os filhos daquela miséria permanente. Era a transformação social buscada nos livros. Nós clamávamos por liberdade, ao que ela, constantemente, respondia que viria quando tivéssemos a coragem de sair daquela vila e depois retornar para lutar pelo nosso povo.

Hoje eu compreendo, admiro e agradeço por toda a sua luta e a ela eu credito as minhas mais nobres conquistas. Tive muitas oportunidades após ter saído do meu país, mas sempre honrarei a minha estrutura construída a partir de uma liderança forte e ao mesmo tempo, com a sensibilidade e sabedoria de quem sonha com um país melhor. Assim, sempre me empenhei, estudando além dos demais para impressionar a minha mãe. Ela sempre nos trazia alguns livros, objetos de doação de entidades assistenciais ou de pessoas importantes que ela conhecia, e eu os recebia como os melhores presentes.

Aprendi a "devorar" aqueles livros, lendo-os com tamanha volúpia que viajava pelas palavras neles escritas, como se pudesse transformá-los em meus sonhos. Eu realmente queria entender o que eles diziam. Portanto, o meu tempo sobre eles corria. Então, para todas as minhas curiosidades, buscava uma resposta. Quando não a encontrava perguntava para minha mãe. Só depois compreendi que ela tinha muitas respostas, porque lia muito e o que não fazia parte do seu conhecimento virava uma necessidade impetuosa e ela sempre voltava com uma informação.

Ela nunca teve vergonha de pedir livros aos turistas e viajantes que por ali passavam. As pessoas sempre doavam um ou mais livros, deixando uma bela dedicatória e anotando o país de origem, como uma lembrança por ter estado ali e, de alguma forma, ter colaborado com a nossa comunidade. Muitos os enviavam pelo correio. Compartilhar livros com a professora era como adotar um aluno.

Todos a admiravam como pessoa, porque se desdobrava para fazer com que todos pudessem ser melhores. A doação de si e do seu tempo disponível faziam dela um ser diferente, respeitada e amada pela comunidade. Todos os seus mais nobres desejos viraram legados. Quem poderia imaginar uma mulher de pouco mais de um metro e sessenta de altura parando um conflito civil em meio a tiros de fuzil em frente à sua escola, empunhando em sua mão direita um giz e em sua mão esquerda um livro de Dom Quixote? Aliás, Dom Quixote tornou-se o livro favorito da maioria dos alunos, pois talvez, graças a ele, também continuamos todos vivos.

Apesar de leitor de muitos livros, nunca havia tido a pretensão de ser escritor ou contador de histórias. Eu ouvia muito e pouco falava. Era melhor como ouvinte e, talvez, até mesmo um bom conselheiro. Não por acaso fez toda a diferença em minha vida e me trouxe para perto pessoas tão especiais. Sempre fui fã da filosofia socrática induzindo à autorreflexão na busca de soluções em conflitos pessoais. Hoje me sinto perfeitamente confortável para relatar uma breve e longa história de amor. Breve e muito intensa para o nosso tempo terreno, ao mesmo tempo tão longa, quando projetada em um plano espiritual marcada por reencontros e muita emoção.

"Dessa vida nada se leva", sempre foi um ditado que ouvi a minha vida toda. Mas existem aqueles que carregam as lembranças de uma vida arraigada de tantos detalhes e momentos tão intensos e marcantes que, provavelmente, irão se buscar em outras vidas. Espíritos que se reencontram pelo olhar, a janela da alma ou pela simplicidade do cheiro de pele que marca a cumplicidade de um amor eterno.

Outros espíritos, enquanto encarnados, passam a sua vida terrena acreditando que uma bela história como essa pode acontecer baseada em suas doutrinas e religiões, mesmo assim não encontram aquilo que sempre esperaram. Ao contrário, outras pessoas mesmo sem acreditar se defrontam com a sua alma gêmea, bastando que os olhares se cruzem para que uma chama reacenda. A atração fatal será impossível de não ser revivida intensamente em todas as suas vidas terrenas.

Confesso que, no início, tinha muitas dúvidas sobre temas como a reencarnação de espíritos, assim como a grande maioria das pessoas com as quais convivi. Pois, desde quando criança, aprendi como cristão que a ressurreição nos leva à vida eterna e não acreditar em reencarnação de um espírito em outro corpo físico. Essa era a minha crença, o que entendia ser a minha espiritualidade.

Foi como criar uma identidade religiosa própria, única e verdadeira que, certamente, foi a responsável pelo meu distanciamento do catolicismo. Passei então, depois de muitos debates e reestruturação interna a acreditar que a religião é a doação de nós mesmos em relação ao nosso próximo e a todos os seres vivos existentes, sejam eles da nossa espécie ou não. Somente isso nos aproxima do Deus que cada um acredita ter em seu coração e em suas orações.

As principais ideias e ideais em mim transformados vieram primeiramente de longas conversas com a Carol. A evolução espiritual é contínua e respeitar a vida em todas as suas formas é o caminho mais curto para evoluir. A carne é matéria viva, que exala em seu cheiro o sofrimento, a dor, o alívio de quem na morte se libertou da servidão. O seu sabor, odor e a cor denotam a crueldade sofrida, desde o seu nascimento até a morte. Uma vida jamais poderia ser transformada em produto final. Consciente, deixei de me alimentar de animais.

Os espíritos encarnados que se doam pelas causas justas a favor de qualquer vida estão mais perto de Deus e só atrairão coisas boas para perto de si e para aqueles que os rodeiam. Esse foi um dos maiores ensinamentos que ela me trouxe.

A vida colocou em meu caminho duas pessoas de espiritualidade reverberada e amor exposto à flor da pele, as quais, literalmente, refletiram em minha alma e me trouxeram para um mundo espiritual, que talvez a grande maioria só teria a oportunidade de conhecer por meio dos livros ou nos cinemas.

Sempre gostei de ouvir as pessoas e durante as nossas longas conversas, talvez tenha ajudado um pouco na desconstrução problemática delas. Mediante minhas perguntas, induzindo a uma reavaliação interna, contrapondo-se a uma mera emissão de conselhos sem fundamentação básica para solução real e não momentânea.

Conseguia compreender que a espiritualidade, mesmo depois de encarnada e potencialmente abstraída pelo corpo físico poderia ser sentida e compreendida por meio dos nossos sentidos. Infelizmente não pelos meus sentidos, ou pela minha vivência, mas convivendo com espíritos mais evoluídos.

Era algo que extrapolava o que é o amor e eles literalmente buscavam uma palavra que se encarregasse de representar algo maior para esse sentimento tão nobre. Então, eles diziam: "eu vivo você". Mas esse viver ia além da vida, pelo menos muito além dessa vida.

Quando os olhos se abrem de forma receptiva e verdadeira, o espírito viaja buscando um sentimento existente entre os espíritos que convivem há muito tempo. O reencontro com vidas passadas, no caso de Tommy e Carol vinha de forma diferenciada. O reencontro dos seus espíritos de forma plena era algo proibido por uma lei divina e só poderia ocorrer em suas formas terrenas.

Ela podia ver o espírito dele olhando em seus olhos, no tempo real, era o espírito reencarnado em Tommy. Tommy por sua vez, ao entrar nos olhos da jovem maestrina, revivia vidas passadas, com visões e sensações das várias passagens reencarnadas. Podiam ver a alma nua dentro dos olhos da pessoa amada ou rever todas as vidas dela passando como um filme em seus olhos. Aquilo só poderia ser mais uma obra do próprio Criador.

Ela tinha quase uma vida inteira vivida dentro da doutrina espírita e desde muito jovem acreditava que os espíritos deveriam reencarnar para que pudessem evoluir em seres completos. A sua passagem pela terra deveria servir aos propósitos de Deus. Aqui deveríamos trabalhar para o bem comum, por todas as vidas, fossem elas pessoas, animais ou plantas. O respeito seria verdadeiro e singular. Dessa forma, ela aliava a doutrina espírita aos conceitos veganos de respeito a todos os seres vivos e ao planeta.

Fazia disso parte dos seus ensinamentos a quem quisesse e pudesse aprender. Debatia com conhecimento os conceitos básicos e aprofundados sobre cada ponto, buscando ampliar seus conhecimentos, sobretudo ao que se referia à conduta em relação à vida espiritual e sua passagem na terra.

Tommy também não acreditava na reencarnação dos espíritos, mas, como eu, passou a aceitar alguns conceitos da doutrina espírita e os conceitos veganos depois de conhecer Carol. Ela não era de impor ou brigar, aceitando bem as condições às quais as pessoas submetiam suas vidas. Ela apenas mostrava que aquilo era verdadeiro e, de alguma forma, isso atraía ainda mais as pessoas, transmitindo uma sensação de bem-estar. Não que antes dela fôssemos pessoas ruins, mas desobscurecia o sentido de evolução, como seres humanos, dotados de uma consciência plena.

Talvez, o fator mais importante tenha sido acreditar que, mesmo para aqueles que fazem o bem, sempre vai existir algo a mais por se fazer nesse mundo. Sempre vai existir alguém precisando de algo de extrema necessidade e as pessoas, que geralmente têm mais do que precisam, deveriam por obrigação ajudar. É como se essa evolução pudesse se desenvolver de forma piramidal, bastando a necessidade de doação de si pelo tempo que fosse possível, sendo efetivo porque vai valer muito para alguém. Dividir e fazer por algo vivo são verbos conjugados com mais leveza quando a evolução do espírito está incluída, pela entrega. É a doação verdadeira, seja ela do tempo, valores, principalmente de carinho e amor.

Carol era uma pessoa encantadora e, ao seu jeito, literalmente conduzia a vida ou as vidas ao seu redor como uma maestrina. Talvez ficasse tudo mais claro em seus questionamentos e nas suas explicações. Às vezes, ela mesma dizia não ser boa com as palavras, enroscando-se em seus debates, mas as suas sensações tornavam dispensáveis a necessidade de outras formas de explicações. Era a mais pura vivência das doutrinas às quais dizia representar e para que isso fosse de fato verdadeiro, sempre servia voluntariamente às pessoas que mais necessitavam de ajuda, colocando sempre a música como instrumento de sua luta para transformação social e pessoal. A música era tudo para ela, utilizando-a como uma forma de conscientização para a evolução em todas as suas vidas.

Com eles e por eles, eu percebi que simplicidade diz mais do que as sábias palavras, porque ela, sim, atinge o coração das pessoas e tem o poder de transformar de maneira significativa. Dessa forma eu fui o escolhido para escrever o livro sobre o romance entre eles, que deveria trazer detalhes de suas vidas e servir como marcador de futuros encontros. Aliás, a simplicidade não era somente o meu refúgio, sobretudo significava a própria essência por ter sido o escolhido para narrar, com tamanha responsabilidade o romance vivido entre os dois.

Conhecer a vida deles a fundo foi extremamente fácil, compartilhando vivências, memórias e segredos. A nossa amizade, tanto a minha relação com Tommy, quanto com a Cá, aproximava-se muito de uma relação entre irmãos. Era assim que, carinhosamente, chamávamos a maestrina Carol, então, ela sorria, docemente. Vivíamos uma relação familiar, de confiança plena e eles me confidenciavam coisas sobre suas vidas, que talvez não falassem a mais ninguém e, por muitas vezes, eu me sentia como um ponto de referência entre os dois.

O tempo parecia distorcer os relatos e os fatos vindos até mim, mas, na verdade, em todas as suas vidas, independente da ordem, encaixavam-se perfeitamente quando conectados no momento marcado pelo destino, como se tudo estivesse planejado para que a busca da evolução pudesse surtir algum efeito. Todo o Universo pareceria conspirar favorecendo pela equidade histórica de *O Segredo de Spalla*. As suas vidas sempre foram marcadas pela trágica entrega da vida pelo amor e da vida por outras vidas.

A longa história de amor que já perdura por alguns milênios, marca a busca de um reencontro espiritual entre duas partes de uma mesma alma que, em corpos terrenos, deixa as suas marcas na história do local onde acontecem.

Capítulo 2

Conhecendo Tommy

Conheci primeiro Tommy em sua passagem pelo continente africano, mais precisamente, pela minha comunidade, na pequena Beni. O mais famoso piloto de motociclismo do mundo em todos os tempos, visitando uma comunidade pobre na República Democrática do Congo, só poderia ser uma campanha de merchandising da equipe e de seus patrocinadores. Mas o que deveria ser prioritariamente uma grande jogada de marketing, tornou-se também a promotora de uma grande amizade, pela qual eu deveria agradecer pelo resto de minha vida, ou conforme minha nova crença, de minhas vidas.

Muitos referiam-se ao Tommy como alguém extremamente arrogante, cercado de luxo que não dava a mínima para outras pessoas. Mas, para mim, ele era a pessoa mais simples que já havia conhecido, apesar de toda a fama e daquele invólucro, era tímido, porém objetivo. Logo de início, pude perceber que ele era firme em suas decisões e que sempre tinha boas ideias a respeito de todos os projetos de que tratávamos.

Foi ele quem me tirou daquela vida sofrida na África, inesperadamente me convidando para participar da campanha publicitária. A princípio neguei aquela oportunidade, por acreditar que estavam se aproveitando da miséria do meu povo para promover a equipe. Depois, ao conhecer Tommy, percebi que ele era diferente. Parecia ser um cara orgulhoso e prepotente que se vangloriava pelas suas habilidades dentro das pistas. Porém, no convívio comigo, ele se portava de maneira simples e aquele tipo que ele representava, não refletia a realidade.

Foi por meio do pedido e insistência do próprio piloto que a equipe e os patrocinadores aceitaram fazer um acordo de construção de uma unidade educacional de alvenaria, com uma estrutura digna de uma escola, na qual a minha comunidade poderia ter alunos sentados em carteiras, em um lugar mais aconchegante e decente aos olhos da educação.

Os representantes da comunidade decidiram que Tommy teria seu nome gravado na fachada da escola. Fomos surpreendidos, primeiro porque, no dia da inauguração, ele, que estava presente até alguns momentos antes da tomada dos postos para início da solenidade, apenas virou as costas sem nada dizer e retirou-se. Ao ver aquela cena os representantes apenas se olharam e fizeram o gesto característico, em todo o mundo para quem não entendia nada em uma determinada situação, levantando as duas mãos e franzindo a testa. A sua atitude para todos os presentes pareceu ser um desrespeito à nossa comunidade, afinal de contas, ele era o homenageado.

A pedidos dos representantes a solenidade continuou. Eu olhava meu mais novo amigo afastando-se. Senti vontade de ir atrás dele e lhe perguntar o que estava acontecendo, mas confesso que, por alguns segundos, meus pensamentos iam ao encontro de todos ali. Durou apenas alguns minutos até que aquele pano vermelho caísse.

Eu corri os olhos rapidamente por todos aqueles alunos e pude perceber que o maior desejo deles era ter o ídolo ali, falando sobre estar honrado em dar o nome à nossa escola. Quando os meus olhos voltaram-se para o tecido que lentamente escorregava pela placa, para a nossa surpresa a placa da fachada da escola trazia o nome de minha mãe. A escola teria o nome da sua professora.

As crianças aplaudiam e correram abraçar a minha mãe que não continha as lágrimas. Nós, os filhos verdadeiros, nem conseguíamos chegar perto para abraçá-la. Mas aquela visão de tantos filhos a ela agarrados era a maior prova de que ela merecia. Quando me dei por conta, procurando por Tommy novamente ele já não mais estava por ali.

Esse foi um dos momentos mais emocionantes da minha vida, pois nesses segundos que sucederam ao pedido de Tommy, me ocorreram todas as dificuldades e lutas de minha mãe pela educação daquelas crianças que conviviam com o sofrimento diário. Sem qualquer ajuda do governo e muito pouca de algumas entidades assistenciais, à minha mãe sobrava apenas a sua dedicação, a colaboração de alguns pais de alunos e de pessoas que se solidarizavam com as nossas necessidades.

Quando pude encontrá-lo, eu quis saber por que não o nome dele, pois era ele o responsável direto. Ele disse não ser digno de ter seu nome em uma escola, já que a pessoa que mais lutava pela educação era a professora. Foi então que ele pediu para que transferissem aquela homenagem para a professora.

— Os professores são a alma de uma escola e a educação é o sentido de suas vidas. Não seria justo o meu nome na escola pela qual a sua mãe abdica da própria vida para conduzi-la.

Foi a segunda vez em que vi minha mãe chorar. Outrora, apenas na morte de meu irmão mais novo por malária, a doença que mais mata crianças na África. Aquela doença, erradicada na grande maioria dos países, ainda trazia dor a muitas famílias africanas.

Por extrema confiança, em pouco tempo, tornei-me o responsável pelos negócios de Tommy fora das pistas, e eu me preocupava muito em estudar e conhecer mais sobre economia para que os negócios pudessem ir sempre bem. Ele mesmo parecia se importar apenas com o necessário para viver bem, por muitas vezes eu chamava a atenção dele para que tomasse mais cuidado com os seus negócios.

Tempos mais tarde, por meio do próprio Tommy pude conhecer Carol, uma maestrina consagrada em todo o mundo. Não só pela sua capacidade técnica em relação à música, mas também pela sua enfática defesa perante as causas sociais, fossem elas representadas por desafios em ajudar as minorias ou em defesa dos animais e toda a natureza, baseada em seus ideais e em suas doutrinas.

O veganismo já fazia parte da sua vida há muito tempo e ela conseguia mais adeptos, à medida que as pessoas se aproximavam e conviviam com ela. A sua luta era bonita e encantava a todos. Aquela mulher, acompanhada da sua música, tinha o poder de transformar as pessoas, não pela persuasão, insistência e muito menos por coerção, mas pela sua felicidade em representar seus pensamentos. Ela se sobrepunha a muitas outras pessoas que tentavam utilizar qualquer forma de poder para persuadir pessoas.

A maestrina sempre utilizava a música como estratégia de transformação em favor dessas pessoas e das causas animais. Na maioria das vezes em que estive com ela, pude perceber a sua simplicidade também pelas roupas que vestia, quase sempre usando a camisa da ONG a qual representava e era a presidente. Era uma camiseta preta com o nome e o símbolo da ONG, e outros símbolos que representavam a clave de sol e a clave de fá em cada uma das mangas, sempre acompanhadas do tênis All Star.

A Cá, como a chamávamos agora, quase nunca usava maquiagem, joias ou qualquer outro tipo de adereço, pois não gostava de nada que chamasse muito a atenção, que apertasse ou se parecesse com correntes. Usava apenas um brinco pequeno, de ouro branco, pois tinha alergia a outros materiais. Ela mesma dizia só usar aquele brinco para que o furo em sua orelha não fechasse, mas a perda de uma das tarraxas fez com que ela deixasse de usar os brincos também.

O que chamava a atenção nela, além da sua beleza natural, era aquele sorriso doce e espontâneo que a fazia parecer uma menina. A sua alegria sempre contagiava o ambiente e assim ela conquistava a todos. Sempre muito falante e cativante, era carismática e usava toda a sua alegria para despertar o interesse pelas atividades musicais, em suas aulas e em sua vida.

O que vou contar nos próximos capítulos revela uma história comumente vivida em um misto de realidade e ficção confidenciada a mim por Tommy e pela Carol em momentos diferentes de suas vidas. E de passagens reveladas por seus espíritos a mim em diferentes épocas, fazendo com que as viagens através dos tempos revelassem, por fim, um segredo.

Sendo assim, as experiências dos dois se mostravam muito mais interessantes quando cruzadas às suas vidas passadas em diferentes épocas. A diversidade de detalhes e de pontos específicos no tempo e espaço muitas vezes nos remete a uma confusão, o que deveria ser plenamente compreensível.

O que me assustava no início tornou-se calmaria e aquelas visitas eram esperadas com muita ansiedade por mim. Ao ouvir a história de suas vidas passadas eu me acalmava e me deliciava com a riqueza de detalhes. Era mais que um simples aprender sobre o outro lado, era um prazer enorme vivenciar aquelas sensações. Eu me desvencilhava da dor da perda, porque acreditar na morte como um fim agora significava não acreditar na evolução.

Sentia muita necessidade daquele viver compartilhado de momentos que seriam repassados de alguma forma para a posteridade. Aquela lenda teria que ser lida por eles em vidas futuras, pois eles deveriam ter um referencial que os auxiliasse em novos reencontros. O Toque de Deus, como foi chamada aquela marca nos ombros, poderia entregá-los a pessoas que os desejavam para desvendar os mistérios do Criador.

A ideia do livro foi de Tommy, trazida até mim em sua primeira visita espiritual. Mesmo atemorizado, como primeiro impacto, eu me senti honrado em ser o instrumento escolhido para a perpetuação da lenda de Spalla.

Foi a partir de então que as minhas mãos passaram a escrever aqueles incríveis relatos e, em minha simplicidade, sinceramente, não acreditava de início ter sido o escolhido para escrever e gravar essa história para além do nosso tempo, ainda mais por tudo que havia envolvido nela. Porém, compreendo perfeitamente que ninguém teria maior proximidade ou vontade de narrar os fatos ocorridos nas vidas de pessoas tão especiais. Talvez Tommy e Carol jamais confiassem em outra pessoa para contá-la.

O que parecia ser assustador em meus pensamentos iniciais, tornou-se momentos incríveis de conhecimento e desenvolvimento pessoal. Passar dos ensinamentos recebidos nas manhãs de domingo, na igreja de minha aldeia, diretamente para a convivência com a luz espiritual, comprovando a essência da reencarnação para a evolução era algo que transcendia à própria vida, era inacreditável. Foi exatamente essa convivência que me permitiu, durante o relato dos fatos, ver-me em terceira pessoa.

Capítulo 3

O NASCIMENTO DE UM CAMPEÃO

Tommy era um piloto de motovelocidade nascido em Chicago, USA, filho de um empreendedor americano, de origem irlandesa e mãe brasileira. Seu pai, Bruce, conheceu sua mãe, Maria Helena, quando ainda era muito jovem e pobre, trabalhando como vendedor de bilhetes nos trens de Chicago.

Ele trabalhava duro, sempre cobrindo turnos dos seus companheiros para conseguir algum dinheiro extra. Além do emprego fixo nos trens, frequentemente trabalhava em um restaurante perto de sua casa no período noturno, também cobrindo as faltas de funcionários. A sua boa desenvoltura no tratamento com os clientes, rendia-lhe insistentes convites de Alex, o dono do restaurante, para dedicar-se exclusivamente a esse trabalho.

Maria Helena havia entrado no país com visto de estudante, mas logo começou a trabalhar como baby-sitter para um casal de Downtown, Chicago. Todos os dias logo pela manhã ela comprava o ticket do trem na mesma cabine, aquela em que Bruce atendia, sempre simpático. Ele já havia lhe oferecido, o cartão, com o qual ela teria maior facilidade, sem perder o tempo para comprar todos os dias. Até o dia em que compreendeu que ele era o motivo da presença diária da moça na cabine e vender-lhe o bilhete todos os dias também lhe trazia alegria, de uma forma diferente das outras pessoas com as quais convivia. Isso fazia com que ela permanecesse em seus pensamentos por boa parte dos seus dias.

Certo dia, ele estava do lado de fora da cabine, orientando alguns turistas italianos que estavam tendo dificuldades em encontrar a linha que os levaria ao *Field Museum* de Chicago. Arriscava algumas palavras em várias línguas, aproveitando-se de pequenas oportunidades para incrementar seu vocabulário. Enquanto explicava, sempre de forma atenciosa, Bruce percebeu que dois jovens suspeitos aproximavam-se de Maria Helena, parecendo cercá-la, forçando-a a ficar atrás dos pilares, em um ponto mais escuro da estação.

Quando percebeu, deixou os turistas falando e gesticulando sozinhos, sem compreender o que havia feito aquele moço sair correndo. Bruce jogava futebol americano, na posição de *running back*, em sua época de *high school*, sendo o mais rápido da equipe. No alto de seus quase um metro e noventa, Bruce impôs medo aos jovens que jogaram a bolsa da moça nos trilhos, tirando assim a atenção deles. Bruce saltou com extrema agilidade para os trilhos, preocupado com a chegada do trem que já iluminava o caminho. Bruce demorou algo em torno de oito segundos para encontrar a bolsa, enquanto Maria Helena aos berros pedia que ele saísse logo.

— *Get out of there!*

A moça gritava desesperada com um sotaque bastante carregado de quem estava há pouco tempo em solo americano. Bruce, encontrando a bolsa, colocou-a sob o braço esquerdo e correu com toda a agilidade de atleta de volta à plataforma, saltou com os dois pés e fez um giro no ar, como se saltasse sobre os defensores, para realizar mais um *touchdown*.

Ele literalmente caiu aos pés de Maria Helena, que se abaixou e abraçou o seu herói, muito mais por ele ter conseguido escapar do trem, do que por ter recuperado a sua bolsa que carregava todo o seu salário da semana. Os dois garotos provavelmente perceberam o excesso de cuidado da moça com a bolsa e a seguiram, até que a cercaram.

— Essa bolsa é sua?

— Meu herói!

Bruce, ainda caído, estendeu o braço para entregar a bolsa para a moça. Maria Helena aproximou-se de Bruce, encorajando-o para o primeiro beijo. Foi o começo de um grande amor que, na verdade, já havia se iniciado, precisando apenas de um empurrãozinho. Algumas pessoas ao lado aplaudiam e vibravam, enquanto outras procuravam por uma câmera, acreditando que aquela seria uma cena de cinema.

Depois de três meses de namoro, resolveram morar juntos. Bruce decidiu deixar a estação e os trens, aceitando o convite para agora ser o gerente do restaurante, mas com a condição de que Maria Helena fosse contratada junto com ele. Era ela quem projetava o novo cardápio, com a elaboração de novos pratos temáticos e típicos de outros países com a finalidade de reerguer o restaurante e recuperar a clientela perdida em alguns anos de mau gerenciamento.

Assim casaram-se e decidiram que teriam a sua família. Moravam em um pequeno apartamento alugado com apenas um quarto, na Lake Street 855, em Oak Park, uma pequena cidade no condado de Cook, no estado de Illinois. Em frente ao prédio tinham a *Oak Park Public Library* e a *Scoville Park*, uma bela praça, onde as pessoas reuniam-se para ouvir festivais de música, tomar sol, praticar exercícios ou curtir a neve nos dias mais frios. Estava tudo perfeito, a apenas duas quadras do trabalho no restaurante, tudo ali mesmo, na Lake Street.

Ali, naquele pequeno apartamento, tiveram seus três filhos e tentavam juntar algum dinheiro para um dia começarem o próprio restaurante. Apesar de não possuírem uma situação financeira boa, o pai preferia morar numa região de alto padrão. A proximidade com o trabalho e com os trilhos, que passava na rua de trás facilitava muito a vida da família. Além de toda a facilidade, apesar do pouco espaço na casa, o pai prezava pela segurança oferecida na cidade. Apesar da proximidade com alguns bairros mais perigosos, era um lugar bastante tranquilo e excelente para criar filhos.

Não havia como não gostar do local, da beleza e prosperidade da pequena Oak Park, mas mesmo assim a mãe contrariava o pai, alegando que todos precisavam de mais espaço e um pouco de privacidade. Não tornava aquilo um motivo de briga, mas um debate válido e perfeitamente justo, ponderando pelos dois lados. Economizar dinheiro para o próprio restaurante ou a necessidade da casa maior, dividiam os planos já há alguns anos.

Para as crianças era um lugar formidável, que lhes permitia a liberdade para brincarem na casa de alguns amigos mais afortunados da vizinhança. Jogar basquete em frente à garagem de alguns deles era motivo de alegria para o pequeno Tommy. Junto com seu irmão e amigos saíam para as caminhadas e passeios de bicicleta em grupos. Como tinham apenas uma bicicleta, a outra sempre era emprestada pelos amigos. Tommy era bastante querido pelas famílias de seus amigos, por ser um menino bastante carinhoso e educado, apesar de toda a sua timidez.

Pouco mais tarde a família conseguiu um apartamento de dois quartos no mesmo prédio. As três crianças ainda dividiam o quarto, mas sobrava um pouco mais de tranquilidade para os pais. Logo, com as suas economias poderiam montar o tão sonhado restaurante. Agora o sonho do casal era comprar o próprio restaurante o qual gerenciavam. Essa era também a ideia de Alex, o atual dono, que já não tinha mais a mesma empolgação inicial, a mesma que ele via em Bruce e Maria Helena.

— Vocês sabem que eu vou vender o restaurante, porque já estou bastante cansado. Quero viajar pelo mundo e desse jeito não consigo nem ao menos chegar a Detroit.

— Vai esperar juntarmos o dinheiro para comprá-lo?

— Sabem que eu não venderia para uma pessoa qualquer, somente pelo dinheiro. Quero ter a certeza de que estará bem cuidado e eu confio no trabalho de vocês.

— Ficamos felizes em saber que confia em nós.

Charles e Tommy gostavam de aventurar-se pela vizinhança, inclusive pelos trilhos dos trens, mesmo sabendo que era muito perigoso e proibido. Os pais constantemente os alertavam para que não chegassem perto dos trilhos. Mas, principalmente no inverno, era interessante e divertido ver o trem limpando os trilhos e formando aquele bigode branco à sua frente. A imagem do trem deslizando pelos trilhos levantando a neve fazia com que o próprio trem sumisse atrás daquele imenso "bigode". As crianças divertiam-se com aquela imagem.

Os Estados Unidos viviam uma era de incertezas, mesmo com aprovação nas urnas pelo povo americano, o presidente Richard Nixon seguia sob investigação. Com o pedido de *impeachment* fortalecido, após o advogado da Casa Branca, em depoimento no Senado, assumir que havia um forte esquema de espionagem, por meio de escutas ilegais contra o Partido Democrata comandados pelo próprio presidente do Salão Oval. Nixon seguia atuando para atrapalhar as investigações. Após a condenação de assessores diretos e mais quatro integrantes da equipe presidencial, o *impeachment* era questão de tempo.

Com a certeza de que não teria os votos suficientes para impedir a sua deposição, em um discurso dramático exibido pelas principais redes de TV americanas, o presidente renunciava ao cargo, no dia 8 de agosto de 1974. Assumia o cargo o vice-presidente Gerald Ford que, um mês depois, concederia o perdão absoluto a Nixon de todos os crimes cometidos no escândalo Watergate, enquanto presidente.

Bruce era mais um entre tantos milhões de inconformados com a renúncia do presidente. Acreditava na força do presidente Nixon na luta contra o comunismo pelo mundo, apesar do constante temor pela Guerra Fria.

Tommy, desde muito pequeno era inconformado com as imposições, fossem elas pessoais ou mesmo aquelas que a vida e a sociedade apresentavam no dia a dia. Crianças da sua idade, muitas vezes apenas brincavam, enquanto ele buscava respostas em questionamentos abstratos. Sempre se interessou por aprender a língua portuguesa, assim como a sua irmã mais velha, Anny.

Depois de alguns anos, Bruce e Maria Helena haviam conseguido juntar as suas economias para comprar o restaurante de Alex. Os negócios caminhavam a passos largos, até que enfrentou a chegada da crise do petróleo a partir de 1974, com o preço do litro quadruplicando, desestabilizando a economia, causando reflexo nos negócios, diminuindo a clientela.

A diminuição dos investimentos derrubava muitos empresários, principalmente os micro e médios empreendedores. Pagando pela nova casa, definiu como meta, manter-se forte e contrariar as expectativas de queda. A determinação era imperativa em sua vida e ele continuaria sua gradativa ascensão. Assim, contratou dois funcionários para fazer as entregas pelo bairro, até então algo inusitado. Assim, quando os restaurantes permaneciam vazios e dispensavam seus funcionários ele mantinha a sua cozinha funcionando a todo vapor.

Anny, a filha mais velha era muito tranquila e tinha a obsessão por ser professora, desde muito pequenina. Foi ela quem ensinou Tommy a ler e escrever em inglês e português, muito antes do seu ingresso escolar. Em suas brincadeiras despretensiosas, ela ajeitava a pequena lousa em frente à carteira do seu primeiro aluno. Ali ela era a professora, adiantando todo o processo de aprendizagem do seu irmão menor. Graças a ela, Tommy pôde adiantar a sua entrada na escola, ao mesmo tempo em que ela desenvolvia a sua didática, tão presente em toda a sua vida.

Por outro lado, Tommy e seu irmão mais velho, Charles, não eram tão tranquilos, quanto a irmã. Deixavam ambos, tanto a mãe, quanto o pai com os cabelos em pé. Tommy, dois anos mais novo acompanhava o irmão mais velho em suas expedições. Charles era aquele tipo de menino que adorava botar fogo nos brinquedos do irmão para brincar de bombeiro. Brincadeiras que nunca deram certo, na verdade.

Fora do período de aulas gostava muito de praticar vários esportes, entre os quais tinha o basquete como seu preferido. Porém, o seu maior sonho desde pequeno era ser piloto de motovelocidade. O seu quarto sempre teve as paredes revestidas com pôsteres de belas e coloridas motos de velocidade e cross, com os seus ídolos, Randy Mamola, Eddie Lawson e Freddie Spencer. Entre eles, é claro que, havia alguns posters de grupos de rock, mais uma de suas variadas paixões.

A nova casa, ainda em Oak Park tinha o trânsito bastante tranquilo, principalmente para a época, favorecendo certas liberdades que as crianças tinham. Basquete e baseball eram os seus preferidos. Charles,

Tommy e seus amigos saíam com essas pequenas motos de cinquenta cilindradas, sem carteira de habilitação. Costumeiramente iam escondidos com a moto que o pai mantinha guardada no fundo da garagem, quase sempre empurrando-a desligada até afastarem-se de casa, para que a mãe nos os visse saindo.

Seu pai era um homem bastante rígido na educação dos filhos, mas quando percebeu a paixão dos meninos pelas motos e que usavam a velha moto escondidos, presenteou-os com novas motos no Natal, quando Tommy completava os seus catorze anos. A situação financeira da família havia melhorado muito após novos investimentos no setor de alimentação e em uma revenda de carros usados.

Tommy aprendia na prática que as quedas não poderiam tirar-lhe o entusiasmo. Mesmo após vários tombos e várias cicatrizes, a contragosto de sua mãe, persistia em seu sonho. Essas marcas agora juntavam-se a tantas outras que ele já carregava, deixadas pelas quedas de bicicleta ao executar manobras radicais bastante perigosas.

Tanto amor pela velocidade sobre duas rodas, logo lhe rendeu o apelido de *Crazy Boy* entre os seus amigos do bairro e da escola. As bicicletas certamente lhe deram mais habilidades do que o simples equilíbrio. Foi por meio delas que ele aprendeu a dominar seus medos e suas fraquezas, posteriormente transferindo isso para as motos. Cruzar ruas em longas distâncias empinado e executar manobras radicais eram as mais frequentes. Mas fingir quedas perto de senhoras com os amigos eram as mais absurdas, tanto que, na maioria das vezes, lhe rendia ferimentos e cicatrizes verdadeiras. Divertiam-se com os próprios ferimentos.

Foi quando o pai decidiu levar o filho para Indianápolis, onde poderia fazer um teste para corridas em pequenas motos, no circuito *Indianapolis Motor Speedway*. Logo na sua primeira volta, apesar de toda a sua ansiedade e euforia por estar no circuito dos seus sonhos, conseguiu impressionar Dan Green, um gerente de equipe que realizava uma filtragem nos pretensos pilotos de motovelocidade. Tommy conseguiu fazer um teste valendo-se da amizade que Alex, antigo dono do restaurante, mantinha com Dan Green. Antes de vestir o macacão e montar na moto, o garoto não parava de olhar para a pista.

— O garoto tem potencial. É muito arrojado. Já tinha pilotado em uma pista antes?

O pai tentou responder rápido, mas engoliu em seco. Pensou que a vida do filho não tinha preço e passando perto daquele muro imenso lhe trazia a imagem e a voz da esposa dizendo que não aprovava a ideia e não queria ver o filho arriscando a vida em uma corrida de motos. Era exatamente assim que o menino corria, arriscando tudo a cada volta.

— Nunca!

Assim, chegou às categorias de base das corridas de velocidade, para desespero da mãe que já havia sofrido demais na sua infância e prorrogar o sofrimento até a fase adulta seria um fardo pesado demais para ela. Porém, agora era incentivado pelo pai, que coordenava a sua carreira, procurando absorver as suas preocupações e o próprio medo para ajudar o filho, pois sabia que o menino tinha personalidade forte e não voltaria atrás na sua decisão. Não havia como lutar contra o destino. Era melhor estar por perto e projetar a sua carreira.

Para o pai, agora um grande empreendedor do ramo comercial, a família e o trabalho eram as motivações de sua vida. Os negócios eram bem-sucedidos nas comunidades onde estavam inseridos e lhe traziam ótimos rendimentos. O exponencial crescimento da empresa se dava ao mesmo tempo que a carreira do filho começava a deslanchar e acompanhá-lo estava mais difícil a cada dia. Mesmo com o coração apertado, não se sentia confortável em obstruir o desejo maior do filho, deveria deixar que ele partisse atrás de seus sonhos.

Logo no seu primeiro ano de competição, antes de completar os quinze anos, Tommy sagrava-se campeão regional e desde então tornou-se campeão em todos os campeonatos que disputou. A velocidade e as conquistas estavam muito acima de qualquer outro objetivo que ele pudesse ter em sua vida.

O medo que assombrava toda a sua família não estava presente no seu dia a dia dentro das pistas. Aos dezessete anos, ele assinava contrato com uma das maiores equipes da motovelocidade. Tommy havia sido sondado por várias outras equipes, mas o fator que mais pesou para a sua escolha foi que a Kawasaki Ninja era a moto dos seus sonhos, desde criança.

Fechado o acordo, equipe e o pai do piloto decidiram que ele deveria participar por um ano da categoria inferior para pegar experiência, mas logo no ano seguinte ele seria o piloto principal da Equipe Kawasaki Oficial. Defender a equipe de cor verde era motivo de muito orgulho e desejo, pois sempre admirou aquela moto pela sua beleza e potência.

Toda a família de Tommy era muito preocupada com os acidentes, já que ele havia sofrido vários, dentro e fora das pistas. Sua mãe jamais conseguiu acompanhar uma corrida do filho pela TV, muito menos nos autódromos. Apesar de várias tentativas em levá-la para assistir como convidada especial ela nunca aceitou. Mantinha a qualquer custo a sua decisão de privar-se desse sofrimento.

Tommy tornou-se campeão antecipado na categoria, faltando três corridas para o término do campeonato. A diferença de habilidades entre ele e os demais pilotos era gritante. O contrato lhe previa inclusive várias possibilidades, como bônus, caso ele se consagrasse campeão.

O pai, com toda a visão de negócios que tinha, era quem supervisionava os contratos, mesmo sem deixar de lado os seus empreendimentos. Conhecia como ninguém a competência do filho na pilotagem da moto e tinha certeza de que ele se sobressairia muito em relação a todos os outros pilotos, então ele arriscava muito nos contratos, apostando sempre no que ele chamava de ponto futuro, colocando as vitórias e títulos como garantia.

Começou também a exigir em contrato, a pedido do filho, que na conquista do campeonato levaria de quebra a moto da corrida final. Esse talvez tenha sido o ponto mais discutido em seus contratos, pois a equipe mantinha o seu museu no Japão. Então, em acordo, Tommy aceitou ficar com a moto reserva.

Bruce sempre dizia para os seus filhos que eles poderiam ser tudo o que eles desejassem e que teriam êxito sempre que realizado com amor e carinho. Tommy parecia ter levado a fala de seu pai ao pé da letra. Pena era ver a tristeza e o sofrimento nos olhos da mãe, imaginando que todo sucesso e a glória vinham revestidos de muitas cicatrizes, dores e a exposição constante ao perigo. Como ela sempre dizia, estava feliz por vê-lo feliz, mas jamais deixaria de ter as suas preocupações e os seus medos porque assim refletia em seu coração.

Ela estava totalmente certa, quanto a dizer que a felicidade do filho estava nas pistas e ela nada podia fazer contra isso. Sabia que o filho, que havia tido uma infância difícil no começo, tinha um propósito especial em sua vida. Ficava triste e inconformado com a situação de alguns de seus amigos e a situação de tantas crianças, pois a miséria deles sempre lhe fazia mal.

As indagações do pequeno garoto, renitente com as mazelas e a fome que assombravam tantas pessoas, colocavam-no em debates acalorados desde pequeno. Agora, com o passar do tempo, ele vivia muitas respostas e reconhecia que o seu sucesso lhe permitia ajudar a diminuir os problemas. A miséria crescia à medida que seus olhos podiam acompanhá-la ao redor do mundo. Ela era ainda muito maior em outros pontos da Terra.

Tommy chegou à categoria de ponta com toda a pompa de candidato a ídolo maior, dentre aqueles grandes pilotos com sucesso garantido. Estar ao lado de alguns de seus ídolos da juventude era uma das maiores sensações que ele já havia vivido. Participava das corridas preliminares nos mesmos autódromos, mas chegar a esse posto precocemente, apesar de previsível, era ainda inacreditável. Sempre foi uma promessa de sucesso, mas nada se comparava àquele momento.

Tommy demonstrava a sua alegria logo nos treinos da primeira corrida no circuito da Andaluzia, no Circuito de Jerez. Ele corria muito bem nesse autódromo. Era um circuito que favorecia as motos mais velozes e, até o ano anterior, ele a tinha, na categoria de baixo. Agora na categoria das mil cilindradas ele sabia que as Hondas e Ducatis eram as mais velozes. Mesmo assim, ele estava confiante e tranquilo, como um garoto deveria divertir-se, como sempre fez. A sua moto não era a mais potente, mas ele tinha a fama de tirar diferenças no braço e se impunha essa responsabilidade.

Antes, nas largadas, todos olhavam para a frente e o viam na pole. Hoje, a história era um pouco diferente. Havia subido de categoria e caído no grid de largada. No entanto, esse era o caminho. Talvez sofresse um pouco no começo, mas tinha tudo para reverter essa situação com as suas habilidades. Logo à sua frente estavam as motos laranja e vermelha, lindas, mas não tanto quanto o verde da sua Kawasaki, que ele amava desde pequeno.

Estava entre os oito melhores tempos nos treinos livres e precisava superar-se no treino oficial para melhorar sua posição de largada. Os tempos entre ele até o quarto colocado eram muito parecidos. O início do treino estava marcado para as catorze horas de sábado e ele tinha muito trabalho para reverter aquela situação.

As equipes Honda oficial e as Ducatis estavam com as motos mais rápidas desde o ano retrasado e as outras equipes precisavam melhorar muito para chegarem próximo. O que eles não esperavam é que um novato estava chegando com uma vontade de vencer jamais vista para um iniciante.

Iniciado o treino classificatório, Tommy saiu dos boxes depois de alguns pilotos. Queria a pista limpa, o que seria difícil. Acelerava e manobrava deitando a sua moto nas curvas um pouco além do que os mais experientes da categoria. Trazia toda aquela garra que os jovens têm, aliado à experiência das categorias menores e um algo a mais que já impressionava quem o via domando aquela moto.

Tommy terminou o treino classificatório em terceiro lugar, atrás apenas das duas motos da equipe Honda. Isso já era considerado um milagre, ainda mais colocando o seu tempo muito próximo ao do segundo colocado. Ao término do treino, alguns pilotos foram cumprimentá-lo.

Os dois pilotos da Honda chegaram até perto da moto, cumprimentaram o piloto e depois ficaram olhando a moto verde da Kawasaki, procurando as diferenças e tentando entender o que havia mudado, como se não percebessem que a diferença estava em cima da moto. Os pilotos da Ducati não chegaram perto e comentavam algo entre eles cobrindo a boca.

O segundo piloto, companheiro de Tommy, amargou apenas a décima segunda colocação no grid de largada. Isso reafirmava ainda mais a competência de Tommy. A diferença de habilidades entre os dois era muito grande, não havendo nenhuma diferença na ciclística ou no motor das motos. A diferença estava no braço do piloto que a conduzia.

Tommy era um predestinado e queria ir muito além. Depois do treino, recolheu-se por um tempo e não quis dar entrevistas, o que deixou os repórteres confusos e irritados. Não era comum um piloto que trazia seus patrocinadores no macacão negar uma entrevista após os treinos ou corridas. Certamente o piloto e toda a equipe seriam muito cobrados por essa atitude, porque as empresas que patrocinam a equipe necessitam dessa visibilidade. O tempo de aparição na mídia era diariamente aferido pela equipe de marketing da Kawasaki.

Tommy simplesmente queria repensar o que poderia melhorar para a corrida. Não havia chegado até ali para ser terceiro lugar, um simples coadjuvante. Não havia prepotência em desejar continuando no protagonismo da motovelocidade. Era inconformado com as derrotas e precisava entender o que uma mil cilindradas poderia lhe propor. Sem tirar o macacão foi para a pista de bicicleta. Parou e estudou minuciosamente a curva Lorenzo que tombava à esquerda e a curva *Dry Sac* que dobrava à direita. Lembrou-se das suas passagens por elas e percebeu que elas foram milimetricamente realizadas da mesma maneira.

Quanto ele poderia colocar de tração naquelas saídas, deitar a moto e o quanto poderia arriscar com a roda dianteira fora do chão? Deveria ser um tudo ou nada de cara? Ele já arriscava muito, era quase tudo no braço. Mas ele queria mais e se cobrava por isso. Decidiu que entraria mais forte sem frear, deitaria menos a moto e sairia com a ela empinada a mais ou menos dez centímetros do chão, alinhando o guidão com a sua saída no braço, em uma marcha abaixo dos demais pilotos. Perderia contato com o chão, mas sem perder tempo e a direção do retorno.

Faria esse teste no treino antes da corrida, uma única vez, pois não queria ser copiado. Seria pelo tudo ou nada desde a primeira corrida. Era especialista nas decisões que o levavam a vitórias extraordinárias, assim como em algumas outras ocasiões resultaram também em alguns de seus tombos, também extraordinários ao mesmo nível.

Montou na bicicleta e voltou para o motorhome e logo ao chegar foi cobrado pelos chefes da equipe por ter deixado as equipes de reportagem sem a entrevista e que isso refletiria em cobranças pesadas dos patrocinadores. Logo os celulares começariam a tocar. O investimento de alguns milhões de dólares para estampar moto e macacão deveria trazer o retorno em tempo e espaço nas TV e jornais do mundo todo. E o que aquele jovem piloto estava fazendo?

No dia seguinte Tommy levantou-se e tomou seu café de maneira tranquila com alguns mecânicos da equipe.

— Você já viu os jornais de hoje? — perguntou um dos mecânicos, esticando o braço para pegar o jornal no buffet ao lado.

— Não vi. Problemas? — respondeu emendando uma pergunta. Tommy ao mesmo tempo em que levantou os ombros, como se desprezasse aquelas notícias.

— Elogiaram por você ter voltado para a pista de bicicleta para rever situações de corrida.

— Olhe a foto. Alguém deu um zoom em você estudando a pista. Os japoneses e italianos aqui ao lado devem estar malucos porque a foto de todos eles juntas não dá o tamanho da sua — comentou o mecânico que entregava o jornal para Tommy enquanto os dois gargalhavam.

A reportagem era assinada por Thiago Rossi, o mais renomado especialista em motovelocidade da Europa. Era dele que vinham as melhores reportagens e as mais lidas pelos amantes do motociclismo. Além das reportagens, ele fazia belas fotos tiradas de dentro das pistas. Vivia na correria entre pista e boxes. Era um daqueles repórteres perfeccionistas.

Tinha acabado de fazer as tomadas de fotos da curva Lorenzo, quando percebeu Tommy chegando de bicicleta e macacão.

Estava preparado para correr e fechar a entrevista com os pilotos após o treino e decidiu ficar ali para tirar as fotos do jovem piloto. O repórter/fotógrafo ficou extasiado, pois aquela sequência de fotos seria um prêmio para ele, naquele final de semana. Tirou belas fotos de todas as motos, inclusive das manobras de Tommy naquela curva. Mas aquelas do piloto estreante aferindo as medidas e possibilidades de manobras seria a foto da capa de jornais e revistas.

Thiago Rossi tinha olho clínico para a velocidade em duas rodas e decidiu que daria àquele jovem piloto algo mais do que simples fotos de estreia. Ele não seria um coadjuvante esquecido na memória da sua máquina fotográfica e muito menos nas linhas que escreveria sobre aquele Grande Prêmio. Se as fotos do treino de sábado já impressionavam imaginou que as de domingo na corrida seriam ainda mais quentes.

— Bem, você deu sorte que o Thiago estava no lugar e no momento certo para tirar aquelas fotos. A mídia esteve do seu lado dessa vez, mas fique mais atento da próxima e não perca mais essas entrevistas. Aqui não há espaço para falhas com a mídia. Esse é o preço que precisamos pagar.

O chefe da equipe, Luca, era o um italiano perfeccionista, sempre incisivo nas suas cobranças, mas com Tommy parecia ser maior. Talvez pela pouca idade do piloto, na tentativa de moldá-lo.

— Eu sei que posso melhorar naquelas duas curvas, alterando minhas estratégias de entrada e saída. Estou muito focado para uma vitória e eu posso lhe garantir que se eu cheguei até aqui, foi para vencer. Jamais vou me conformar com menos do que a vitória.

O jovem poderia parecer pretencioso demais, mas era tudo o que a equipe acostumada a ser coadjuvante precisava naquele momento. Essa poderia ser a primeira rusga entre o chefe e o piloto que, apesar de jovem, demonstrava ter muita personalidade, como é característica dos grandes campeões que geralmente fazem a diferença. Os elogios posteriores dos patrocinadores que associaram o piloto rebelde, inconsequente a alguém que arquitetava uma vitória e elevar o status da equipe deixavam o chefe ainda mais irritado. Também tinha personalidade forte e não admitia ser contrariado em qualquer hipótese dentro da sua equipe.

O que não poderia lhe tirar a concentração era o drama causado dentro da equipe por ele querer vencer a todo custo e pela sua competência. Conquistava a confiança dos mecânicos e toda a equipe pelo seu carisma e entusiasmo em elevar o nome da equipe. Somente as vitórias poderiam promover a ascensão das pessoas dentro do esporte, ainda mais em um esporte no qual cada milésimo de segundo pode fazer toda a diferença.

Acordou bem cedo no domingo, pegou a bicicleta que estava no mesmo lugar onde ele havia deixado. Deu uma volta no circuito, ao contrário dessa vez, no embalo deitou a bicicleta e fez uma manobra como se estivesse pilotando a moto, colocando o joelho ainda mais à frente. Era uma revisão de um exercício matemático, no qual, a partir do resultado, você faz o processo inverso para confirmar o resultado. Com a velocidade, a bicicleta dançou enquanto a brisa fria batia em seu rosto. Fechou os olhos por um segundo e sentiu aquele momento mágico de se imaginar em outro lugar. Aquelas sensações que a gente não sabe explicar.

Tommy retornou aos boxes para conversar com os mecânicos. Gostava de estar ali e ver a maneira como eles trabalhavam, mas não entendia e nem desejava aprender como as peças da moto funcionavam. Nada entendia de mecânica, como ele mesmo dizia, o seu trabalho era em cima da moto e não embaixo.

— Estávamos aqui tentando entender por que você deu aquela volta no sentido anti-horário?

Tommy sorriu e respondeu.

— Só checando resultados.

Faltavam três horas para a volta de apresentação e a largada. Seria a primeira de muitas. Nesse momento ele pensava no seu pai que lhe deu a primeira moto, jamais imaginando que um dia seu filho caçula iria correr e arriscar a vida sobre duas rodas. Foi seu pai quem primeiro percebeu que todos queriam ter um carro, mas Tommy ao contrário nunca teve essa pretensão, só queria a vida sobre duas rodas. Pensava em corridas e pegar a estrada de moto.

O pai até chegou a arrepender-se quando Tommy tinha quinze anos, após grave acidente que o deixou em coma induzido por alguns dias, além de uma fratura de úmero. Mas não tinha como lutar contra, então percebeu que era melhor estar perto, orientando e protegendo. Lembrou-se de quantas vezes o pai lhe “puxou a orelha” quando ficava sabendo que ele corria com alguns amigos, escondidos. Sempre ameaçava vender a moto e tirar aqueles posters da parede caso ele não parasse.

Toda a família sofreu demais com aquele acidente, apostando corrida no centro da cidade. Não eram coisas das quais ele se orgulhava, mas certamente tiveram muita importância para a formação dos seus reflexos dentro das pistas. Ainda em meio às sessões de fisioterapia e consultas médicas, ele trocou a moto por uma mais potente e ainda com pinos no braço disputava seus “rachas”.

Hoje ele evita contar essas histórias, pois sabia que as crianças poderiam ser influenciadas. Um de seus sonhos era participar de uma aventura dentro de um globo da morte, daqueles montados em picadeiros de grandes circos, onde até três motos giram ao mesmo tempo dentro de um globo de aço. Essas e outras histórias passavam pela sua cabeça em poucos segundos, enquanto a ansiedade parecia devorá-lo pelo estômago antes dos treinos, das corridas.

Estava sentado em um dos cantos do boxe memorizando toda a pista e as motos adversárias, assim como a maneira como cada piloto que estava à sua frente conduzia a moto nas curvas. As curvas seriam os únicos pontos em que ele poderia tirar tempo dos concorrentes mais potentes. Os mecânicos falavam sobre os preços dos ingressos que haviam subido quase cinquenta por cento para essa temporada e o salário deles continuava o mesmo.

Nesse momento ele pensou que era um esporte para poucos assistirem ali ao vivo ou para quem possuía TV paga. Seria muito difícil que alguém com poucas condições estivesse ali presente. Era um esporte da elite para a elite.

O tempo passou rápido e logo todos da equipe foram chamados para uma reunião. Os pilotos e os mecânicos estavam ajeitados à espera da chegada do chefe da equipe. Era a primeira de Tommy, que parecia não se importar tanto com ela, a sua cabeça já estava na corrida. Na categoria de base, o papo era mais informal, não estava acostumado e tudo aquilo para ele ainda chegava como novidade.

Depois de uns dez minutos passados, com todos ali reunidos esperando, chegaram algumas pessoas convidadas pela equipe. Um cantor pop e mais alguns milionários, provavelmente filhos de grandes empresários, políticos e amigos dos patrocinadores. Havia champanhe para os convidados e alguns fotógrafos da equipe, quase uma festa antecipada. Tommy sentiu-se incomodado. Foi gentil, por cinco minutos e foi postar-se de braços cruzados sobre o muro que separava os boxes da pista.

Estava muito distante desse tipo de irrelevâncias. Sabia que suas atitudes iriam lhe render a fama de prepotente, arrogante, mas isso de nada importava para ele. Também não pretendia ter aquele tipo de amizades que esbanjavam as suas futilidades e nem se importava com aquelas presenças nada aproveitáveis para as suas reais intenções dentro do circuito. Aquele glamour só viria a atrapalhar as suas pretensões.

Enquanto estava debruçado no muro viu algumas pessoas que entregavam lanches e bebidas na arquibancada. Aquilo lhe fez bem porque não eram somente os nobres que habitavam aquele espaço. As pessoas na arquibancada gritavam tentando chamar a atenção de Tommy que chamou uma das pessoas que preparavam o grid de largada. Era uma bela moça, alta, loira de olhos azuis.

— Por favor! Entregue esse boné para aquele garoto que está entregando sanduiche.

— Com certeza, Tommy. E será que você pode me dar um autógrafo? Aqui no meu boné.

— Claro que sim! Obrigado.

O vendedor que deveria ter seus dezoito anos pegou o boné e procurou por Tommy com os olhos para agradecer. Deu um beijo no boné e o elevou em direção ao céu. Um outro jovem ao seu lado tirou uma nota de cem dólares tentando comprá-lo. Diante da negativa tirou outra nota. O garoto vestiu o boné, colocou a mão em sua aba, olhou para Tommy e a levantou em sinal de agradecimento.

Duzentos dólares não lhe tirariam o prazer em ter o presente do campeão protegendo-o do sol que castigava o autódromo. Isso valia muito mais para Tommy do que alguns famosos lhe puxando o saco. O menino do lanche lhe provava que o mais importante não era o glamour ou o dinheiro. Pessoas simples de caráter eram as mais valiosas.

Algumas pessoas que estavam na torcida ali ao lado e que perceberam a situação aplaudiram a atitude do garoto e do piloto. A cumplicidade daquelas trocas de gentilezas denotava a falsa impressão que ele era arrogante. A vaia geral foi para o almofadinha que tentou comprar o boné.

Chegada a volta de apresentação, Tommy olhava para a arquibancada, procurava pelo seu boné e por aquele garoto com a caixa de lanches. O garoto trabalhava com uniforme laranja como outros tantos, que logo se reuniram literalmente à sua frente, esperando a largada para transmitir a força que o piloto necessitava. Agora foi Tommy quem lhe agradeceu levantando a viseira imitando o menino que sentiu-se lisonjeado. A ligação de Tommy com as pessoas simples jamais seria encarada como mera coincidência.

O jornalista Thiago Rossi estava posicionado bem de frente para a linha de largada e percebeu aquela troca de gentilezas. Ele já havia compreendido as principais diferenças daquele jovem recém-chegado às pistas da motovelocidade que dava aula de ética e profissionalismo. Porém, também compreendeu logo que ele necessitava muito daquele isolamento. Jogar todos os fatos e fotos numa reportagem seria uma invasão de privacidade. Thiago era mais do que um jornalista, ele era um profissional que levava sentimentos em seus trabalhos, estava muito à frente do seu tempo.

Antes da largada, Tommy tinha um guarda-sol, seguro por uma

linda modelo, até o momento em que subiu uma placa com a marca de um minuto, quando todos à sua volta saíram rapidamente, restando somente os pilotos. Agora, tinha apenas as duas motos da Honda oficial ao seu lado com a preferência da curva. As estratégias nessas situações precisavam ser revistas e novamente planejadas a cada milésimo de segundo.

Agora vinha a placa de trinta segundos e seu coração bateu mais forte. Era a sua estreia enfim. Os meninos com uniforme laranja vibravam em sinal de apoio. A volta de apresentação com toda a torcida em pé lhe parecia durar mais do que todo tempo em que esteve sentado em uma moto na sua vida. Mais uma vez, o filme de toda a sua vida passava pela sua cabeça, mas ele tinha que voltar a se concentrar na corrida.

O pai e a mãe não estavam ali porque sofriam demais com o perigo daquele esporte, mas assistiam pela TV junto com a irmã mais velha. O irmão, que estava no camarote assistindo também, estava muito ansioso e não conseguia ficar parado. A mãe agora deixava a sala para deitar-se no quarto. Seu coração já estava acelerado demais.

Chegando à última curva, antes de se preparar para a largada, decidiu que a sua passagem pela principal categoria da motovelocidade teria o propósito de ajudar a diminuir as diferenças sociais de alguma forma. Tinha um salário bem alto e alguns patrocínios. Tinha que crescer para poder ajudar mais e essa corrida seria o marco inicial. Doar bonés antes das largadas não ajudaria muito.

Pilotos alinhados e suas mãos demonstravam toda a sua pressa em acelerar. Era demasiadamente ansioso por resolver as coisas rápido, dificilmente ficava parado, sentado ou ouvindo o que não lhe interessasse muito. Tinha a síndrome dos pés nervosos, insônia e a inquietude dos jovens. Pelo bem ou pelo mal, esse era ele.

As luzes vermelhas estavam acessas e uma a uma ela se apagariam para que as verdes fossem acesas. Enquanto isso ele pensava ao longe e contava os segundos das lâmpadas ao mesmo tempo. Ele olhou para o espanhol Hernandez que largava na pole, era o ídolo da categoria, o cara a ser batido.

Acelerou ao máximo a sua moto e sentiu que os pilotos da Honda tinham uma estratégia de cerco. As duas motos quase em linha não lhe dariam opção e bem antes da primeira curva, ele mudou a trajetória para uma curva mais aberta e assim que o segundo piloto da Honda abriu para fechá-lo, imediatamente jogou para dentro colocando a sua moto entre as duas Honda. Tentou sem sucesso assumir de cara a primeira posição.

As TVs que transmitiam enalteceram demais as manobras do piloto que mantinha a segunda colocação sob pressão da Honda número dois. Tommy por vezes atacava Hernandez disputando a primeira colocação com bravura deitando a sua moto mais do que todas as outras. Era uma forma arrojada, perspicaz e extremamente eficiente. A sua estratégia de entrar e sair das curvas era muito diferente de todos os demais, corajosamente articulada. Era como se ele jogasse o corpo quase por debaixo do guidão para poder ganhar alguns milésimos de segundo.

Faltando duas voltas, decidiu disputar a primeira colocação num tudo ou nada com a Honda de Hernandez. Ele incomodava demais, quase encostando a roda na rabeta da moto do seu oponente. Na entrada da curva Lorenzo, na última volta, ele decidiu que seria o momento de arriscar. Tentou colocar a moto em um pouco mais de um palmo deixado entre a moto e a grama. Colocou a moto lado a lado com a vantagem de estar por dentro na curva. Hernandez tentou fechá-lo e, consequentemente, o tiraria da corrida, tocando-lhe a carenagem. A moto dançou várias vezes e para evitar o tombo ele desacelerou.

Hernandez cruzou na primeira colocação recebendo o prêmio pela vitória e o segundo lugar não deixava de ser uma grande conquista para o piloto estreante, com um motor menos potente. No pódio, Tommy olhou apenas uma única vez para o vencedor, quando o cumprimentou. Estourou o seu champanhe, derramando-a apenas sobre os mecânicos da sua equipe e depois soltou-a para eles que aguardavam comemorando a sua segunda colocação.

A carreira de Tommy depois dessa corrida foi marcada por muitas vitórias, tombos, champanhes e troféus. A sua relação dentro da equipe sempre foi cercada por grandes afetos e muitos desentendimentos. Seus ideais jamais mudariam e isso incomodava muitas pessoas dentro da sua equipe e mais ainda das adversárias. Mas as quatro vitórias no seu primeiro ano o colocaram num honroso vice-campeonato e a sequência de conquistas que se seguiram nos próximos anos lhe garantiram três campeonatos seguidos.

Sagrou-se tricampeão com corridas e batalhas memoráveis com Hernandez que renderam aos dois vários tombos, muitas farpas, contusões e algumas fraturas. Memoráveis e insanas corridas foram gravadas com os nomes desses dois se revezando na primeira e segunda colocações. Eles evitavam se olhar dentro e fora das pistas. Mas a luta pela vitória entre os dois rendia muita expectativa e atração de marketing, para eles e para todos os fãs da motovelocidade.

Depois dos três títulos consecutivos de Tommy, uma fratura no braço direito lhe presenteou com um pino que atravessava o seu úmero e que provavelmente lhe tiraria a chance do tetracampeonato. Pretendia superar sempre, não somente os outros pilotos, mas principalmente os seus próprios limites. Aliás, era como se já não houvesse mais limites. Voltaria forte, nem que fosse para um vice campeonato. Foi quando Hernandez também sofreu um acidente que o tirou de três das quatro últimas provas, então Tommy ainda teria uma chance dependendo somente dele, se ganhasse as quatro corridas que ainda faltavam.

Tommy fez três corridas inesquecíveis antes da última prova, conseguindo três das quatro vitórias, facilitadas pela não participação de Hernandez. O título dependia somente de sua vitória simples, mas a volta de Hernandez para a última corrida deixava o título aberto para a disputa. Se ele não voltasse, Tommy seria campeão com até com a décima primeira colocação.

Tanto Tommy, quanto Hernandez ainda sentiam muitas dores que os atrapalhavam na pilotagem. Tommy com uma haste no braço e Hernandez vindo de duas cirurgias no ombro e joelho. Hernandez sabia que se não voltasse para a última prova praticamente estaria dando de graça o título para Tommy. Era um piloto de muita técnica e muita garra, sendo assim jamais se permitiria desistir perante as dores, fraturas, sangue e estava decidido a não dar essa chance para o seu arquirrival.

Os dois largaram lado a lado, com Hernandez na segunda posição e Tommy na pole. Logo na primeira curva Hernandez acelerou com a moto na direção de Tommy, que desacelerou fazendo com que Hernandez passasse numa diagonal indo para o lado de fora da pista. Hernandez tentou nitidamente provocar um acidente, pois se ambos estivessem fora da corrida, consequentemente o título da motovelocidade retornaria para ele.

Acelerando forte, Tommy conseguiu manter-se na primeira colocação na primeira curva. A corrida foi marcada por uma sucessão incrível de ultrapassagens, jamais vista, com os dois se revezando na liderança. A torcida era levada à loucura pela determinação daqueles dois pilotos. Saindo forte na última curva e entrando na reta de chegada, Hernandez conseguiu emparelhar a moto, forçando a carenagem de Tommy com o joelho, novamente tentando derrubá-lo, da mesma maneira como havia feito em quase toda a corrida.

A chegada foi milimétricamente vencida por Tommy conseguindo manter-se à frente por seis milésimos de segundo. Foi tão igual que o locutor da pista precisou conferir a tela do seu monitor para perceber quem havia ganhado. Enquanto isso ele segurava o grito. Foram quase quinze segundos no seu grito final, com a voz já rouca por extravasar as suas emoções durante toda a corrida.

— Espetacular!!!! Fecha Tommy, em primeiro lugar, com Hernandez ao seu lado. Inacreditável a chegada final da motovelocidade. Tommy é tetracampeão!!!

Hernandez ainda quis conferir a chegada pelos vídeos e fotos, pois não acreditava que tivesse perdido na linha de chegada.

Depois da corrida, Hernandez era vice-campeão novamente e resolveu encerrar a sua carreira. Na sua última entrevista falou sobre ser vice-campeão, depois de liderar o campeonato até a última corrida. Surpreendentemente, falou sobre o prazer em disputar as corridas centímetro a centímetro com seu arquirrival, aquele que ainda seria considerado, historicamente, como o maior piloto de todos os tempos. Em suas últimas palavras ainda como piloto, ele se retratou pelos fatos ocorridos dentro das pistas, reconhecendo a supremacia de um jovem piloto. Na última frase do seu discurso dirigiu-se a Tommy.

— Jamais deixaria as pistas pelas dores que sinto em todo meu corpo, causadas pelas várias fraturas, tombos e horas exaustivas de treinos. Quando esse menino chegou em sua primeira corrida e foi estudar uma curva de bicicleta eu percebi que ele seria um grande piloto, só não sabia que seria o melhor. Nós não somos substituídos e muito menos seremos insubstituíveis. Cada um de nós e todos os outros, somos únicos, nenhum de nós existiria na ausência dos demais. Você me trouxe a vontade de correr por mais alguns anos, quando eu desanimava. Um dia eu me encontrei com um veterano da época em que eu comecei e ele me disse orgulhoso: "eu corri com você". Tommy, eu também direi a todos com muito orgulho que corri ao seu lado e contarei belas histórias. Que a vida ainda lhe traga muitas vitórias e muitos títulos. Obrigado a todos!

Hernandez olhava para Tommy como um irmão mais velho depois de uma briga, enquanto lhe proferia essas palavras. Tommy levantou-se, quebrando protocolos, dirigiu-se até o antigo adversário e o abraçou. Essa foi a primeira vez que eles se abraçaram. Tommy não esperava ficar emocionado pelas palavras do seu arquirrival, assim como também não esperava que a carreia do adversário, tão consagrada, terminasse de forma tão abrupta. Foram muitos anos de glórias para aquele bravo piloto que se entregava de corpo e alma por uma vitória, exatamente como ele.

Agora, Tommy, após cinco anos de competições, já era o terceiro maior vencedor. Tinha trinta e sete vitórias na categoria principal e noventa e oito somadas todas as categorias, com elas conquistando sete títulos mundiais, entre as 250 e 1000 cilindradas. Logo bateria todos os recordes de tempos das pistas, de vitórias e de títulos mundiais. Sem rivais à sua altura, mantinha-se engajado e motivado pelos recordes.

Com a saída de Hernandez, Tommy recebeu mais uma vez a

proposta da Honda, mas a paixão pela moto verde o fazia descartar todas as propostas de outras equipes que pretendiam tê-lo como primeiro piloto. O quarto título no quinto campeonato era a consagração maior que um piloto poderia desejar em sua carreira.

Sem o espanhol Hernandez, a motovelocidade estava aprendendo a respeitar dois jovens italianos, Mancini e Benedetti, que corriam pela, também italiana, Ducati. Chegavam muito forte das 500 cilindradas, onde disputaram acirradamente o título vencido por Mancini, apenas na última prova. Chegavam com todas as honras de serem os mais fortes concorrentes para Tommy e para a equipe Kawasaki. Logo nos primeiros treinos os jovens já demonstravam a que vieram.

Buhba já estava trabalhando com Tommy há duas temporadas. Depois do seu terceiro ano de competições na categoria principal, Tommy percebeu que precisava de alguém que o acompanhasse em todas as corridas, para ser amigo e fiel escudeiro dentro da equipe. Seria um amigo e secretário, cuidando das suas coisas pessoais. Alguém que pudesse representá-lo nas muitas situações indesejadas às quais ele era submetido frequentemente.

Não poderia perder a sua concentração recebendo convidados antes das corridas, tinha muitos negócios particulares que exigiam uma agilidade que não conseguia acompanhar. Precisava de alguém de sua total confiança. De cara descartou a sugestão de um amigo italiano, vinda de Luca. O seu pensamento tinha que estar na moto, nas pistas e nas suas acrobacias. Havia elevado o patamar da equipe e agora precisava de alguém que pudesse assessorá-lo fora das pistas.

Foi sentindo essa necessidade que Tommy aliou a necessidade ao desejo de ajudar aquele jovem africano do qual tornou-se grande amigo. Buhba deveria ser seu braço direito, dentro e fora das pistas. Mais que um assessor, Buhba era como um irmão para Tommy.

No começo foi difícil, pois era recém-saído de uma tribo africana, assessorar diretamente um dos esportistas de maior expressão no momento dentro daquele circo de motovelocidade lhe impunha a necessidade um período de adaptação. O começo foi enlouquecedor e por várias vezes quase desistiu. No entanto, Tommy foi persistente e fazia de tudo para que o amigo não desistisse. Buhba ainda era temeroso quanto aos acidentes a que Tommy estava exposto, até perceber que ele tinha uma espécie de proteção divina que o próprio piloto julgava que jamais compreenderia.

Tommy podia parecer indigesto para algumas pessoas, como para o chefe da equipe, patrocinadores e alguns repórteres, mas na verdade era uma pessoa muito fácil de se lidar. Ele era tímido por natureza e não era de se intrometer naquilo que não lhe coubesse. Como dizem na gíria "ele era na dele" e não vivia a vida dos outros à sua volta.

Ele sempre colocava rock em som alto quando estava agitado e precisava acalmar-se. Certo dia, Tommy deixou o seu capacete entre as duas caixinhas de som. Olhando para a cena, Buhba em tom de brincadeira recomendou que colocasse som em seu capacete para relaxar mais dentro das pistas, apontando com o dedo indicador em direção à cadeira, onde estava o capacete.

— Olha aquilo! Vamos colocar rock do lado de dentro do seu capacete para você se acalmar?

— Claro. Você tem toda razão! E ainda de quebra não vou mais ouvir o Luca.

Luca falava o tempo todo na orelha de Tommy, com sua voz ardida e um inglês horrível, somado àquele arrastado sotaque italiano.

— Eu disse por brincadeira e você levou a sério.

— Terá duas entradas de som, mas essas entradas serão controladas por você. Assim poderemos dar boas risadas durante as corridas.

— Você está mesmo levando a sério isso?

Agora ainda mais inconformado porque a sua brincadeira virava realidade na cabeça de Tommy. Sabia que o piloto sempre reclamava que a voz do chefe o atrapalhava. Não foram poucas as vezes que ele desligou o cabo de conexão e Buhba, ao lado do chefe, presenciava a sua fúria. Falando da fúria de Luca, Tommy lembrou-se de um de seus maiores desejos que muito contrariava os do chefe.

— Precisamos acertar a minha participação na corrida da Ilha de Man. Tem que ser esse ano porque no ano que vem, com esses dois italianos no meu encalço, eu não terei tanta liberdade.

— Você não desiste. Realmente acha que eles já não estão no seu encalço? O Luca não vai querer ouvir falar sobre esse assunto e eu concordo com ele. Você conhece os perigos dessa corrida. Ainda por cima, ela acontece bem no meio da temporada.

— Eu sei que vocês não entendem, mas eu preciso correr naquela pista e naquela paisagem. É uma oportunidade única. Ganho uma vez e nunca mais.

— Amanhã, conversamos com ele. Pelos patrocinadores não haverá problemas, porque querem muito a sua participação. Claro que a marca deles deverá aparecer por lá. Estão inclusive apostando em você.

— Literalmente! Há-há-há-há! — emendou Tommy, gargalhando, porque alguns deles já haviam postado nas suas redes sociais. #TommynaIlhadeMan

Tommy queria levar para a ilha o seu estilo arrojado de pilotagem e todas as emoções que habitualmente provocava, extrapolando os limites da moto, além dos seus próprios. Essa corrida estava marcada para o segundo domingo do mês de junho e Tommy já começava a elaborar as suas estratégias. Buhba estava encarregado de acertar os detalhes. Queria correr com a nova H2R e uma reunião com o *staff* da Kawasaki deveria ser marcada. Era a corrida no meio da paisagem que mais o atraía, principalmente pelos riscos que ela oferecia.

Depois de quase um mês de conversas, tudo estava acertado e Tommy correria com a H2R. Era uma participação que deveria mexer com o mundo do motociclismo, pois muitos pilotos haviam sido convidados, mas, até a presente data, nenhum havia se disponibilizado. Tommy ao contrário era persistente por essa participação, contra tudo e contra todos.

Capítulo 4

O nascimento de Carol

Filha de pais austríacos, Carol também nasceu na Áustria, em 22 de abril de 1977, mais precisamente no Bairro de Josefstadt na capital, Viena. Esse antigo bairro residencial e comercial, há tempos abrigava várias lojas, um teatro, igrejas, cafés, palacetes e muitas praças arborizadas. Os pais se conheceram durante uma viagem ao Brasil, enquanto ambos buscavam realizar um sonho de conhecer aquele país. Inicialmente, tinham objetivos diferentes que se conectaram pouco mais à frente.

A família de Jakob Müller, o pai de Carol, morava num desses palacetes nas proximidades do *Theater in der Josefstadt*, na *Josefstader Strasse*, considerado o epicentro cultural do bairro, despertando o interesse de toda a família para as artes. Próximo ao teatro, havia ainda algumas escolas de dança e música.

Aliás, a música era um dos maiores prazeres da família. Adoravam ouvir a Orquestra de Viena tocando e o pai era o mais apaixonado pela música erudita. Sempre adorou o som do piano e dos violinos. Desejava de todo coração que um dia, um dos filhos pudesse tocar para ele, até dispensaria o violino, pois o som do piano era sua maior paixão.

Em sua casa, nunca dispensava ouvir som das músicas eruditas ao lado da família. Era muito comum que eles se reunissem ao lado da vitrola para ouvir Mozart, Beethoven, Bach, Vivaldi e Chopin. Ficava difícil delimitar quais eram as preferências de cada um. A família brincava: seria aquele um momento onde o vinho era pretexto para ouvir boa música ou se a música era pretexto para que um bom vinho pudesse ser degustado em família. O certo é que eles se completavam e proporcionavam noites perfeitas para todos.

A família detinha algumas concessionárias de automóveis, um setor de negócios que vinha crescendo muito na Europa, dado ao crescimento econômico. A grande maioria dos automóveis eram importados da Alemanha e a família previa crescimento a níveis exponenciais para os próximos anos, fechando vários acordos de representações das marcas mais famosas. Eles praticamente engoliram a concorrência, principalmente em Viena.

Amelie, a mãe, por sua vez era de origem mais humilde, representando a classe média. Era muito trabalhadora e provavelmente ascenderia na carreira de administração de empresas. Atualmente, trabalhava como assistente de diretor de uma grande empresa de tecidos. A maioria dos funcionários acreditava que ela logo assumiria o cargo de diretoria comercial.

O termo *workaholic* ainda não existia, mas a sua dedicação, ou vício pelo trabalho, faria jus à sua criação. Apesar de ser sempre uma das primeiras a chegar e uma das últimas a sair, ainda enfrentava o preconceito e lutava para que a sua promoção não ficasse emperrada, por questões puramente machistas, levando ao posto de diretor outro assistente, que não apresentava as mesmas habilidades e competências que o cargo exigia.

Noah, seu subordinado, estava sempre disperso e precisava que alguém lhe desse um aperto, para que as suas atribuições fossem resolvidas. Ela mesma já havia dispendido muito do seu tempo de trabalho resolvendo situações em que o desempenho dele havia deixado a desejar. Já tinha decidido que suportar a carga de tê-lo como chefe, estava descartada.

No dia 17 de agosto de 1975, o piloto Vittorio Brambilla conquistava a sua primeira vitória na Fórmula 1, no Grande Prêmio da Áustria. Aos funcionários, além de assistirem ao grande prêmio, estarem presentes naquele camarote reservado da empresa, também representava ter a oportunidade de desejar sucesso ao novo diretor comercial da empresa. Todos tinham como certo que aquela seria a ocasião para que fosse revelado o nome do novo ou nova diretora.

Quando o piloto levantou o troféu, o presidente bateu na taça de champanhe com uma colher, ainda com alguns resquícios de ervilha, pedindo a atenção de todos. Aquele caldo verde da entrada estava maravilhoso.

— Senhoras e senhores, preciso da atenção de vocês por um instante. Todos sabem que nosso diretor comercial está se aposentando e vai viver entre os alpes suíços e Paris, pelo resto de sua vida. A dedicação dele foi primordial para a vida da nossa empresa durante anos.

Todos se entreolhavam esperando o anúncio da nova diretora comercial viesse a ser revelado regado à melhor champanhe e seria uma honra ser anunciada em um grande prêmio de Fórmula 1.

O coração de Amelie estava acelerado e ela tremia muito, pela angústia de vários meses em que ela havia esperado pelo anúncio. Tinha certeza de que Noah estava muito mais preocupado com mulheres e as suas bebedeiras noturnas, enquanto ela se dedicava e perdia horas de sono planejando e revendo os seus projetos. Ela era desejada pelas empresas concorrentes e sempre teve convites para assumir diretorias. Conforme ele já havia confessado, adoraria tê-la como chefe. Aliás, ali, naquele momento, ele já se encontrava notadamente embriagado.

Era a ela que todos recorriam quando necessitavam de ajuda, no setor comercial. O próprio presidente muitas vezes a chamara em sua sala para resolver problemas, antes mesmo de chamar o diretor.

Nesse momento o próprio presidente encontrava-se embriagado e isso a afligia ainda mais. Os comparativos entre as ações e atitudes dentro da empresa estavam a seu favor e nada que viesse de forma natural e minimamente honesta poderiam tirar-lhe aquela nomeação.

— Eu preciso informá-los quem estará à frente do setor comercial. — Agora todos olhavam diretamente para Amelie. Aquelas moças da linha de frente do atendimento, e tantas outras, torciam muito para que uma mulher pudesse representá-las. Amelie era dura nas suas decisões, mas ela cativava pela sua dedicação e sua sabedoria. Depois de uma pequena pausa e alguns soluços o presidente soltou algumas palavras. — Nós temos o privilégio de ter em nossa empresa pessoas de competência que poderiam assumir esse cargo. Mas infelizmente somente uma pessoa pode ser a escolhida.

Nesse momento, Noah deixou uma das atendentes ao qual ele estava abraçado e se aproximou para cumprimentar antecipadamente Amelie, se assustando com o pronunciamento.

— Noah será o nosso novo diretor comercial.

Todos aplaudiram como se estivessem cumprindo um ritual qualquer, ainda olhando para Amelie. Acompanhar o grande chefe em suas decisões poderia ser sábio, mas profundamente desagradável e ao mesmo tempo humilhante àqueles que colocam a ética e a moral acima de preconceitos. Todos olhavam para Amelie indignados com aquela revelação.

— Eu também tenho um anúncio a fazer. — Amelie tomava emprestado o garfo da composição de talheres ao lado e com a sua taça chamava a atenção de todos agora. — Eu sempre tive algumas propostas excelentes às quais sempre recusei porque o meu coração estava aqui. Não iria informá-los hoje, mas regados a um excelente champanhe e dadas as circunstâncias eu não consegui conter a minha ansiedade. Aceitei um novo desafio para voar mais alto. Meu querido amigo, Noah, sucesso.

O presidente do grupo estalou os olhos e quis novamente pedir a fala e possivelmente até a tenha pedido. Ele só não tinha a atenção das pessoas que encaminhavam-se em direção à Amelie para parabenizá-la.

Amelie vomitou aquelas palavras de maneira azeda, mas lhe traziam um amargor que vinha da alma. Não era apenas um "tapa na cara" do presidente de uma empresa mundialmente conhecida. Era um "tapa na cara" da desigualdade promovida por uma sociedade que exacerbava a visão do autopoder concedido entre os homens extrapolando os limites da capacidade e competência de cada um.

— Não é justo!

Ela ainda se lamentou e chorou muito ao sair daquela confraternização. Aquela festa representava para ela o corte de um cordão umbilical, onde ela estaria presa para suas lamentações para sempre. Ali jamais voaria mais alto e estaria submissa ao elo formado pelos homens. As mulheres precisavam ter liberdade para crescer em igualdade de condições.

Não tinha nada contra Noah e nunca teve. Ela o adorava como pessoa, sempre o ajudou com todo prazer e o tinha como amigo. Ele era uma boa pessoa e eles conviviam muito bem. Agora ela só queria curtir a sua liberdade, longe da opressão que vinha sofrendo. Noah também não acreditava que tudo aquilo estava acontecendo, tanto que na manhã seguinte ele ligou.

— Amelie, sinto muito pelo que aconteceu. Sei que a minha nomeação frustrou suas pretensões na empresa e sei que esse cargo é seu por merecimento. Pedirei ao presidente para voltar atrás.

Entretanto, Noah foi repelido instantaneamente.

— Eu não vou mentir porque você sabia que eu queria muito esse cargo, mas preciso lutar contra tudo o que afeta os meus planos e meus ideais, não somente contra o que acontece em nossa empresa. As mulheres não devem estar sempre abaixo dos homens. Nunca é pela competência e dedicação. Estaremos sempre à sombra dos homens, enquanto pacificamente aceitarmos essas condições. Vou fazer a viagem dos meus sonhos e quando voltar resolvo o que vou fazer com a minha vida profissional.

— Admiro muito você pela sua força e sabedoria.

— Noah, eu conheço seu caráter. Não se aflija, apenas aproveite o seu momento.

— Você sabe que não é a mesma coisa. Eu estava por você. Sempre foi por você.

Era uma maneira tímida de dizer que sentia algo a mais.

— Cuide-se sempre, meu amigo.

Ela o chamou de amigo e era um balde água fria, porém acalmava a agonia que ele sentia no momento. Ele iria assumir o posto, porque precisava. Não era tão ambicioso quanto Amelie e queria somente viver bem.

Procurava descansar enquanto marcava a sua viagem. Conhecer o país tropical e presenciar o calor de suas praias e matas nativas era um sonho e isso não poderia esperar. Por alguns dias não atendeu telefonemas. Sabia que ainda tentariam algumas cartadas para que ela voltasse. Mas estava decidida que não voltaria mais para aquela empresa.

Agradecia pela aprendizagem e oportunidades, mas agora não desejava mais nada entre aqueles homens arrogantes, hipócritas e machistas da elite austríaca. Essa era uma opinião formada há muito mais tempo do que o seu desligamento da empresa.

Pretendia passar um tempo viajando e depois voltar ao país e fazer alguns contatos com aquelas pessoas que, muitas vezes, a haviam convidado para fazer parte de seus negócios. Era conhecida no ramo empresarial pela sua competência e liderança frente aos seus comandados. A sua assessoria a diretores era centrada principalmente no contato com a linha de frente da empresa. O contato direto entre a diretoria e os funcionários nunca foi fácil e isso ela tirara de letra em todos os cargos pelos quais havia passado.

Viagem marcada para o Brasil, iria passar vinte dias num país tropical de clima quente e ali conheceria uma região selvagem. Ela sempre declarou que não gostava muito do clima frio austríaco e brincava que viveria bem em praias com sol escaldante. Seus familiares já estavam devidamente avisados de sua decisão e não concordavam, porém, a respeitavam, pois ela sempre foi extremamente decidida em qualquer ocasião e não voltaria atrás agora.

Chegando o dia da viagem, a ansiedade lhe invadia o peito de tal maneira que o seu sono já era interrompido por diversas vezes durante a noite. Claro que isso somado à toda situação de estresse que ela vinha passando. A perturbação era inevitável, mas esperava que a compensação superasse todo aquele sofrimento pelo qual tinha passado.

O Brasil era o país que mais a encantava pelas fotos. O tom alaranjado do pôr do sol e aquele combinado de azul e verde de céu e mar totalmente misturados à toda aquela mata a atraíam. Só tinha aquele medo danado de não mais querer voltar. E se aquele país tão atrasado em suas questões sociais respeitasse com maior agilidade a evolução da igualdade dos direitos femininos? Aí sim talvez ela fincasse os dois pés em algum lugar próximo às praias brasileiras.

Ainda no aeroporto, ela percebeu muitos austríacos e alguns europeus que tomariam o mesmo destino. Todos típicos turistas em busca do calor das praias tropicais. Entre eles um lhe chamou a atenção, para o qual ela desferiu alguns olhares, tímidos, mas que não deixaram de ser percebidos e devidamente retribuídos por aquele homem.

Na fila para o check-in, Jakob estava quase no final e em algumas dobras da fila tornaram a cruzar seus olhares. Amelie adentrou no avião recebida pelos comissários de bordo que indicaram a posição do seu assento. Era um avião pequeno com duas colunas de três assentos. A sua poltrona estava situada bem no meio do lado esquerdo. Pôde ver a asa do avião antes de sentar-se. Ela estava sem sorte, pois não veria as paisagens, mas pelo menos descansaria.

Ajeitou as malas e o cinto antes de fechar os olhos para fazer uma breve oração. Assim que os abriu percebeu que aquele homem para o qual ela havia desferido alguns olhares, caminhava procurando o seu assento. Então a sua oração mudou. Esqueceu-se de que o avião poderia cair sobre a sua cidade e pediu para que o seu assento fosse bem à sua esquerda, assim ela poderia olhá-lo enquanto fingia ver a vista lá fora, esquecendo-se de que estava literalmente sobre a asa do avião. Ao contrário do que pensou, estava com muita sorte, pois a sua oração foi atendida. Jakob ajeitou as malas. Ele estaria ao seu lado.

— Com licença. A minha poltrona é a da janela ao seu lado. Se preferir a janela pode ficar, pois eu não me importo.

— Eu já estou ajeitada aqui, além do que essa asa não deixaria as coisas diferentes.

— Qual o seu destino?

— Brasil. E o seu?

— Brasil, também.

— É um país lindo.

— Sim! E começa a abrir suas portas para investimentos estrangeiros.

— Eu vou somente a passeio. Quero conhecer tantos lugares que seria impossível em apenas uma semana.

— E por que não fica mais tempo?

— Preciso voltar e arrumar um novo emprego. Essa viagem é um desapego do meu antigo trabalho.

— Quer falar o que aconteceu?

— Não quero incomodar alguém que acabo de conhecer.

Ameli e Jakob sorriram nesse momento, ao qual ele emendou.

— Se temos umas quatorze horas de voo, poderemos falar sobre todos os nossos problemas.

Fechada a porta, a poltrona ao lado deles seguiu vazia.

— E você será meu analista?

— E você também pode ser a minha.

A conversa entre os dois fluiu por muitas horas até que Jakob percebeu que ela estava com sono. Ele não fechou os olhos. Pensava na maneira despretensiosa como tudo aconteceu e não acreditava que aquela moça da fila de check-in, agora escorregava em seu ombro.

Estava tudo tranquilo, enquanto sobrevoavam o Oceano Atlântico, a mais ou menos cem milhas de adentrar no continente americano, até que o piloto foi informado que uma tempestade muito grande mudava sua trajetória, deixando-o sem alternativa exceto mudar a rota. O avião estava indo direto para o centro da tempestade. A movimentação das comissárias de bordo, já havia chamado a atenção de Jakob. Apesar de todas as suas viagens internacionais, jamais havia visto a equipe de bordo desesperada àquele ponto. Logo veio o aviso do piloto.

— Senhoras e senhores, permaneçam em suas poltronas e mantenham os seus cintos apertados. Mantenham os seus pertences nos compartimentos. Entraremos em uma tempestade e poderemos sentir um período de turbulências. Mantenham a calma.

— O que está acontecendo?

— Vamos entrar numa tempestade. Confira o seu cinto de segurança. Deixe-me colocar a sua bolsa no compartimento, junto com a sua bagagem.

A partir desse aviso do piloto, foram decorridos pouco mais de dois minutos para que as turbulências começassem a uma intensidade muito forte.

Amelie não tinha a mesma experiência em voos que o seu companheiro ao lado. Tão logo as turbulências começaram, ela agarrou-se a Jakob. Ele também estava com medo, pois jamais havia passado por essa situação. Duas comissárias que persistiam em ajudar a guardar bolsas e outros pertences foram arremessadas para o alto e caíram, uma delas no corredor e outra sobre um senhor.

Os três ficaram feridos. uma das comissárias bateu a cabeça na quina de um dos assentos e sofreu traumatismo craniano. A outra sofreu pequenas escoriações, assim como o senhor da poltrona cinquenta e sete. Outro rapaz sofreu várias contusões por insistir em ficar no banheiro, situado mais ao fundo do avião. Em meio aos pertences que, literalmente, voavam pelo avião, muitos gritavam, chamavam por Deus.

— Nós vamos cair! Deus tenha piedade de nós.

— Calma, minha filha! Deus está olhando por vocês. Por nós!

Amelie que estava agarrada, com os olhos arregalados, totalmente inerte, agora olhava diretamente para aquela mulher que tentava acalmar os demais. Teve a sensação de paz e a certeza de que estavam mesmo protegidos por Deus.

Foram quase quinze minutos de intensas turbulências, com alguns feridos pelas quedas e por serem atingidos pelos objetos que voavam durante todo o tempo. Depois de pouco tempo de calmaria o piloto voltava a avisar.

— Senhoras e senhores, gostaria de agradecer primeiramente a Deus, por nos permitir completar a nossa viagem e a todos pela compreensão de que fenômenos dessa natureza acontecem. Os feridos já estão recebendo os primeiros cuidados e tudo ficará bem com eles. Mais uma vez agradeço a todos. Estamos agora sobrevoando o Rio de Janeiro, onde faremos uma escala. Temos o Cristo Redentor à nossa esquerda. Logo estaremos aterrissando e finalizando nosso voo em São Paulo.

Amelie ainda se recobrava do susto. Procurou pela mulher que acalmava as outras pessoas e não a viu. Deveria estar ao lado de alguém que ainda precisasse de ajuda. Talvez ela fosse alguma psicóloga ou até mesmo uma médica.

— Está mais tranquila?

— Sim. Eu me acalmei quando vi aquela mulher que acalmava as outras pessoas.

— Que mulher?

— Que estava nessa poltrona conversando com aquela senhora e com os outros.

— Talvez eu nem tenha reparado. Nunca passei por uma situação como essa.

Conversaram por mais alguns minutos e depois permaneceram em silêncio por um bom tempo até quase o momento da aterrisagem.

— Você fica em São Paulo?

— Por hoje sim. Amanhã sigo para o Pantanal Mato-grossense.

— Gostaria de te ver novamente. Quer jantar comigo?

Amelie olhou com cara de quem iria dispensá-lo, mas resolveu aceitar.

— Aceito!

— Apanho você no seu hotel às vinte horas.

Depois de alojada em seu hotel, Amelie descobriu que São Paulo era muito maior do que imaginava e oferecia muitas oportunidades. Esperava ansiosa a chegada de Jakob para jantarem em algum lugar especial naquela bela cidade. Encontraram-se no hall do hotel, onde Amelie apresentou-se impecavelmente vestida, o que não era diferente para Jakob, que vestia um terno escuro.

Já no restaurante, Jakob falava sobre a suas pretensões.

— Estamos querendo investir nas concessionárias de carros aqui no estado de São Paulo e preciso colocar alguém de minha confiança para cuidar desses negócios. Você seria a pessoal ideal para cuidar disso.

— Eu trabalhando e morando no Brasil? Perto das matas e das praias e das serras? Aceito.

— Olha que darei como certa essa contratação. Acredito na sua competência, porque já confio em você pelo que me descreveu dos seus antigos empregos.

— Seria um desafio e tanto.

Amelie sempre foi estrategista no trabalho e não deixaria de ser agora dando uma cartada tão certeira para o emprego quanto para o coração de Jakob.

— Temos um acordo então? Preciso acertar o local para a primeira concessionária em São Paulo e eu ficaria muito feliz se você me assessorasse nessa busca. Teremos um escritório central em São Paulo que coordenará o projeto da rede de concessionárias.

Amelie sorriu e entendeu aquilo como um emprego certo e uma nova oportunidade de trabalho onde ela mais desejava. Imediatamente ela começou a dar ideias.

Jakob ficou parado olhando fixo nos olhos da moça. Ele estava encantado por completo. Não conseguia mais esconder que queria ela por perto e foi naquela noite que eles entenderam que aquele encontro não seria apenas de negócios. Nessa mesma noite ficaram juntos e foi o início de um belo romance. Estenderam a viagem por mais uma semana e assim puderam conhecer também as praias de Ubatuba, Paraty e Angra dos Reis.

A volta para a Áustria foi planejada por eles para que fosse rápida e estratégica, apenas para acertar algumas situações familiares e prioridades de investimentos naquele país, já que, em uma semana no Brasil, decidiram que lá se casariam. O casal estava realmente muito empolgado por acreditar que essas mudanças lhes trariam muitas felicidades. Encarar uma vida nova a dois no Brasil, que eles tanto amaram, era um desejo que logo seria realizado.

Retornando à Áustria, Amelie começou a sentir alguns enjoos, no começo esporádicos, mas logo tornaram-se frequentes, anunciando a sua gravidez, fazendo com que o casal reorganizasse os planos e esperando até que o bebê nascesse.

Uma menina nasceu de forma prematura, com pouco mais de sete meses, depois que alguns médicos acreditavam que ela estaria morta no ventre de sua mãe. Amelie queria que fosse dado o nome de Inaê à criança, pois foi um nome indígena que ela ouviu no Brasil.

O pai, amante da boa música, adorava uma música brasileira chamada *Carolina*. Ele sempre cantarolava essa música para Amelie, dizendo que sua filha se chamaria Carol, um diminutivo de Carolina e que significava a iluminada. Vivia cantarolando feliz com um sotaque engraçado:

"Carolina, Carolina
Sorria minha menina, que eu vou cantar..."

Como um pai que tanto se encantou pela bela letra de uma música conseguiria desvencilhar-se dela no momento do nascimento daquela que ele já tanto amava mesmo antes do seu nascimento? Logo após o nascimento, o pai estava pronto para registrar a filha com o nome que ele sempre desejou. Ao final, os dois ainda riam da troca do nome e a mãe aceitou dizendo que o nome certamente combinou mais com aquela pequena menina. Jakob sempre dizia:

— Ela a carregou em seu ventre, mas como eu tive que ir ao cartório, nada mais justo que eu escolhesse o nome.

Jakob sempre repetia a mesma história para todos os amigos, quando eles apareciam em sua casa para visitar a pequena recém-nascida.

O sonho de ambos era morar no Brasil e tão logo a menina estivesse bem e mais forte, eles poderiam retomá-lo e quem sabe teriam outros filhos. A empresa seguiria seu rumo no estado de São Paulo, finalmente conquistando o seu espaço na América do Sul, pois, do Brasil, pretendiam chegar um dia à Argentina e ao Uruguai.

Capítulo 5

Encantada pelo piano

Era dia 04 de fevereiro de 1981, uma quarta-feira bastante chuvosa na cidade de São Paulo. Um dia especialmente tranquilo no condomínio Piazza San Marco. A chuva batia delicadamente e escorria pelos vidros da sala de TV. Os pais de Carol já haviam saído para trabalhar em São Paulo, enquanto ela ainda dormia. Era filha única e passava mais tempo com a Ana, a funcionária de confiança, do que com os próprios pais. Sentia muita falta desse contato durante o dia e, ansiosa, esperava pela chegada deles. Sentia falta do carinho do pai e a falta de uma mãe mais presente. Pela manhã a menina sempre recebia um beijo carinhoso do pai, mas era raro acordar com a saída deles.

Carol era acordada carinhosamente por Ana e essa cena já se repetia há muito tempo. A funcionária conquistou a confiança da família. Deixava o café com leite pronto para que a menina tomasse deitada no sofá assistindo ao seu programa favorito, apresentado por um palhaço. Geralmente antes do programa terminar ela ouvia o som vindo de um piano bem de perto. Sempre naquela mesma hora.

Aquele som tocado diariamente no mesmo horário parecia convidá-la a desfrutar de sua apresentação. Tentava imaginar quem tocava aquelas belas músicas, muitas das quais lembrava-se de ouvir ao lado de seu pai. Em seus pensamentos imaginava alguns daqueles senhores das capas dos LPs tocando, aguçando ainda mais a sua vontade em subir aquelas escadas.

No auge dos seus quatro aninhos e na ponta dos pés, Carol conseguiu abrir a porta do apartamento setenta e um onde morava. Aqueles olhos inocentes e assustados percorriam toda a extensão do primeiro lance daqueles degraus estreitos, como era comum em alguns prédios antigos. A escada estava com as luzes apagadas e aquele aspecto sombrio aumentava o medo e a ansiedade da menina. Porém, nada impediria que ela desvendasse o grande mistério de sua vida.

O som daquela bela música mostrava o caminho e indicava que ela deveria seguir pelas escadas acima e, então, com as mãos pequeninas e trêmulas ela segurava no corrimão, seguindo rumo ao oitavo andar. Lentamente colocava seus pés de forma alternada no degrau superior e a cada um que ela subia, imediatamente parava e voltava seus olhos para trás, numa atitude que revelava todo o seu medo. Mas a bela música a levava a seguir em frente e ela subia mais um degrau.

As músicas eruditas a atraíram, pois sempre as ouvia deitada no peito do seu pai, que colecionava vários LPs em seu toca-discos, no estilo carrossel, que emitia o som perfeito, o qual tanto encantava aquela menina de cabelos dourados. Ali, acolhida no peito do pai, ela encostava a cabeça e prestava atenção naquelas músicas que se misturavam à batida do coração daquele apaixonado pai.

Jakob facilmente adormecia embalado pela música e pelos dedinhos da filha que marcavam o compasso da música em seu peito. Porém, nada a atraía mais do que o som vindo das escadas do prédio. Imaginava alguém deitado no sofá ouvindo o som como fazia frequentemente o seu pai e ainda imaginou que poderia haver uma criança deitada em seu peito, como ela fazia.

Subia escorregando as duas mãos pelo corrimão empoeirado, provocando a sua rinite alérgica e cada segundo parecia uma eternidade, enquanto o som ia ficando cada vez mais alto e mais perto. A sua ansiedade aumentava no mesmo ritmo das batidas do seu coração. Estava bem perto agora.

Carol olhou para a porta do apartamento logo na saída da escada e viu o número oitenta e dois. A menina parou e na ponta dos pés tentou olhar pelo buraco da fechadura, mas a própria chave a impedia de ver. Ela tinha a noção de que aquela atitude era errada e contrariava aos ensinamentos dos seus pais, mas naquele momento ela não conseguiu conter a sua vontade e as suas emoções.

Ficou ali em pé por cerca de dez minutos, até que resolveu sentar-se. Prestava tanta atenção naquelas músicas que nem percebeu o tempo passando, até que, de repente, a maçaneta da porta girou sem que ela ouvisse qualquer ruído, pois o som do piano conseguia encobri-lo com facilidade. Tão assustada quanto a menina, ficou a moça que abriu a porta e antes que a sua voz trêmula pudesse sair, ela engoliu em seco e perguntou:

— Menina, o que está fazendo aqui?

Carol pensou em correr, mas as suas pernas amolecidas pela situação de exposição ao medo não permitiram. Então, ela se lembrou de um conselho de seu pai, em que ela deveria sempre assumir os seus erros e encarar as responsabilidades pelos seus erros. Talvez uma criança qualquer não se lembraria de detalhes dos ensinamentos dos pais nessa idade.

— Eu sempre ouço a música e queria saber de onde ela vinha.

Logo Carol percebeu que a música havia parado e uma senhora muito elegante aproximava-se da porta.

— O que está acontecendo aqui?

Agora, com a frequência cardíaca voltando ao normal e sorrindo, a moça disse para sua mãe:

— Olha só! Acho que a senhora conquistou uma fã. Essa menina estava aqui na porta, sentadinha ouvindo-a tocar.

— Que menina mais linda! Você gosta de piano?

— Sim! — respondeu Carol, acalmada pela leveza daquela bela senhora em conduzir a situação, lhe estendendo a mão.

— Filha, antes de descer, por favor passe no apartamento setenta e um e avise que ela está aqui e que eu vou tocar uma música com ela. Ela é filha de Jakob e Amelie, que provavelmente já foram para o trabalho. Não foram, menina? — Carol apenas concordou com a cabeça sem nada dizer. — Entre comigo que eu vou lhe apresentar meu piano. Ele é bem velhinho, já tem mais de sessenta anos. Mas isso não importa para um piano quando é bem cuidado.

Aquele apartamento tinha um cheiro completamente diferente da sua casa. Ele tinha cheiro de bolo e outros que ela não conseguia identificar. Assistiu ao beijo que a mãe deu na filha moça antes que ela partisse. Desejou o beijo de mãe e o cheiro de bolo para si. As mães deveriam ser assim, carinhosas com seus filhos.

O piano que a encantou era um Bosendorfer, de meia cauda, preto, alemão e devia ser mesmo muito bem cuidado, pois ele brilhava e estava colocado num local de destaque naquela sala de tamanho médio. O apartamento, pelo que percebeu a menina naquela rápida passada de olhos, era muito parecido com a sua casa. Os móveis antigos eram muito bonitos, entretanto era o piano que mais chamava a atenção.

As mãozinhas para trás denunciavam o medo em tocar naquele instrumento que até parecia uma peça de exposição de museu pelo tanto que ele brilhava.

— Você que tocar?

— Eu posso? — respondeu mais que depressa a menina com aquele olhar sapeca, que lhe era tão característico.

Silvia percebeu um brilho a mais agora naqueles belos olhos castanhos-claros, em um tom que acompanhava os seus cabelos claros e cacheados.

— Claro que pode. Você deve tocar suavemente sentindo com o coração o som que sai das teclas. A música só tem sentido quando tocada colocando os seus sentimentos.

Silvia era extremamente gentil e percebeu que a menina tinha um interesse verdadeiro pela música erudita, a qual ela tocava. Pelas poucas vezes que havia conversado com os pais da menina sabia que o pai gostava bastante e possuía alguns LPs, inclusive, já havia emprestado um para ela.

A banqueta foi regulada em sua altura para que a menina pudesse tocar as teclas suavemente, conforme havia explicado Silvia. Com ajuda, ela se posicionou de maneira confortável.

— Estique seus braços e toque suavemente sentindo o som que elas emitem. Se quiser fechar os olhos você conseguirá sentir ainda mais a essência da música que você vai tocar.

A menina não entendia o significado da palavra essência, até que fechou os olhos e continuou teclando. Os sons vindos daquele instrumento pareciam tocar-lhe não somente os ouvidos, mas também o coração e a alma, então ela entendeu o significado de essência. Seus dedos não alcançavam as últimas teclas apesar do esforço por alongar-se.

Silvia sorriu e pediu licença para aproximar um pouco mais a banqueta.

— Você tem certeza de que nunca havia tocado, pois parece uma musicista profissional?

Carol respondeu que não com a cabeça sem parar de tocar. Para ela essa era a música mais bela que já havia ouvido. Apesar da sequência dos sons saírem um tanto descompassados com as regras musicais, essa era a música que vinha do seu coração e da sua alma. Essa era a composição dela naquele momento.

A menina pôde apreciar o êxtase por exatos vinte minutos. Foi o tempo máximo que Silvia pôde estar ali na presença da menina. Ela julgava não ter didática e tempo para ministrar aulas para crianças, além do trabalho em período integral como assistente de recursos humanos numa grande empresa da região. Entretanto, convidou a menina para voltar outras vezes.

— Você tocou muito bem hoje e tem jeitinho de pianista. Eu não tenho muito tempo, mas adoraria se pudesse voltar outras vezes. Você quer?

— Quero sim!

Não foi difícil arrancar um sorriso daquela doce menina que tanto havia se encantado com aquele instrumento. Ela nem mesmo conseguia acreditar que ele era tão velhinho e não via a hora que o pai chegasse para poder lhe contar que havia tocado. Lembrou que a mãe podia ficar brava por ela ter saído daquela maneira, sem avisar.

Silvia acompanhou-a até o apartamento segurando a sua pequena mão, como se protegesse a mão de uma pianista famosa com todo cuidado e carinho. Fez questão de explicar ela mesma para Ana onde a menina estava. Não poupou elogios e encantamentos pela menina, o que atenuou um pouco o olhar bravo de funcionária.

— Eu estava limpando o apartamento e nem percebi que essa fujona não estava na sala.

— Isso você não me disse, lindinha. Não deveria sair sem avisar.

Carol abaixava a cabeça e balançava o pé que está ligeiramente à frente do outro, sem soltar a mão de Silvia. Aquela senhora era gentil e lhe deu a oportunidade de tocar o seu piano. Foi impossível não imaginar a felicidade que o pai ficaria se a visse tocando aquelas músicas.

Ela contaria primeiro ao pai, porque ele era mais calmo que a mãe e, com certeza, ficaria feliz com a novidade. Ele gostava de ouvir as músicas eruditas ao contrário da mãe que pouco ouvia músicas. Era última semana de férias da escola para a menina. O pai com certeza permitiria que ela fosse até a casa de Silvia mais algumas vezes, antes que as aulas voltassem. Estava tão ansiosa que mal conseguia se conter. A música que se misturava às batidas do coração de seu pai poderia sair de suas mãos, tocadas ao piano, como ela sempre sonhou.

No horário habitual seus pais chegaram. A mãe chegou um pouco antes e como nos outros dias reclamou do trânsito, foi até a cozinha e tomou um copo de água. Carol fechou os olhos, ouviu que ela respirou fundo, mesmo de longe. Ainda com os olhos fechados, sentiu que ela iria para o quarto. Estava gostando de praticar a ouvir melhor os sons, desligando-se de outros sentidos.

A mãe não foi até o seu quarto. Sentia falta do carinho dela, mas hoje agradecia por ela não ter passado pelo quarto. Carol sempre fazia algum barulho do quarto para chamar a atenção, para que a mãe ali parasse, mas quase nunca obtinha êxito.

O pai chegou uns quarenta minutos mais tarde. Carol ouviu o elevador chegando, já sabendo que era seu pai. Então ela fechou os olhos e ficou imaginando-o olhando para a porta do elevador, até que o número sete aparecesse no indicador digital. O elevador parou e então ela se concentrou nos passos distantes.

Treinar os ouvidos já rendia bons frutos. O som da maçaneta girando indicava a chegada do pai. Ao chegar, antes de qualquer outra coisa, Jakob passava no quarto, deitava-se na cama com a filha e perguntava como tinha sido o seu dia. Ele também chegava cansado, mas o abraço da filha era revigorante. Ela, segurando a ansiedade, esperou que ele perguntasse.

— Como foi seu dia hoje, minha filhinha?

— Você não vai acreditar. Eu toquei piano.

— Como assim tocou piano? Me conte.

— Eu sempre ouço a música e hoje eu fui ver de onde era.

— Você saiu do apartamento?

— Saí. Eu fui atrás da música. Aí a Dona Silvia me mostrou o piano e me deixou tocar.

— Você avisou à Ana?

— Não.

— Você sabe que isso está errado e nós sempre falamos pra não sair do apartamento. Isso não pode mais se repetir. Quero que você entenda isso.

— Mas aquela música. Só queria saber quem estava tocando.

— Você sabe que nós temos algumas regras que não devem ser desobedecidas. Essa é uma das principais. Mas, me conte, você gostou de tocar piano?

Dessa forma, passando rápido da cobrança ao entusiasmo por saber como tinha acontecido aquela façanha da sua filha. Queria mais é que ela contasse logo como tudo aconteceu, cheio de alegria pelo encantamento da filha pelo piano.

— É um piano preto de cauda. Ela me disse pra fechar os olhos e tocar com o coração e com a alma. Quero um piano como o dela.

Jakob sorriu antes de responder.

— Um dia nós compraremos um piano pra você tocar e eu tenho certeza de que será uma grande pianista. Mas pianos geralmente custam muito caro, ainda mais um piano de cauda.

— Não precisa ser como o dela. Ela disse que tem outros menores.

— Claro. Que música você tocou?

— Toquei as músicas que o senhor gosta.

Jakob sabia que, em sua inocência, ela realmente acreditava que havia tocado aquelas músicas com grau de dificuldade elevado. Ela era bastante persistente e precisaria de alguns anos frequentando aulas com uma boa professora, portanto, se fosse o desejo dela, ele poderia confiar e comprar o piano que seu investimento não seria em vão.

— Você quer fazer aula de piano?

— Quero!!!

— Então eu vou falar com a sua mãe e procurar uma professora que seja aqui perto. Acredito que a Dona Silvia não pode, pois ela trabalha o dia todo.

Assim, Jakob foi envolvido em um abraço apertado de Carol. Foi dessa maneira que ela agradeceu, esquecendo-se de como reagiria a sua mãe pela sua saída sem ter avisado para Ana. Sabia que a sua fuga tinha valido a pena. Podia sempre contar com o pai para realizar seus desejos, talvez não só dela, mas dele também depois daquele relato, e mais ainda porque ele compreendia as suas emoções e sentimentos.

Jakob saiu do quarto e foi falar com a mãe sobre colocar a menina para fazer aula de música.

— Amelie, precisamos arrumar uma professora de piano para Carol. Hoje ela foi até a casa da Silvia do oitavo andar e tocou o piano dela.

— Como assim? Foi na casa da Silvia?

— Ela foi atraída pela música. Eu já a repreendi por ter saído do apartamento sem avisar.

— Você acha que ela vai tocar essas músicas de que você gosta? Isso deve ser fogo de palha. Você vai se decepcionar e perder o seu tempo.

— Ela gosta de ouvir as músicas que eu ouço.

— A Silvia trabalha o dia todo e não quer dar aula. Ela toca por prazer.

— Sim. Então precisamos encontrar outra e de preferência que seja perto daqui. Depois, se ela demonstrar que está comprometida com os estudos e nas aulas eu comprarei um piano.

— Você vai atrás disso porque eu sei que será passageiro. Quanto ao piano, melhor que espere até ter a certeza de que não irá se arrepender. Imagine um piano ocupando a sala pra nada.

— É um desejo dela e agora compartilhado por mim também. Quero muito que ela se torne uma grande pianista. Vai começar tendo aulas e eu vou dar-lhe o piano assim que demonstrar conhecimentos para tocar. Isso vai animá-la ainda mais.

— Você é quem sabe e depois não venha me dizer que eu não avisei.

A mãe, desconfiada se aquela era a atitude mais certa a ser tomada no momento, simplesmente lavou as mãos e deixou a responsabilidade para o pai, já que ele parecia estar mais animado do que a própria menina.

Capítulo 6

Em busca dos sonhos

Jakob estava bastante empolgado com a ideia da sua filhinha tornar-se uma pianista, tanto que naquele dia ele acordou mais cedo do que o habitual, pensando em realizar o sonho para um pai tão acostumado a ouvir grandes clássicos de Bach, Mozart e Beethoven, que eram compositores presentes quase que diariamente em sua sala. Os ouvidos dele e da filha eram acostumados a ouvir as melhores músicas clássicas, com os seus representantes mais nobres.

Levantou-se e pensou em sair antes de ouvir lamentações ou palavras de descrédito em relação à procurar por uma professora. Tomou um café simples e desceu pelo elevador. Normalmente, durante a semana ele descia pela garagem e seguia direto para o trabalho. Passou pela portaria e perguntou para o senhor Arnaldo se ele sabia do horário em que Dona Silvia chegava e pediu-lhe que a avisasse de que precisava falar com ela.

Caminhou até a padaria perto de casa, ali tomaria outro café com pão na chapa. Não era sempre, mas às vezes ele tomava ali seu café. Imaginou que em contato com alguns vizinhos pudesse obter informações e contatos sobre professoras de piano perto dali. Talvez até mesmo Celiza, esposa do dono da padaria, pudesse conhecer alguém, pois certamente conhecia muitas pessoas da redondeza.

Tomou seu café e conversou com algumas pessoas sobre outros assuntos. No balcão, o principal o assunto era queda no PIB brasileiro. A economia, que havia crescido a largos passos na década de setenta, sofria uma queda vertiginosa, passando de sete por cento de crescimento ao ano para míseros dois por cento. O início de uma crise econômica estava estampado nos principais jornais de todo o país. O medo da crise era vívido no dia a dia, percebendo-se que os preços começavam a aumentar, provocando um aumento no desnivelamento social. Enfim, todo o volume de crescimento econômico e social conquistados na década anterior estaria sendo colocado à prova, podendo ruir e colocar abaixo um país que rumava ao desenvolvimento.

Jakob estava bastante envolvido naquele debate socioeconômico com alguns frequentadores assíduos da padaria, pois sentia na pele, como todos os brasileiros, as consequências da alta de preços. A venda de carros tinha caído muito. Defendia o seu ponto de vista sobre o governo, mesmo que autoritário, acreditando que uma abertura democrática naquele momento poderia ser ainda pior. A consequência de um governo fraco poderia arruinar o país. Estava a favor do governo, porém divergia em muitas situações de algumas atitudes do então Ministro do Planejamento, Delfin Neto.

Por um curto período de tempo esqueceu-se do motivo que o levara até a padaria. Retomando seu objetivo, foi logo perguntando para os envolvidos no debate. Daquela roda, ele conhecia bem apenas dois, os outros conhecia de vista ou nunca havia visto pelo bairro. Era uma padaria conceituada, que atraía muitas pessoas da redondeza.

— Algum de vocês conhece uma professora de piano aqui no bairro?

Ricieri, professor de Matemática, velho conhecido da padaria era o mais brincalhão da turma e não deixou passar em branco.

— O país entra em crise e o Jakob já pensa em ganhar uma grana tocando piano.

Todos caíram na gargalhada descontraindo a conversa, até então séria.

— Poderíamos montar um grupo musical e quem sabe ganharmos um dinheiro mais fácil. Eu posso cantar com essa voz que Deus me deu

— assim emendou Antenor, ao qual Jakob pouco conhecia e que tinha uma voz forte e rouca.

Todos caíram na risada. As brincadeiras, mesmo que soltas na inocência, provaram um pouco da verdade do povo brasileiro. Os maiores problemas econômicos e sociais sempre vão acabar virando motivo de piada e tudo continua na mesma. Assim acontecia nos programas humorísticos da época.

A mão forte do governo começava a enfraquecer e naquela década o país reconhecia o declínio do crescimento ostentado durante a década anterior. O riso e o deboche nas rodas de populares, antes temido, agora parecia estar muito mais escrachado.

Jakob tratou de explicar o motivo da sua procura pela professora de piano, não que ele precisasse, mas talvez deixando o tom de brincadeira, alguém pudesse lhe indicar uma conhecida.

— A professora é para minha filha. Ela quer aprender piano e eu ficaria muito feliz em ouvi-la tocar as músicas clássicas de que eu tanto gosto.

— Pra nós você não precisa mentir e nem mesmo se explicar. Nós todos já sabemos que é para você mesmo. Só acho meio tarde para aprender — ainda brincou Ricieri, tentando se valer da mesma piada para arrancar mais alguns risos. Ele era adepto do ditado: "perco um amigo, mas não perco a piada". O riso agora já era mais leve por parte de todos que informaram não conhecer ou acenaram com a cabeça negativamente.
— Pergunte para a Celiza no caixa antes de sair. Ela conhece quase todo mundo no bairro, ela certamente saberá.

Assim reagiu Ricieri, abraçando o amigo, já retomando a seriedade e confirmando o pensamento de Jakob quando adentrou na padaria, ela com certeza saberia informar com mais precisão. Jakob agradeceu aos amigos antes de dirigir-se até o balcão, cercado de balas, doces, cigarros e tantas outras coisas que ele quase não conseguia vê-la.

— Bom dia, Dona Celiza, tudo bem?

— Tudo bem! E o senhor, como está?

— Bem. A senhora sabe me informar se no bairro tem alguma professora de piano? Minha filha está ansiosa por aprender e eu gostaria muito que ele tivesse aulas aqui por perto para facilitar o acesso.

— Que graça! Ela tem quantos anos?

— Quatro.

— A dona Antonia é uma excelente professora. Sempre ouvi muitos elogios em referência ao seu trabalho. Ela não frequenta a padaria e não a conheço pessoalmente, mas posso pegar o telefone dela com minha amiga.

— Seria muito grato.

— A dona Silvia do seu condomínio também toca piano. Quem sabe ela também conhece alguém.

— Ela mora no apartamento no andar de cima e é um dos motivos da minha filha querer tocar. A menina a ouve tocando todas as manhãs e ficou entusiasmada, tanto que escapou de casa e foi até a porta dela ouvir.

— Então ela gosta mesmo. Bom que o senhor vai realizar o sonho dela.

— A Silvia a deixou entrar e tocar e ela ficou encantada pelo piano de cauda e me pediu pra fazer aula. Se ela for bem eu vou comprar um.

— Vou ligar pra para minha amiga depois. Da próxima vez que o senhor voltar já terei o nome e o endereço.

— Eu aguardo. Obrigado!

No dia seguinte, quando Amelie e Jakob desciam para trabalhar encontraram Silvia que foi ao encontro deles.

— Bom dia! O senhor Arnaldo me disse que vocês queriam falar comigo.

— Bom dia! — respondeu o casal ao mesmo tempo.

Jakob era o mais interessado e tomou à frente da conversa para agradecer.

— Quero agradecer à senhora por receber minha filha em seu apartamento e por motivá-la a aprender a tocar piano. Eu aprecio muito as músicas eruditas e ficaria feliz se ela aprendesse a tocar.

— Eu não sei até onde isso vai. Mas ele quer colocá-la para fazer aula com uma professora. Já está até procurando uma aqui pelo bairro.

— É uma menina encantadora. Estava na porta de casa me ouvindo tocar. Eu a deixei entrar e tocar. Já tem jeitinho de pianista.

— Ela disse que havia tocado as músicas clássicas.

Sorriu o pai orgulhoso, sabendo que ela havia tocado aquelas músicas específicas, e mesmo que fosse por brincadeira, as músicas deviam estar na cabeça dela.

— Sim! Ela toca com o coração. Os movimentos das mãos eram de uma pianista, era como se ela estivesse lendo uma partitura e o som, mesmo que desordenado, tinha um comprometimento com a suavidade e a musicalidade.

— Que bom ouvir isso.

— Ela me emocionou.

— A senhora não quer dar aula pra ela? — perguntou Jakob, contrariando o que ele já sabia. Ela não dava aulas porque não tinha tempo, pois trabalhava fora o dia todo.

— Se eu fosse professora ela seria a minha aluna preferida, com certeza. Mas não tenho tempo durante o dia. Chego tarde todos os dias da semana e nos finais de semana preciso ficar com meus filhos e ainda trago trabalho para casa.

— Eu imaginei, mas perguntei por que ela iria adorar tê-la como professora.

— Aqui perto tem a Antonia que é uma excelente professora. Ela mora a umas cinco quadras daqui. Vou passar o endereço pra vocês.

Silvia pediu um pedaço de papel na portaria do prédio e anotou. Disse não se lembrar do andar e número do apartamento, mas era só perguntar na portaria do prédio que eles informariam.

— Esse é o endereço. Ela utiliza um método bastante rígido que é o melhor para aprender rápido. Talvez ela estranhe um pouco pela seriedade, mas é uma excelente professora.

Silvia entregou o papel e estranhou a falta de motivação da mãe pois as aulas de piano geralmente são pretensões maternas e a música, principalmente a clássica e erudita, estão associadas à melhoria nas habilidades e competências tão referenciadas dentro dos aspectos educacionais.

— Muito obrigado por tudo. Espero que um dia a senhora possa ouvi-la tocando.

— Seria uma honra pra mim.

Silvia sorriu e se despediu, pois seu trabalho era longe dali, assim como o de Amelie e Jakob.

Naquele mesmo dia, à tarde para agilizar toda a situação, Jakob saiu um pouco mais cedo do trabalho e procurou pela dona Antonia. Encontrou com facilidade a casa da professora que aceitou mais uma aluna em sua turma.

— A senhora sabe qual o melhor piano para iniciantes. Quero dar um piano pra ela, inclusive para motivá-la.

— Calma! É melhor ela fazer algumas aulas para ver se vai dar continuidade. Tenho muitos alunos que começam e param logo nos primeiros meses.

Nesse momento, ele se lembrou da fala da mãe dizendo que o piano só atrapalharia na sala. Mas, quem ficava com a menina na sala ouvindo as músicas quase que diariamente era ele. Tinha certeza de que ela não ia se decepcionar com a música tão fácil.

— A senhora tem toda razão. Depois voltamos a conversar sobre isso.

Naquele dia, ao chegar ao apartamento, o pai resolveu que faria um pouco de mistério sobre o início das aulas e no caminho ficou imaginado a cara da filha ao saber que logo estaria aprendendo a tocar piano. Chegando ao apartamento encontrou a menina deitada no sofá assistindo à TV. Ela adorava assistir aos desenhos que passavam nas emissoras.

Entrou, deu um beijo nela e foi tomar banho. Já havia decidido que ela saberia antes mesmo da mãe porque não havia demonstrado empolgação com a possibilidade do aprendizado da menina. Contaria a novidade para a filha depois que colocasse uma música na sua vitrola, talvez Bach.

Durante o banho ele projetou a conversa e como seria contada a novidade. Imaginou a cara da filha, sorrindo e docemente abraçando-o. O pai, que tanto adorava a filha, conseguia visualizar as suas reações, antes mesmo que elas acontecessem. Ele não a chamaria para conversar ou ouvir a música, apenas colocaria a música e sentaria no sofá. Era só esperar que ela viria sentar-se ao seu lado para ouvir a música. O aconchego dela aninhando-se para ouvir as mais clássicas seria a deixa para contar a novidade.

Terminado o banho, Jakob colocou seu uísque com duas pedras de gelo no copo, deixou-o sobre a mesinha de canto e procurou pelo LP de Bach. Carol estava no quarto. Colocou a música para tocar, sentou-se no sofá e procurou-a com os olhos antes de pegar o copo. Nunca colocava a música em volume alto. Ouvia a música para ele e acreditava ser deselegante obrigar quem estivesse ao seu lado a ouvir o que não era do seu interesse.

Carol, tão logo ouviu a música, foi se achegando ao colo do pai. Era como se a mistura de cheiro paterno e música erudita a atraísse e as sensações eram as melhores possíveis. Paz, amor, tranquilidade e tanta sabedoria estavam ali presentes naquele ato, demasiadamente simples. Voltava seus pensamentos para a mãe que não conseguia enxergar a própria filha tocando e realizando o seu sonho. Estava tão nítido para ele. Então pegou as mãos da menina olhou, mexeu nos dedinhos, um por um. Eles sempre se entendiam por brincadeiras e desafios.

— Esses dedinhos são muito pequeninos para tocar piano. Pianos são grandes.

— Não são. Eles são perfeitos para um piano de meia cauda, como o da dona Silvia.

— Mas você é muito pequenina. Não acha?

— Não. Eu vou crescer aprendendo mais e mais. Quando eu

estiver grande já tocarei as músicas mais lindas do mundo e as que você mais gosta.

— Eu não sei se posso esperar até você crescer.

— Então treinarei muito. Todos os dias.

— Você quer muito tocar e ter um piano?

O sorriso se misturou com algumas lágrimas e a menina abraçou o pai, exatamente da maneira como ele havia imaginado. Aquilo para ele era o valor maior que a vida poderia lhe ofertar. Todo o amor que ele sentia pela menina retornava até ele na mesma intensidade e como uma música reverberava. A lei do retorno não poderia ter melhor aplicação e filosoficamente encontrava um verdadeiro sentido.

— Você vai me dar um piano?

Jakob sorriu e observando a reação da filha.

— Não é tão fácil ganhar o piano. Precisa merecer. Primeiro você vai fazer aula e aprender a tocar.

— Com a dona Silvia? — perguntou Carol, pulando em cima da barriga do pai, provocando a queda de quase a metade do copo de uísque que ainda estava quase cheio.

Jakob virou tentando salvar a outra metade da bebida. Levantou--se, agora sem aquele sorriso no rosto explicou-lhe, enxugando o sofá com a própria camiseta.

— Não será com a dona Silvia porque, infelizmente, ela não pode. Mas indicou outra professora, dona Antonia. Disse que ela é uma excelente professora e já está acertado. Serão duas aulas por semana e você poderá ganhar um piano conforme o seu aprendizado, se você merecer.

Frisou muito bem o final da frase, "se você merecer".

A menina não continha mais as lágrimas que lhe escorriam pelo rosto e as suas mãozinhas tremiam seguras pelas mãos fortes do pai. A felicidade era muito grande. Da cozinha, a mãe percebeu algo estranho e foi se aproximando, enxugando as mãos em um pano de prato.

— O que está acontecendo aqui? Qual o motivo dessa alegria? Eu posso saber ou vai ficar só entre vocês?

Os dois se olharam e antes que o pai começasse a responder aquele interrogatório, a menina já soltou a novidade no mesmo ritmo.

— Eu vou tocar piano, fazer aula, ganhar um piano e serei uma grande pianista.

— Então seu futuro já está certo?

O pai ainda tentou amenizar um pouco a situação, pois sabia que, apesar de ser passada para ele a responsabilidade de resolver a situação, sofreria alguma represália por não ter compartilhado a notícia com a própria esposa, antes de dar como certa a decisão e já ter informado a sua filha.

— Já tínhamos conversado sobre isso e você jogou a responsabilidade pra mim. Então, pronto! Está resolvido.

Amelie sentiu-se excluída da decisão e assim eximiu-se das obrigações. Não conversaria com a professora e deixaria toda a responsabilidade para o marido.

— Você já acertou? Então tudo bem. Quando ela vai começar?

— Logo na semana que vem. Nós compraremos o material que a professora pediu. E... vamos tocar, Cacá?

O pai a chamava assim nos momentos mais carinhosos entre eles. A mãe ouviu a pergunta quando já se retirava da sala, retornando para a cozinha. Não era ciúme, mas um sentimento de culpa, talvez pela autoexclusão.

Carol, impulsionada pela pergunta do pai levantou-se e foi abraçar a mãe na altura da cintura. Era o ponto que ela alcançava para que o abraço pudesse ser forte. A blusa que a mãe usava era de um tom verde-claro e ficou marcada pelas lágrimas da menina em tom verde mais escuro, molhado.

— Eu vou tocar pra você também. Eu sempre vou tocar as músicas que vocês gostam.

Amelie desvencilhou-se dos pequenos braços da menina, antes de seguir rumo à cozinha, onde estava cozinhando ovos e aquecendo um bolo de carne. A sua casa também deveria ter cheiro de lar, como a casa da Dona Silvia. Ela mesma iria começar a surpreender seus pais com cheiros de comidas.

— Preciso terminar o jantar.

Carol voltou para o colo do pai que a recebeu novamente com um abraço quente. Ela sabia que ali o carinho era certo.

Capítulo 7

As aulas de dona Antonia

Chegado o dia da primeira aula, Carol acordou cedo. Tomou café junto com seus pais. Isso raramente acontecia. Mas ela estava muito ansiosa para sentar-se ao piano e começar a tocar. Geralmente dormia até um pouco mais tarde e ainda assim permanecia um pouco sonolenta, mas não naquele dia.

Ana ficou encarregada de levá-la. O condomínio era bem perto e poderiam ir caminhando até a casa da professora. O pai havia dito algumas vezes que não poderiam se atrasar, pois como dona Antonia havia avisado anteriormente "quem se atrasa nos compromissos não consegue acompanhar o ritmo da música". Ela não estava brincando e, conforme avisado, a aluna perderia a aula.

Era uma senhora de aspecto rude, mas talvez o compromisso com as regras era o que a elevava ao status de excelência na arte de ensinar a música. Era bastante requisitada e Jakob teve bastante sorte em conseguir encaixar um horário para a filha. Ela havia explicado que alguns alunos não acompanhavam o ritmo de suas aulas, exatamente pela rigidez do método por ela utilizado.

Carol logo depois de algumas aulas veio a saber o quanto ela era severa e por vezes chegava ao extremo de bater-lhe às mãos, para que tivesse maior atenção ao teclar as notas corretamente. Muitas vezes ela simplesmente fazia com que as repetições chegassem ao exagero para que ela desenvolvesse as suas habilidades, aproximando-se da perfeição.

Aos sete anos, em verdade ainda incompletos, a menina Carol compôs uma música e ficou receosa em dizer à dona Antonia, principalmente por tê-la desrespeitado e não ter feito as suas lições habituais. Eram exercícios repetitivos que trariam certamente habilidades manuais, para que ela pudesse ser um dia uma grande pianista. A menina queria mais, agora ela tinha em sua sala o piano que ela tanto amava e não queria que ele fosse cúmplice apenas da repetitividade das lições diárias. Ela se sentava sempre ali e, mais do que repetições, ela queria extravasar seus sentimentos no teclado, daquele que por várias horas do dia tornava-se seu companheiro.

Certo dia ao sentar-se ao piano para realizar a tarefa, ela apenas fechou os olhos e deixou que seu coração falasse mais alto. Então, enquanto a Ana fazia os deveres da casa ela começou a tocar uma linda canção que jamais havia ouvido. Por alguns dias ela simplesmente se esqueceu das lições e concentrou-se naquela canção que ela recebia do seu coração ou da sua alma. Mas, apesar de inúmeras tentativas, ela não conseguia chegar a um final. Tão inexplicável quanto a maneira como a música havia chegado até a pequena pianista.

No dia seguinte, a Ana, que habitualmente acostumava-se a ouvir Carol fazendo aqueles exercícios repetitivos, ficou encantada por aquela bela música que a fez se aproximar da sala para ouvir. Aquela música tocada pela menina quase de olhos fechados era especialmente diferente.

— Que bela música. De quem é?

Ana era uma senhora simples, que não conhecia as obras dos grandes compositores sempre presentes na casa. Havia alguns nomes que ela sempre ouvia, como Mozart, Bach, Beethoven e outros. A menina explicava e esses ela não esquecia.

— Eu não sei.

— É uma música tão linda. Como você não sabe?

— Eu nunca havia ouvido.

— Ah, menina!!! Se você nunca ouviu como tocou tão direitinho? Me explica.

— Não sei.

Ana sorriu carinhosamente para a menina e saiu para terminar a limpeza do apartamento, sem nada mais dizer. Para ela, Carol era como uma filha e, apesar de já conhecer a sua habilidade ao piano, não conseguia compreender muito bem o desenvolvimento musical. Nascida no Nordeste brasileiro, não era de questionar ou muito menos criticar, geralmente aceitava as imposições da maneira como elas chegavam até ela. Infelizmente, a vida lhe ensinara ao longo dos anos que essa era a melhor maneira de sobreviver e o que ela melhor fazia era servir outras pessoas. O reconhecimento do serviço prestado lhe bastava e a deixava feliz. A situação estendia-se até mesmo aos desejos e caprichos da menina.

Percebeu que a menina voltou a tocar a mesma música por várias e várias vezes. Pensou em perguntar se ela não teria exercícios repetitivos como lição, mas ela mesma estava tão encantada pela música, que preferiu não interferir. Se esse era o desejo da menina por que deveria ela interromper? O pai apenas pedia que acompanhasse se ela estava executando as suas atividades ao piano. Então, estando ao piano para ela tudo bem.

Carol tocou exaustivamente aquela música. Queria tomar coragem para apresentá-la à sua professora que, apesar da sua rigidez, não deveria se importar que ela trocasse os exercícios por uma bela música que ela mesma nem sabia de onde a conhecia, ou se seria aquela uma composição sua. Nesse dia Carol adormeceu ainda mais cedo que o costume.

Ao anoitecer ela comeu um lanche bem leve e foi se deitar. O pai foi se despedir dela já na cama. Achou estranho, mas percebeu nela o cansaço e apenas a beijou. Ela sentiu falta do mesmo beijo da mãe, que nunca vinha. Não era uma coisa a que ela se acostumava, pois sempre sentia essa necessidade. Então ela se apegava ao pai. Dormiu segurando a mão dele e acordou lembrando-se da música.

Na escola não conseguia concentrar-se nas atividades, o que lhe rendeu algumas advertências da professora. Ela era uma professora muito tranquila e doce, jamais chamaria a atenção da menina de forma indelicada, mas naquele dia Carol não estava rendendo o que deveria nas atividades diárias. Talvez não tivesse dormido bem, ou acontecera algum problema em casa, pois ela não era assim habitualmente. Resolveu perguntar direto a ela durante o intervalo.

— Minha menina, o que aconteceu que você não está prestando atenção na aula hoje?

— Nada.

— Pode me contar. Sabe que, além de professora, sou sua amiga e que você pode confiar em mim.

— É só uma música que não sai da minha cabeça.

— E você já a tocou ao piano?

— Sim. Queria tocá-la para a dona Antonia. Mas ela vai ficar brava porque não fiz a lição de casa.

— Por que não fez a lição?

— Fiquei tocando essa música.

— E se você dissesse a verdade e tocasse pra ela?

— Não tem jeito. Ela vai ficar brava.

— De qualquer forma a verdade é sempre o melhor caminho, não acha?

— Sim. Eu vou tocar a minha música pra ela.

— Sua música? Você a compôs?

— Eu não sei ainda. Mas eu nunca tinha ouvido.

— Você é uma menina muito especial.

A professora a puxou para um abraço, de maneira demasiadamente delicada, trazendo-a para o aconchego do seu corpo. Todo esse carinho fazia com que Carol se sentisse segura e mais confiante em seguir os seus conselhos para solucionar um problema tão simples aos olhos da professora. Certamente ela, como professora, agiria com essa naturalidade, se a menina não realizasse a tarefa, mas de certa forma extrapolasse os saberes ali contidos.

Carol percebeu que a professora estava chorando.

— A senhora não precisa chorar. Eu concordo com a senhora.

A professora tentou sorrir, mas não conseguiu. Com uma mão no rosto da menina passou a outra mão em seus cabelos e ainda chorando não conseguiu segurar as palavras.

— Você é um sonho de menina e eu queria ter uma filha exatamente como você.

Carol não precisava saber e a professora também não contaria para uma menina de sete anos, apesar das declarações de amizade. Mas ela havia perdido um bebê há poucos meses. Estava casada há pouco mais de um ano e a notícia da gravidez trouxe muita alegria para o casal. Poucos sabiam da novidade, assim como poucos ficaram sabendo da perda. Mas, mesmo a gravidez sendo recente, a perda lhe gerou um choque. E então ela apenas chorou e acolheu Carol em seus braços.

Às catorze horas, pontualmente como de costume, na data e hora marcada, sem atrasos dona Antonia aguardava Carol para a aula na porta de seu apartamento. A menina sempre chegava demonstrando bastante entusiasmo, mas dessa vez estava apreensiva por esperar um castigo vindo da professora. Dona Antonia a recebia sempre de forma respeitosa, mas nada a fazia lembrar do carinho da professora Paula, sua professora do primeiro ano. Era um carinho que ela queria que a sua própria mãe tivesse. A vida deveria ter as suas razões para colocar as pessoas de formas diferentes em seu caminho.

— Estudou os exercícios que passei? — perguntou a professora que esperava uma resposta positiva, como sempre. Porém, naquela segunda-feira, a resposta foi diferente.

— Não.

— Como assim? Você sempre fez as suas lições. O que aconteceu dessa vez?

— Eu toquei uma música várias vezes.

— Mas e os exercícios?

— Eu só consegui pensar em tocar essa música.

Ela era rígida e achava que isso a colocava acima de outras professoras na arte de ensinar crianças a tocar piano. Recebia apenas crianças, bem novas e as acompanhava ao longo dos anos, pois acreditava que o seu método era infalível para aqueles que desejassem muito aprender e jamais aceitava alunos acima dos doze anos ou que trouxessem vícios musicais de outros métodos.

Dona Antonia não era de falar muito sobre si, mas às vezes ela contava algumas histórias de seus alunos. Alguns que desistiram e alguns que se tornaram famosos. Ela não suportava ensinar aqueles que não se empenhavam e que não tivessem muita determinação para a aprendizagem.

A determinação era marcante naquela menina, muito acima de seus outros alunos. Queria entender o que teria acontecido para que aquela menina, que lhe era tão especial pela sua assiduidade e paixão absoluta pela música, ter deixado de lado os exercícios diários.

— Que música é essa? — perguntou dona Antonia já alterando o tom de sua voz.

— Foi uma música que veio à minha cabeça. Eu só a toquei — respondeu a menina, percebendo a reprovação por parte da professora assim que ela franziu a testa e aproximou o rosto. Ela estava tão perto que a menina se afastou de medo.

— Sente-se aqui.

Dona Antonia segurou-a pelo braço de forma nada delicada e colocou-a ao piano.

— Toque-a. Quero que me mostre porque deixou de fazer os exercícios de sua lição de casa. Você sabe muito bem o que eu penso sobre a disciplina.

Essa atitude já era entendida como um castigo pela menina, simplesmente pela maneira como a professora a havia repreendido e conduzido até o piano. Teve vontade de chorar, ir embora, mas se conteve. À sua frente, naquele exato momento veio a imagem da professora Paula, aquela que sempre a compreendia, que a tocava nas mãos de maneira delicada, que a abraçava como um anjo e que por tantas vezes a havia protegido. Chegou a imaginar como tudo seria perfeito se ela estivesse ali ao seu lado e conduzisse o seu aprendizado. Carol era tímida e naquele momento só queria que tudo corresse da melhor maneira e o mais rápido possível.

— Pode tocar a música, Carol?

O tom imposto pela professora já denotava a gravidade do momento e ela deveria começar a tocar imediatamente. Assim ela faria, pois, de forma alguma, ela desobedeceria a professora novamente. Ela poderia contar para a sua mãe e aí sim o problema estaria aumentado.

Carol ajeitou-se no banco, colocou sua mão sobre as teclas e posicionou aqueles pequenos dedinhos sobre elas. Então respirou fundo e concentrou-se na música. Não tinha partitura, ou seja, nada além de seu coração e sua alma para que a sequência daquela música pudesse ser tocada. Fechou os olhos, lembrou-se de como a música havia sido oferecida a ela das outras vezes e de que não precisava fazer nenhum esforço para que ela fluísse. Apenas deixou a música brotar em sua alma e suas mãos começaram a dedilhar o piano.

A professora que estava em pé ao lado do piano foi se chegando ao sofá que ficava ao lado do piano. Vagarosamente sentou-se, como se alinhasse o seu corpo para melhor ouvir, disfarçadamente maravilhada. A professora levantou as duas mãos e, como num sinal de reza, uniu as palmas encostando-as próximas ao seu rosto. A menina deslizava seus dedos pequeninos pelas teclas do piano, deixando a professora boquiaberta, não somente pela velocidade dos dedos, mas por tocar aquela música linda que ela mesma nunca havia ouvido.

Como aquela menina, com tão pouca idade, poderia estar tocando aquela música sem a partitura? E de onde vinha aquela música? A professora não se conformava por não conhecê-la.

— Onde você ouviu essa música, Carol? Você a leu em alguma partitura? Fale a verdade.

— Não, senhora. Ela veio à minha cabeça e eu a toquei, como se eu estivesse sonhando.

— Quero a verdade, não vou ficar brava. É uma música linda e eu gostaria de saber como conseguiu. Quem a toca?

— Eu não sei mesmo. Juro!

— Não precisa jurar. Ela não tem um final? Parece que não estava finalizada. Ela ainda tinha alguma outra parte, uma folha de partitura do final?

A menina antes de responder abaixou a cabeça, como se novamente afirmasse não saber se aquela sequência musical poderia ir mais além, mas aquela era a maneira como ela percebia aquela música. Carol já havia surpreendido a professora em outra ocasião, quando chegou para a aula e começou a tocar uma música que seu pai colocava para tocar, desde quando ela ainda era bebê. Ele a segurava em seu colo, enquanto a vitrola rodava o LP com a música *Pour Elise*, de Beethovem. Essa música acalmava aquele bebê que se recostava em seu peito e logo adormecia.

A professora se impressionava porque ainda não havia chegado nesse ponto das instruções. Porém, a menina tinha mais um aliado. Gerard, amigo da família era um grande pianista, catedrático, formado nas melhores escolas clássicas da Europa. Por ser apaixonado pelas músicas de Beethoven, um dia em sua casa, junto aos pais de Carol, anotou a sequência das notas em um caderno de música, para que a menina brincasse ao seu piano.

Logo, todos se impressionaram quando ela imediatamente tocou aquela bela música, trazendo todos para perto do piano. Nesse momento, estarrecido pelo fato da menina ler as notas e tocar com tamanha desenvoltura, Gerard avisou aos pais que a menina tinha muito talento para a música e que, de fato, eles deveriam acreditar no futuro dela dentro da música.

Relembrar os momentos ao lado de um grande pianista e conselheiro como Gerard, eram as suas maiores motivações para continuar tocando. Ela só o havia visto tocando uma única vez. A música era exatamente *Pour Elise*, de Beethoven. A menina queria copiá-lo, pois nunca havia visto tamanha habilidade no teclado de um piano. As mãos de Gerard deslizavam pelas teclas exatamente como as que ela via em seus sonhos e ela só queria tocar como ele.

Muitas vezes, a exaustão dos exercícios a repeliam e nesses momentos lembrava-se dele tocando e exaltando as suas habilidades, fazendo-a focar na sua grande paixão. Tocar piano. Então, depois de viajar por alguns segundos, retornou ao diálogo.

— Eu sei até essa parte da música.

— Ela deve ter um final que você não deve ter ouvido. Mas tudo bem. Por ora, você vai retomar de onde paramos e sua lição, que não foi realizada, deverá ser cumprida juntamente com as que eu vou te passar hoje. Terá atividade em dobro.

— Sim, senhora. — respondeu sem mais nada dizer, mas não poderia deixar de pensar que aquilo para ela era muito mais sublime do que qualquer exercício repetitivo, passado pela professora. Era o que seu coração, seus ouvidos e sua alma desejavam para aquele momento. Uma música tocada sem jamais ter sido ouvida. Era puro sentimento e sensações de leveza e pureza do seu espírito.

— Vou lhe pedir que nunca deixe de cumprir com as suas obrigações e suas tarefas. Os exercícios são muito importantes para que você tenha todas as habilidades necessárias para desenvolver o seu talento.

Carol compreendia que a professora tinha razão, porque de certa forma até entendia que suas habilidades aumentavam com a prática daqueles exercícios repetitivos e a sua metodologia de ensino até poderia ser a melhor. Mas agora ela queria alçar outros voos, tocar o que seu coração mandasse, ou o que seu pai pedisse.

Ela pegou gosto pelas músicas clássicas ouvindo-as no colo de seu pai. Era sempre assim, ele colocava um disco de vinil para tocar e ela se aconchegava em seu colo. Os abraços mais gostosos da sua vida eram sentidos ali, naqueles momentos. Era o maior carinho que ela podia sentir.

Todas as recordações e vibrações vinham à sua cabeça em questão de segundos, como se tudo ao seu redor parasse para que tivesse tempo de pensar e rever os fatos e acontecimentos antes de tomar alguma decisão. Então, para sua surpresa completa, a professora que jamais mudava de opinião, talvez para ter confirmada a rigidez do seu método, resolveu dar uma trégua.

— Vamos fazer o seguinte: quero que você pratique essa música em casa. Não que você tenha errado, mas quero que tente chegar ao final.

Eu senti uma serenidade muito grande nela e como estamos preparando o seu recital, acho que vamos incluí-la também. Seu pai já ouviu?

— Não. Eu toquei quando eles já haviam saído de casa para trabalhar.

— Muito bem. Acredito que seu pai também gostaria de ouvi-la. Pratique quando ele chegar e depois me diga o que ele disse sobre a música. Talvez você tenha ouvido com ele e não consiga se lembrar.

— Vou fazer isso, mas sei que não ouvi. Eu me lembraria.

Ela afirmava com toda certeza que jamais havia ouvido a música com seu pai ou mesmo sozinha. Talvez fosse alguma recordação de um passado distante, um sopro de sua vivência em outras vidas.

A aula teve continuação com uma variação grande de exercícios repetitivos, buscando habilitar aqueles pequenos dedinhos para executar movimentos cada vez mais rápidos e cumprir as exigências impostas pelas músicas eruditas. Mas a própria dona Antonia não conseguia parar de pensar naquela música.

Ela tinha uma sequência que levava a pensar em algo muito triste, como se ela tivesse sido composta acompanhada de momentos de extremo sofrimento, de dor insuportável, de clausura, mas que arrastava os pensamentos para dentro dela. Era como se a pessoa que a ouvisse se recobrasse de uma perda inestimável. Talvez um grande amor perdido. Ela não somente tinha a capacidade de entreter, mas, sobretudo, ela fazia com que o inconsciente ficasse preso a ela por muito tempo após a sua parada repentina. Como ela parecia não ter um final determinado tinha uma forma a mais de alimentar o desejo de continuar ouvindo.

Quando terminada a aula a professora dobrou seu corpo em direção a Carol e abraçou-a carinhosamente. Nem de longe lembrava aquela senhora rude, que costumava ficar com uma régua nas mãos cobrando disciplina e postura durante as aulas. Normalmente, a despedida não acontecia dessa forma. Aquela música teve o incrível poder de tocar o coração daquela senhora e amolecer os seus sentimentos, pelo menos por algum tempo.

Carol sempre voltava para casa feliz, com seus dedinhos e suas mãos cansadas pela sequência de exercícios realizados. Naquele dia, o retorno para casa teve um tom de felicidade ainda mais colorido e, porque não dizer, mais ousado. Estava feliz porque teve a coragem de tocar e mostrar um desejo e mesmo que, de forma indireta, de apreciar um novo método. Talvez, depois daquele dia, dona Antonia se tornaria uma professora mais feliz e menos ríspida durante as aulas semanais ou quem sabe, adotaria um método mais alegre e divertido, com menos de exercícios repetitivos e extenuantes.

Chegado o dia da sua primeira apresentação, Carol estava bastante apreensiva. Seus pais iriam assistir ao que representava o seu aprendizado de quase um ano. Eles sempre a ouviam tocando em casa, mas agora era diferente, pois haveria alguns outros pais. Dona Antonia escolheria três músicas que Carol poderia executar demonstrando habilidade e competência, mas com um grau de dificuldade elevado. Sabia que a menina, apesar da pouca idade, poderia dar conta de tocar as músicas que executava debaixo dos seus olhos.

A professora havia pedido que a menina tocasse novamente aquela linda música que ela tocou sem ler em nenhuma partitura, mas a menina sempre muito crítica e atuante disse que preferia não tocá-la, pois estava deixando essa música para apresentar para a sua família no sarau de final de ano porque era essa apresentação a mais importante do ano.

No dia da apresentação, ela acordou muito empolgada. As três músicas estavam muito bem ensaiadas e ela não queria fazer feio perante seus pais. Claro que ela se preocupava muito mais com o pai do que com a mãe, pois foi ele quem a introduziu no mundo da música, apresentando a ela as belas músicas eruditas. Ela queria presenteá-lo com uma ótima atuação também interessada em ganhar um piano.

Acertada a altura da banqueta, a professora deu as últimas instruções, pediu à menina que tivesse calma e fizesse aquilo que ela sempre fazia nas aulas. Dona Antonia, que confiava muito nas suas habilidades, encaminhou-se para o fundo da sala e posicionou-se em pé no canto. O pai e a mãe, sentaram-se bem à frente dela. É claro que só havia eles e os pais de outra menina, que Carol nem mesmo conhecia, pois os seus dias de aula não coincidiam.

Carol estava com o cabelo preso e um vestido preto. A professora já havia falado para os pais que a maioria dos músicos se apresentavam trajados dessa maneira e que não era exigido, mas como a menina já sabia, quis se apresentar a caráter.

A *Marcha do soldado* e a *Valsa do Papai* foram tocadas demonstrando toda a habilidade da menina nas teclas do piano, porém na execução de *Sonatine*, de Beethoven, o nervosismo a abalou e ela cometeu uma falha. Retomou a música desde o seu início, como ordenava o gesto feito pela professora no fundo da sala.

Depois de algum tempo, Carol deixou de frequentar as aulas da dona Antonia, mas jamais deixaria de tocar piano. Sempre embalada pela motivação intrínseca que deixava mais leve o seu espírito, tocava e encantava todos que tinham a oportunidade em poder ouvi-la.

Capítulo 8

O amor pela terra e pelos animais

Finalmente Amelie e Jakob conseguiram comprar o tão sonhado sítio em Minas Gerais, com a ajuda da irmã mais nova de Amelie. Mayla também se encantou pelas maravilhas naturais do Brasil, desde a sua primeira visita. Não havia se casado e estava sempre acompanhando o casal e a sobrinha. Projetaram inicialmente a compra para o interior do estado de São Paulo, porém encantaram-se pela cidade de Poços de Caldas, os recortes da Serra da Mantiqueira e o clima ameno, do sul de Minas Gerais.

Poços de Caldas era uma linda, charmosa e acolhedora cidade turística, encravada na Serra, rica pelas suas belezas naturais, pelas suas águas sulforosas que chegavam a emergir do solo à temperatura de até quarenta e cinco graus e pela sua cultura. A cidade situada sobre um vulcão extinto, há alguns milhões de anos, possuía uma população com pouco mais de cem mil habitantes, bastante tranquila para quem desejava fugir da agitação da cidade grande.

O sítio, que serviria de refúgio, poderia produzir alimentos mais saudáveis para a família, além de prover uma renda a mais com a produção de frango e outros produtos. O pomar e outras árvores seriam plantados para que os filhos pudessem acompanhar o desenvolvimento do sítio, que um dia seria deles e dos netos. Tudo deveria ser e estar perfeito. As crianças poderiam brincar livremente, crescer tendo contato com os animais e com as plantas. Isso tudo era impossível de ser conquistado na capital e nas grandes cidades. Essa liberdade também não era sentida na praia.

Agora, os finais de semana eram divididos entre a casa na praia e o sítio com a família e alguns amigos. Antony era o mais frequente entre eles. Amigo de Jakob e da família sempre conduzia Carol pelas mãos, desde pequena onde explicava para ela o funcionamento das coisas e equipamentos que havia ali, falava sobre os animais, plantas e sobre o céu que eles ficavam admirando por horas.

Carol, de longe, parecia ser a mais entusiasmada com a compra do sítio. Sempre sentiu-se bem com o cheiro de terra e mato. Pensou, tão logo soube da compra, que poderia ter um cavalo e ele seria seu melhor amigo, junto com os seus cachorros. Ao ser questionada sobre a possibilidade de comprar o cavalo, Amelie foi logo avisando que deveriam ter um pouco paciência, pois agora tinham que economizar, haviam gastado muito na compra do imóvel.

Alguns anos depois, ao completar doze anos, Carol ganhou uma bicicleta, daqueles modelos de cross, própria para andar na terra. Era o sonho da maioria dos meninos na época, mas ela sempre contestava as diferenças impostas por uma sociedade que criava os conflitos de gênero a bel-prazer. Para ela, pura besteira. Por que o modelo de bicicleta que ela gostou era específico para os meninos? Eram diferenças que a sociedade impunha e ela não compreendia. Entre o azul e rosa, bolas e bonecas, ela preferia seguir os seus desejos. Gostava de jogar vôlei e queria ser profissional desse esporte, mas e se ela preferisse o futebol? O futebol das mulheres que sempre sofreu preconceitos, mesmo sendo o Brasil o país do futebol.

A mãe compactuava, impondo as situações e as coisas à sua maneira, contrariando suas próprias lutas. Logo a mãe, que muito havia sofrido pelos preconceitos machistas. Enquanto a filha era pequenina tentava colocar alguns lacinhos e adereços em seus cabelos, mas Carol sempre os tirava, além de não gostar de usar roupas cor-de-rosa. Gostava das brincadeiras de meninos, porque eram mais divertidas e dinâmicas, gostava da liberdade de correr descalça. Ela tinha essa necessidade de estar liberta dos laços e das imposições que a mãe e a vida lhe cobravam.

Certo dia, irritada após ver a menina arrancando os lacinhos, Amelie cortou-lhe os cabelos bem curtos, a tesouradas até certo ponto grosseiras. Os seus cabelos eram lisos e bastante claros, dando um brilho especial quando refletia o sol. Não pensou duas vezes ao segurar aqueles cabelos finos em suas mãos e em poucos movimentos com a tesoura aparou-os. Porém, ela jamais tiraria o que a filha tinha de mais precioso dentro de si, a liberdade, que ela tanto valorizava.

A ânsia por ser eternamente livre lhe dava essa condição porque o problema não estava em gostar ou não daquelas roupas e laços, o sentido mais puro da sua revolta era a imposição arbitrária da mãe. Carol, ao ver os cabelos no espelho, prendeu o choro, fechou os olhos e pensou que seu cabelo cresceria novamente e aquela atitude resumia muito bem todo aquele conflito de gêneros imposto pela sociedade.

Não entendia como a sua mãe, uma mulher forte, decidida e com grau elevado de instrução se submetia ao seu repasse. Onde estaria o espírito transformador e revolucionário, se não estivesse presente também nos pequenos atos que deveriam simbolizar a evolução?

Desde então, a mãe passou a cortar os cabelos da filha assim, bem curtinhos e sempre comprava as roupas na cor que ela queria que a menina usasse. Cor-de-rosa, vermelho ou qualquer outra que lhe agradasse. Escolher a cor já não estava mais em discussão. Era aquela que ela comprava. Eram atitudes que claramente buscavam podar a rebeldia, numa relação desigual de forças.

Os cabelos ao vento eram o símbolo da sua liberdade conquistada durante as suas fugas de bicicleta. A partir daquele dia, Carol percebeu que, na verdade, a liberdade está no coração e na alma, sentida na pele, no olhar e até nos cabelos, mesmo que o seu tamanho esteja, por ora, reduzido.

A menina tirava as suas lições que o mundo lhe oferecia de positivo, como nas conversas com Bernardo, que lhe ensinava sobre as teorias do universo, de forma simples, ou ouvindo músicas com seu pai, enfim, tudo o que ela pudesse absorver de maneira evolutiva. Ela também aprendia a crescer com o que vinha de forma negativa. Não deveria ser abstraído, mas aprendia que mesmo os conflitos poderiam lhe trazer as suas melhores lições. O mundo lhe ensinava a cada dia novas e belas lições, por meio de diferentes personagens.

Carol tocava piano com toda a delicadeza e ao mesmo tempo adorava a terra, o cheiro do mato e a água da represa. Eram notas diferentes que compunham a mesma música, chamada vida. Gostava da liberdade que a vida no campo podia lhe oferecer, tanto que os seus dias eram mais alegres quando seus pais avisavam que iriam para o sítio. Ali ela podia andar e correr livremente, ter os animais que tanto amava e desfrutar da autonomia mais difícil de ser conquistada nas grandes cidades.

Em São Paulo ela não podia sair sem a companhia dos pais e, além disso, toda aquela correria das grandes cidades não era o tipo de coisa que ela desejava. Ela queria mesmo era morar no interior.

Agora ela tinha a bicicleta que tanto desejou para poder andar nas estradas do sítio, com as características apropriadas para andar na terra e não via a hora de estreá-la naquelas belas paisagens. Já se imaginava andando pelo sítio acompanhada pelos cachorros sentindo o vento no rosto. Os pais, por várias vezes, perderam-na de vista e percorriam o seu caminho andando atrás dos rastros deixados por aquela bicicleta, que se encaixava tão bem na areia fofa. Aquela bicicleta jamais voltaria para a cidade grande, isso era certo. Não tinha graça nenhuma utilizar aquela magrela para andar dentro do condomínio, ela não se encaixava ao asfalto das grandes metrópoles.

— A Carol está sumida já faz um bom tempo. Será que ela saiu do sítio? — perguntou o pai preocupado com o sumiço momentâneo da menina. A preocupação maior era porque a área rural da pequena cidade era muito habitada e eles não conheciam ainda muito bem as pessoas que residiam na vizinhança. Sabiam o quanto aquela independência poderia fazer bem para os filhos, mas toda precaução era necessária, principalmente porque, mesmo a liberdade em excesso, podia ter consequências indesejadas. — Ela não seria tão irresponsável a esse ponto.

Logo, os dois caminhando pela estrada que cruzava o sítio viram as marcas dos pneus da bicicleta. A estrada contornava a plantação de laranjas. Não era um pomar tão grande, com cerca de quarenta mil pés de laranjas, que seriam vendidas para uma empresa de suco.

— Ela deve ter dado a volta no pomar e agora deve estar na represa.

Jakob não era fã de caminhadas longas e se cansava fácil, visualizava um trajeto possível. Fumava muito e isso colaborava para que sua capacidade pulmonar na execução de exercícios e atividades que exigissem um pouco mais do seu aeróbico o levasse à fadiga com muita facilidade.

— Já sabemos onde ela está e fico mais tranquilo. Podemos voltar para casa pra descansar um pouco. Já estamos caminhando faz um bom tempo.

— Deixa de ser fraco. Vamos até a represa, aí já encontramos com ela pra chamar a sua atenção. Ela deveria ter avisado.

— Você pode ir atrás dela. Eu vou voltar para casa. — disse Jakob rindo como se estivesse apenas brincando, mas na verdade ele estava concordando com ela que estava fraco para longas caminhadas. Amelie absorveu aquela brincadeira e, sem nada dizer, virou-se e foi em direção à represa. Ela não perderia a oportunidade de chamar a atenção da menina na mesma hora. Não era de deixar as coisas para depois.

A represa era linda e ficava a mais ou menos um quilômetro da casa, no meio de uma parte de reserva natural, com enormes árvores que a envolviam por todo o seu lado sul. O sol refletia cruzando a represa em toda a sua extensão. A sua água era quente e muito convidativa para um mergulho. Era toda rodeada por um belo gramado e grandes árvores que compunham a paisagem do outro lado.

Chegando próxima à represa, Amelie viu a bicicleta encostada num mourão de cerca ao lado da represa. A mãe pensou que entraria na represa para nadar com a filha. Mas essa não seria a atitude que ela tomaria. Isso resultaria na concordância com os atos cometidos pela menina. Sair de casa sem avisar há tanto tempo e nadar na represa sem a presença de algum adulto poderia ser perigoso por vários motivos.

— Você avisou alguém que viria pra cá?

— Eu fui andar de bicicleta e parei aqui para me refrescar um pouco. A água está uma delícia. Por que a senhora não entra para nadar comigo? — respondeu Carol dentro da represa.

A mãe estava com traje de banho por baixo da roupa. Foi entrando devagar na água rasa, até que seu corpo estivesse encoberto até os ombros. Elas nadavam bem, o que deixava a mãe um pouco mais tranquila em relação às escapadas da menina para ir até a represa. Mas havia, além da represa, outros perigos. Poderia aparecer alguma cobra, outro animal ou algum estranho. Mesmo desfrutando e compartilhando daquele momento com a filha ela tinha que repreendê-la. A tal liberdade tinha que ser contida, pelo menos até que ela tivesse mais idade.

— Carol, você sabe que não deve ir para longe de casa e vir na represa sozinha. Já conversamos várias vezes sobre alguns perigos.

— Aqui não é como São Paulo. Lá eu não posso sair de casa, mas aqui é diferente.

— Não são apenas as cidades grandes que oferecem perigo. Aqui pode ter uma cobra perto da represa, algum outro animal ou alguém que não conhecemos pode lhe fazer algum mal.

— O Bernardo me disse para estar sempre com os cachorros. Disse que eles irão me proteger se aparecer outro animal ou alguma pessoa que não conheço.

— E se por um acaso você estiver se afogando, eles tiram você da água?

— O Zeus, sim. Ele parece ser o mais inteligente deles. Toda vez que eu entro na água ele entra e parece tentar me puxar para fora da represa.

— Ele pode estar tentando te avisar de algum perigo.

Logo as duas saíram da água e voltaram para casa. A repreensão até que foi leve naquele dia. Geralmente, a mãe era mais ríspida quando precisava chamar a atenção da menina. O pai quase sempre passava a mão na cabeça e a defendia. Por várias vezes ficou contra a mãe para estar ao lado da filha.

O almoço deveria sair depois das treze horas. Jakob não gostava que o almoço atrasasse. Sempre gostava de almoçar e descansar um pouco depois. A mãe gostava de cozinhar no fogão a lenha do sítio, porque o resultado vinha no olhar de aprovação de todos. O forno a lenha dava um toque especial ao sabor. Muitas vezes eles ficavam ali à noite, degustando um bom vinho que também era feito pela mãe. As receitas e as improvisações tinham, além do tempero, aquele sabor de interior. Os convidados adoravam estar ali pela tranquilidade, mas principalmente pelo tratamento ofertado pelos proprietários.

As crianças dormiam cedo e era Carol quem mais se divertia e aproveitava a estadia no sítio. Ela parecia ter nascido ali, tamanha a sua interação com as atividades que o campo podia lhe oferecer. Dormir cedo, na maioria das vezes, implicaria em acordar cedo também e ela ficava extenuada de tanto correr e pular durante o dia. No dia seguinte, bem cedo lá estava ela de pé, esperando o café empolgada para aproveitar tudo o que pudesse novamente, como se o mundo fosse acabar naquele dia. Sentou-se à mesa para o café ao lado mãe.

— Booooom dia! Posso fazer um bolo à tarde? — disse Carol em alto e bom som para que todos percebessem a sua animação. O pedido para fazer o bolo veio instantaneamente após ao bom-dia, demonstrando que ela não estava ali para perder tempo. Há alguns dias ela estava com essa vontade de aprender a cozinhar porque desejava ter aquele cheiro de lar da casa da dona Silvia. — Hoje eu tive um sonho bem legal — continuou a menina.

— Como foi esse sonho? Deve ter sido muito bom pela sua animação.

— Eu sonhei que estava andando com a minha bicicleta, acompanhando a cerca do sítio e encontrei uma casa. Mas ela estava do lado de dentro do nosso sítio, então ela deveria ser nossa.

— Se você encontrar alguma outra casa no sítio me avise. — interrompeu a mãe. Nesse momento todos riram.

— É verdade. A casa era muito grande e tinha uma escada enorme de mármore. Ela era linda. Preciso conhecer toda a volta do sítio para ver se a encontro.

Terminado o café, pediu licença aos pais e se levantou da mesa. Dirigiu-se para a garagem, onde os cachorros a esperavam e conversou com eles, convidando-os para uma expedição pelo sítio. Eles a rodeavam e a cercavam. Ela ficava exatamente no meio daqueles cachorros de todos os tamanhos. Quem comandava o bando era Zeus, o border collie branco com manchas pretas. Com certeza ele era o mais inteligente dentre eles e aquele que primeiro se aproximava da menina.

Carol pegou a sua bicicleta e logo ao montar lembrou-se do dia anterior. Voltou para a cozinha e encontrou a mãe que já esperava segurando a porta.

— Ainda bem que você voltou. Preciso repetir as recomendações que já foram feitas?

— Não precisa. Eu vou andar de bicicleta e prometo que não vou até a represa hoje e nem me atrasar. Só se a senhora for junto comigo para nadar mais tarde.

— Melhor assim. À tarde, nós podemos ir. Onde você vai agora?

— Vou seguir a cerca com os cachorros.

— E você combinou com eles para irem juntos?

A mãe estava de bom humor naquele dia arrancando risos da sua pequena.

— Eles sempre estarão comigo, porque são meus guardiões.

— Não demore, porque ficamos muito preocupados ontem e você sabe quais são os limites. Não vá até a represa e fique longe da mata. Tem muitas cobras lá.

— Pode deixar.

— Vai procurar a casa do sonho?

— Vou sim. Se eu achar eu volto para avisar que a encontrei e aí vocês poderão ver como ela é linda. É bem maior do que essa aqui.

— Tudo bem. Cuide-se.

Ela pedalava o mais rápido possível, beirando a cerca como se estivesse fazendo uma vistoria pela vizinhança e os cães a conduziam em uma guarda treinada, guardando a frente, os lados e a traseira da bicicleta. Depois de certo tempo rodando, a menina já um pouco cansada avistou um cavalo na propriedade vizinha, a alguns metros da cerca. Não tinha nada para oferecer-lhe para comer e então começou a assoviar uma canção.

Às vezes ela assoviava uma música nova que havia aprendido durante as aulas de piano. Sempre fazia isso quando estava sozinha para praticar a música, mesmo não estando de posse de seus instrumentos. Ficou encantada pelo belo animal, um manga-larga marchador. Então, soltou a bicicleta no chão e começou a assoviar a introdução do *Concerto Número 1* de Tchaikovsky que aprendeu desde pequena com Bernardo, ali mesmo no sítio.

Estava quase desistindo de tentar encantar aquele animal com uma música clássica, quando ele deixou de comer aquelas gramíneas e olhou para a menina. Ele olhava para ela atraído pela música, então ele levantou a cabeça e, desconfiado, foi indo em direção à cerca onde a menina estava. Era um animal novo, talvez tivesse uns dois anos ou pouco mais e tinha um porte muito bonito. Era alto, marrom com uma mancha branca no peito e nas patas.

Parecia que ambos estavam assustados ao mesmo nível. Ele assustado com uma menininha que chegava em uma bicicleta e ela assustada em ter tão perto aquele belo animal. O cavalo soltou um relincho e colocou a cabeça fora da cerca procurando pelo carinho da menina. Então, sem perder tempo, ela retribuiu a confiança fazendo carinho em sua cabeça. Ficou ali por um bom tempo, esticando os braços por cima da cerca, até que pensou em ir além e passar por debaixo da cerca. Abaixou-se e passou pelo arame farpado, não sem antes enroscar a sua camiseta rasgando-a nas costas.

Agora ela estava do lado de dentro e podia compartilhar aquele momento com seu novo amigo. O chamou de Argo, sem saber qual seria o seu verdadeiro nome e o desejou para si, para que pudesse montá-lo e desbravar aquelas terras como seu companheiro e protetor. Poderia fazer as suas expedições pelas matas e campos e não precisaria mais temer aqueles perigos que seus pais tanto a avisavam.

Os cachorros também do lado de dentro faziam a maior algazarra latindo possivelmente por ciúmes. Foi nesse momento que ela avistou alguém vindo em sua direção e retornou rápido por debaixo do arame. Agora a sua roupa, além de rasgada, estava bem suja. Isso seria o bastante para que sua mãe ficasse brava novamente. Em sua bicicleta, de volta para casa, percebeu que aquelas férias no sítio seriam as melhores de sua vida.

Ela até conseguia prever o tamanho do sermão que a sua mãe lhe faria, mas nem isso lhe tirava a felicidade por ter conhecido o novo amigo. No dia seguinte, bem cedo, faria o mesmo caminho e levaria algo para oferecer a ele. Mesmo que ele estivesse mais longe conseguiria ouvir o assovio que ela praticaria para alcançar tons ainda mais altos. Chegando em casa, encontrou seu pai sentado ao sofá assistindo à TV. Sentou-se ao lado dele e quando tentava iniciar a conversa foi interrompida por uma pergunta.

— Onde a minha menina estava?

— Estava andando de bicicleta verificando as divisas do sítio. É como fazer expedições de reconhecimento. Só assim posso conhecer tudo.

Ela queria muito contar como foi andar de bicicleta pelo sítio fazendo sua atividade de reconhecimento, mas foi interpelada pelo pai.

— Muito interessante. Mas antes de me contar como foi a sua expedição por que não toma um banho. Sua mãe vai ficar brava se você se sentar nesse estado para almoçar.

— Tá bom.

Carol só queria contar sobre seu novo amigo. Dizer que voltaria lá amanhã e perguntar se poderia levar algo de comer para lhe oferecer. Certamente ele estaria lá e assim seria por todos os dias durante as férias. Tomou banho rápido e foi sentar-se ao lado do pai.

— Eu encontrei um cavalo no caminho. Ele ficou meu amigo e veio até mim quando eu assoviei pra ele.

Estava tão ansiosa e falando rápido que o pai a conteve.

— Calma! Fale mais devagar. Prometo que não vou sair desse sofá antes que você termine de me contar tudo o que aconteceu.

— Eu estava passeando de bicicleta, acompanhando as divisas do sítio e vi um cavalo.

— Solto na estrada?

— Estava no sítio vizinho depois da mata, depois da segunda curva. Eu assoviei e ele veio na cerca. Ficou comigo um bom tempo.

A menina, além da liberdade e do prazer que aquela atividade lhe propunha, estava desenvolvendo o seu sentido geográfico. Isso era influência do Bernardo que não parava quieto e vivia procurando afazeres nas áreas mais improváveis fazendo muitas descobertas, sempre trazendo novidades. Não era de se estranhar que ela adorava estar em sua companhia. A curiosidade e a descoberta sempre foram imperativos em sua vida.

— Esse contato com os animais vai lhe fazer muito bem. Só precisa tomar cuidado porque não conhece os animais e eles podem estranhar se não estiverem acostumados com a pessoa. Nesse caso, uma menininha bem pequenininha.

— Ele é bem manso e não ia me fazer mal. Eu posso ter um cavalo? Podemos ver se o dono dele quer vendê-lo?

— Você está muito afobada. As coisas não podem ser decididas assim. Nós ainda temos muitas coisas pra fazer aqui no sítio e comprar um cavalo agora está longe de ser prioridade. Você precisa entender que não pode ser tudo no tempo em que você deseja, mas sim no tempo que as coisas têm de acontecer, naturalmente.

— Mas podemos ver pelo menos?

— Não posso decidir as coisas do sítio sozinho. Você sabe que a sua mãe não gosta que as coisas sejam decididas sem ela saber e, nesse caso, eu concordo com ela. Tem a sua tia que também deve participar das decisões. Se eu lhe prometer terei que cumprir.

— Entendo. Mas podemos ver?

— Você não entendeu, mas tudo bem.

O pai a puxou pelo braço e a trouxe para o seu colo. Ela sabia que podia conquistar tudo com seu pai e com a sua tia, mas havia a sua mãe. Certamente encontraria algum ponto negativo que desabonasse a compra de um cavalo.

A menina deitou no colo do pai e começou a assoviar a música que atraiu o cavalo. Os seus pensamentos agora estavam todos voltados para a conquista daquele sonho. Estava ansiosa e muito disposta a lutar por ele e nada tiraria essa ideia de sua cabeça. Havia pensado desde então, que nada combinaria mais naquele sítio do que ela e seu cavalo. Mas ela queria o cavalo que gostava de Tchaikovsky.

Carol pediu ao pai que não contasse nada para a sua mãe ainda. Não queria que a mãe associasse a imagem da camiseta suja e rasgada ao cavalo, certamente ligaria os fatos e havia a possibilidade de colocar os créditos na conta do pobre animal que não tinha culpa alguma.

Almoçou e voltou para o sofá. Mais tarde iriam todos para a represa se divertir e nadar naquelas águas quase mornas aquecidas pelo sol forte de janeiro. Conforme imaginou foram todos, menos o pai que ficou na casa assistindo à TV. Conforme disse, iria depois até a cidade buscar carne e suprimentos para fazer um churrasco.

Nas férias, todos os dias têm a mesma cara, ainda mais quando concentrados dentro de um sítio com pouco contato. Todo dia parece sábado e, no caso, era uma sexta-feira. Alguns amigos viriam no dia seguinte e ele queria servir uma boa carne aos amigos.

Carol já não suportava o gosto da carne vermelha e frango, logo também deixaria de comer peixe, que ela adorava, porém não suportava a ideia de animais serem criados confinados, servindo como produtos para suprirem à demanda da fome humana.

Já havia conversado com seus pais sobre seus ideais veganos, deixando-os preocupados porque essa dieta poderia provocar anemia e outras doenças, causadas pela falta de vitaminas e proteínas. Explicava os mitos e verdades sobre a dieta vegana e nada conseguia tirar essas ideias da sua cabeça. Era um pensamento novo para a época e muito pouco se falava em alimentos orgânicos, vegetarianos e veganos. Era difícil desconstruir a ideologia das pirâmides alimentares ensinadas nas escolas, onde apareciam somente carnes como fontes de proteínas.

Carol, ainda pequena, perguntava para seus pais, pois não entendia alguns fatos. Como alguém poderia acreditar em propaganda para vender carne de frango se quem apresentava o comercial era um frango feliz? As pessoas não lembram que eles morrem no final dessa história? Sempre perguntava ao final da propaganda, principalmente porque ela sempre passava na hora do almoço e a TV sempre permanecia ligada nesse horário.

— Ele se sente feliz em virar comida? — a menina dizia sempre séria.

Muitos que estavam na sua presença quando ela indagava achavam bonita a atitude daquela pequenina defendendo os animais. Ela não conseguia mudar os hábitos de ninguém da sua casa e isso a machucava demais. Como resposta sua mãe passou a desligar a TV na hora do almoço porque, de repente, passou a ser desrespeito ao momento familiar.

Certo dia, ao ver seu pai mexendo com as carnes que havia comprado, embaladas e banhadas naquele sangue teve uma queda de pressão e quase desmaiou. Já não queria mais ficar perto de sangue animal. O ato de espetar um pedaço de carne lhe trazia toda a visão do sofrimento e sacrifício animal para uma confraternização entre amigos. Compartilhar aquele momento seria tornar-se cúmplice daquela matança e o desejo de fuga foi maior.

Assim que recobrou a consciência pegou a sua bicicleta e foi até a cerca onde sabia que encontraria o Argo. Seus pais estavam tão entretidos com a preparação da comida que nem perceberam a saída da filha. Continuaram seus afazeres em torno do churrasco e talvez só dessem conta de sua falta na hora de sentar-se à mesa para almoçar com os amigos.

Ela não queria causar transtornos para os familiares e convidados sentados à mesa vendo todo aquele sofrimento dos animais expostos em pequenos pedaços oferecidos em espetos. Então, não voltou para o almoço. Havia levado escondido em um pequeno bornal, que ela colocava nas costas, como se fosse uma mochila, algumas espigas de milho. Iria até a cerca procurar por seu novo amigo. Talvez ele também estivesse esperando por um novo encontro. Mas ficaria surpreso ao receber aquelas espigas.

Seguia com sua bicicleta e seus cachorros assoviando o *Concerto Número 1*, como se treinasse para chamar o amigo onde ele costumava pastar. As pedaladas fortes demonstravam a sua ansiedade em chegar rápido. Enquanto seguia, ela pensava que poderiam adotar mais cachorros oferecendo um lar a pobres abandonados. Eles precisavam mais do que comida e abrigo, tinham uma necessidade imensa de carinho e isso os deixava felizes e a não querer mais ir embora do sítio.

No percurso até à cerca do Argo, Carol foi assoviando a música de que o cavalo gostou. Era uma espécie de aquecimento ou treino para ela oferecer o seu melhor para o novo amigo. Para sua surpresa ele já estava esperando na cerca, com a cabeça para fora. Parecia já estar ali há algum tempo, sabendo que a menina viria. Hoje ele teria uma grata surpresa uma sacola cheia de espigas de milho. Lembrou-se do Bernardo dizendo que a maioria dos animais tem audição melhor do que a humana.

— Você deve ter ouvido absoluto.

Até então o chamava de meu amigo. Não sabia o nome, mas respeitaria o nome que ele tivesse. Enquanto mexia na crina do Argo, já do lado de dentro da cerca, não percebeu que se aproximava alguém perto de um casebre.

— Menina, o que faz aqui? — perguntou um senhor fazendo com que Carol, que estava distraída, recobrasse a consciência de que estava dentro da propriedade de alguém estranho. Ela estava tão entretida com o cavalo que nem percebeu a aproximação do senhor. O senhor estava preocupado, porque ela era uma menina pequenina e, até então, o cavalo era tido como bravo. Estranhou a simpatia do animal pela menina, pois geralmente ele se rebelava com a aproximação de qualquer pessoa estranha. Não era adepto de rédeas, celas e sempre se afastava das pessoas e por que continuaria ali perante aquela pequena menina?

— O senhor é o dono dele?

— Sim. Você sabe que não pode ficar aqui dentro. Esse cavalo é bem arisco.

— Não! Ele é bem manso.

Carol sabia bem o significado da palavra arisco. A mãe já tinha se dirigido a ela mesma com essa denominação. Até concordava que aquele adjetivo poderia estar relacionado às suas atitudes, às suas pequenas fugas. Mas aquele animal lhe parecia ser tão dócil, tanto que ela o queria muito. O termo arisco não a abalou. Muito pelo contrário, ela sentiu ainda mais afinidade pelo animal.

A menina novamente havia passado para o lado de dentro da cerca. Sabia que estava invadindo uma propriedade particular e tinha sido alertada sobre isso pelos pais. Mas apesar de total conhecimento ela não conseguia ficar longe daquele cavalo.

— Como você conseguiu chegar perto dele? — perguntou o proprietário, ainda tentando entender como aquele cavalo quase selvagem de porte grande havia se rendido aos encantos de uma menina tão pequena. Aquilo o intrigava e mais ainda, o cavalo continuava ali olhando fixamente para ela como se estivesse feliz pela sua presença.

— O senhor quer vendê-lo?

— Ele não está à venda, é um cavalo ainda bem novo. Tem apenas três anos e meio e ainda vai me dar um bom lucro.

— Por favor! O senhor precisa vendê-lo pra mim.

— Menina, esse cavalo não é manso, ou pelo menos não era, porque nunca o vi tão calmo assim.

— Então o senhor vai vender?

— Seus pais sabem que você está aqui, dentro da minha propriedade brincando com esse cavalo? Você pode se machucar e eu não quero problemas.

— Eles não sabem que estou aqui.

— Então. Ele gosta de você. O que você pode oferecer? Tem uma bicicleta do modelo que meu filho quer.

O senhor percebeu que a bicicleta era bem nova e bem incrementada e mesmo sabendo que valia menos que o cavalo propôs uma troca.

— A minha bicicleta? O senhor quer trocar pelo cavalo? Sério?

— Se você quiser, eu troco sim. Mas preciso que seus pais venham até aqui para trocar.

— Levo o cavalo agora.

— Você é menor de idade e seus pais podem ficar bravos se não souberem.

— Eles também vão amá-lo.

— Você quer muito mesmo esse cavalo. Da mesma forma que meu filho quer a bicicleta. Mas você vai conseguir levá-lo?

— Sim. Eu levo o cavalo agora e o senhor já pode dar a bicicleta para o seu filho.

— Vou fazer o negócio se você me garantir que seus pais passem por aqui amanhã. Fechado?

— Sim.

Os negócios no campo eram realizados dessa forma, na maioria das vezes. Trocas executadas de maneira despretensiosa e, na maioria das vezes, atenderiam bem às duas partes, satisfazendo a todos. É o tipo de negócio onde os dois lados podem sair ganhando. As "barganhas", como eram chamadas, eram uma prova de respeito e de lealdade entre as pessoas.

Carol não conseguia acreditar que aquilo estava acontecendo de verdade. Devia ser mais um sonho, como aquele que ela havia sonhado naquela manhã. Iria levá-lo com a rédea. Caminhou por quase dois quilômetros puxando e conversando com o Argo. *Como seria chegar em casa sem a bicicleta e com um cavalo? Onde ele ficaria e o que comeria?* Era um pensamento simples que nem havia passado pela sua cabeça. A menina quis o cavalo e ele certamente também quis ir com ela. Parecia mais um reencontro de alguma outra vida.

Chegaram ao sítio, menina, cavalo e os cachorros. Estavam todos ali sentados do lado de fora da casa depois de terem comido. O almoço ou churrasco já havia acabado, a louça já estava lavada e todos estavam conversando sentados nos bancos na mesa central. Olharam-se assustados e coube à mãe soltar as primeiras indagações sobre o belo animal que acompanhava mansamente a filha.

— Que cavalo é esse?

— É meu.

— E cadê a sua bicicleta?

O pai talvez fosse mais esperto que os outros. Perguntou sobre a bicicleta, mas já podia imaginar o que havia acontecido. A menina chegou puxando um cavalo e sem a bicicleta. Certamente havia trocado a paixão pela bicicleta logo que encontrou o cavalo na cerca.

— Eu troquei.

— Mas você trocou com quem? Quais foram as condições? — perguntou a mãe acreditando ter que desembolsar mais alguma quantia em dinheiro, já que aquele belo animal devia valer bem mais do que uma bicicleta, apesar de nova.

— Não precisa dar mais dinheiro. O senhor do sítio vizinho trocou porque o filho queria a bicicleta e eu queria o cavalo. Esse cavalo já foi meu.

Os pais estranharam a maneira como ela disse que o cavalo já havia sido dela, falando com propriedade sobre o seu passado. Tinha muita certeza sobre o que ela estava falando e já havia acontecido em outras ocasiões fatos em que ela demonstrara muita sensibilidade com fatos passados e seu declínio pelo espiritismo.

— Me deixa ver esse animal.

A mãe foi logo se aproximando, sem qualquer cuidado e sem perceber que o cavalo não era tão manso quanto parecia sendo puxado pela menina.

— Cuidado, ele é arisco, assim como eu.

— E como você trouxe esse cavalo até aqui. Quem foi esse louco que trocou esse cavalo com você?

A mãe estava assustada com a reação do cavalo.

— Calma. Vamos colocá-lo no estábulo para ficar mais tranquilo e nós também. Carol, você vem comigo para conversarmos com o dono do cavalo.

O pai sempre a acalmava de alguma maneira. Só a sua presença já era motivo para que ela se sentisse segura.

Seguiram para o sítio vizinho, onde o proprietário os recebeu em frente à sua casa. Os dizeres do antigo dono já revelaram que o pai não precisava se preocupar. O negócio era certo, ainda mais porque sentiu a cumplicidade entre a menina e o animal.

— É um belo animal e ela fez um excelente negócio. O senhor pode ter certeza.

— Só precisava da sua confirmação e ver sobre a necessidade de documentação ou acerto de valores.

— Por mim está tudo acertado, mas se o senhor achar melhor, pode providenciar que eu afirmo.

— Minha filha está muito contente com a troca. O senhor está feliz?

— Meu filho está muito feliz com a bicicleta que está novinha. Ele já deve estar andando por aí com ela.

— Não estamos acostumados com negócios sem documentação, mas fico feliz que a palavra das pessoas ainda tenha valor.

— Aquele cavalo é meio arisco e meu filho não se ajeitou com ele, mas ele parece gostar muito da menina.

Retornando ao sítio, Carol foi direto para o estábulo para ficar com seu novo amigo. Queria testar a cela que havia no sítio, mas novamente teve o pai acalmando-a naquela ansiedade por montar logo naquele Argo.

Em poucos dias, a menina já tinha domínio daquele animal e sentia-se enciumada de qualquer pessoa que chegasse perto, principalmente quando alguém desejava montá-lo. Além disso, Argo continuava sendo arisco para os outros, menos com ela. Os dois pareciam estar em perfeita sintonia. Sempre foi assim com a grande maioria dos animais que encontrava, mas visualizar aquela interação entre os dois era um momento especial, principalmente para o pai que registrava aqueles momentos em sua memória e os levava sempre consigo quando não estava junto à menina. Bernardo fotografava.

O cavalo gostava de velocidade, assim como a menina que o montava como uma verdadeira amazona. Já estava acostumada a correr com ele pelos arredores do sítio, mas ambos pareciam querer mais e perto dali havia uma raia onde eram disputadas corridas de cavalos. Era uma pista longa, com duzentos metros em terra afofada pelas marcas de cavalos, dividida por uma cerca de madeira pintada na cor branca.

Carol fez da raia ponto frequente dos seus passeios com o seu cavalo e sempre se imaginava disputando uma corrida. Um dia conheceu um dos meninos que moravam ali. Ele disse que competia com meninos da sua idade e até com homens mais velhos e dificilmente perdia uma corrida. Devia ser verdade, pois ele montava um cavalo branco de pernas muito longas, com porte de cavalo corredor.

O menino começou a demonstrar certa arrogância em dizer que ele e seu cavalo poderiam vencer facilmente aquele potro, além de dizer que meninas não tinham coragem para correr. Não acreditou ao ser instantaneamente desafiado pela menina. Ela precisava provar a ele que as meninas são corajosas e podiam vencer.

Se ele dificilmente perdia uma corrida, Carol e Argo formavam uma parceria perfeita. As corridas eram muito disputadas naquela raia de velocidade pura, conforme relataram os meninos. A velocidade que eles atingiam numa reta daquelas poderia ser bastante perigosa para duas crianças, sem qualquer segurança e sem equipes de apoio, mas eles estavam muito empolgados pelo desafio.

— Se você quiser desistir, por mim tudo bem. Se você estiver com medo — insistia o menino com aqueles “se”, deixando Carol um tanto quanto enfurecida e com um desejo cada vez maior de provar a força das meninas.

Demonstrou certo desprezo à fala do menino, franzindo o canto da boca. Jamais desistiria de um bom desafio. A vida sempre lhe mostrava o que meninos e meninas podiam fazer e ela queria vencer logo aquela corrida e não mais ouvir aquelas palavras de menosprezo, dirigidas não somente a ela, mas às meninas e mulheres.

— Nós vamos alinhar os cavalos no início da reta e aí eu falo três, dois, um... e no zero largamos.

— Tudo bem. Mas eu dou a largada.

Carol já havia compreendido que se ela quisesse se impor, deveria ser desde a largada.

E assim foi. Primeiro ponto para as meninas.

— Em três, dois, um... zero e lá foram eles.

Largaram os dois cavalos em disparada. O cavalo branco era mesmo muito rápido, comandado aos gritos e batidas de bastão no seu lombo. Carol, ao contrário, falava com o Argo.

— Vamos. Vamos. Vamos vencer.

Argo parecia perceber a diferença entre palavras e um bastão. Até próximo aos quarenta metros, o cavalo branco estava disparado na frente, com quase dois corpos de vantagem, fazendo Carol imaginar, não mais poder alcançá-los. Porém, a visão por trás daquele animal apanhando em seu lombo, deixou a menina com muita raiva. Precisava vencer aquela batalha contra a dor e sofrimento animal. Carol gritou próximo ao ouvido do Argo.

— Vamos vencer por ele.

Argo compreendia as palavras tomando aquele sofrimento como seu também. Então, mesmo com as pernas ligeiramente mais curtas, parecia buscar maiores amplitudes e movimentos mais velozes, tirando energia de todas as suas células. Começaram a emparelhar e lentamente a ultrapassar aquele cavalo de pernas longas e, já próximo à chegada, colocava quase um corpo de vantagem. A corrida deve ter durado uns quinze segundos que foram os mais longos de sua vida e ela estava muito feliz com seu amigo.

— Agora você deve ter aprendido algumas lições. As meninas não têm medo de cavalgar e podemos vencer. Cavalos não gostam de apanhar, o seu cavalo poderia vencer se tivesse um cavaleiro de verdade montado sobre ele.

A coordenação entre os dois era tão grande que Argo fez um giro enquanto a menina falava, dando-lhe a oportunidade de encarar o menino e finalizar o recado.

O menino não queria levar o desaforo para casa, então, do seu cavalo, abaixou-se e pegou a rédea do Argo e o puxava insistentemente para tentar derrubar Carol. Ele ria já visualizando o tombo que ela levaria, quando ela assoviou bem alto e o cavalo branco de pernas longas, empinou, ficando totalmente em pé, derrubando o menino de costas.

Depois, o seu próprio cavalo bufava muito próximo ao seu rosto, mostrando-lhe que suas atitudes estavam ferindo todos os limites do respeito às pessoas e aos animais. A menina havia lhe mostrado o caminho para dar fim às batidas em seu lombo.

Lembrou-se de que a sua mãe já deveria estar esperando para fazer mais um daqueles sermões e jamais deveria saber que ela havia ganho uma disputa com seu cavalo Argo. A galope, voltaram para o sítio e ela não conseguia compreender como o menino podia bater em seu amigo apenas em busca de uma simples vitória. Aquele cavalo já devia ter apanhado muito, já que ele tinha tantas vitórias. Quem sabe um dia poderia resgatá-lo.

A cobrança pelo desempenho na aprendizagem escolar sempre foi fator preponderante na vida de Carol. O pai agia de forma mais amena, mas a mãe não admitia que suas notas fossem vermelhas. Estudava em colégios pagos e Amelie acompanhava mensalmente as notas expressas em boletins. A cobrança chegava a ser discrepante em relação às suas obrigações diárias. Parecia que somente a escola tinha relevância, pois a sua dedicação e determinação em outras situações não tinha peso nenhum. Não era incomum as notas apresentadas em seu boletim escolar estarem atreladas a castigos, presentes e até a perdas momentâneas de algo de que ela gostasse.

A mãe sempre recorria a esse subterfúgio para que a menina tivesse garantido o seu desempenho escolar. Agora Argo tinha passado a ser o ponto máximo a que sua mãe se apegava para aterrorizar a menina. Toda vez que o valor de suas notas diminuía, mesmo que fosse um décimo, a mesma história voltava à tona.

— Preste muita atenção! Se você tirar nota vermelha na escola e não estiver estudando eu vou vender o Argo.

Suas promessas em forma de opressão sempre foram cumpridas à risca, mas Argo era dela porque ninguém o havia comprado. Era fruto do seu negócio com o vizinho de sítio e ele significava muito para ela, assim como deveria ser para os seus pais. Sua mãe não faria isso e o pai jamais admitiria. Além de tudo, ela poderia melhorar ainda mais as suas notas que já eram altas. Alguns meses depois sem se lembrar da promessa da mãe e sem se importar com a circunstância do momento teve um declínio em suas notas. Tinha certeza de que poderia recuperá-las e tudo estaria certo com sua mãe.

Num certo final de semana, desceram a serra para a praia da Riviera de São Lourenço junto com a tia Mayla para passar um final de semana. Carol, apesar de adorar o mar, ficava indignada e triste, pois sua voz não tinha peso na tomada de decisão sobre onde passar o final de semana. Claro que a sua vontade era ir para o sítio para rever o amigo Argo. Tamanha ansiedade era dividida.

Seu pai gostava tanto do sítio, quanto da praia e para ele a vontade de sair da cidade grande e de toda aquela correria era tão grande que ele iria para onde o vento ou a decisão da mãe o levasse. Sua mãe também gostava de ambos e procurava dividir o tempo de formas iguais. Sua tia era cúmplice da mãe e nas decisões nunca se opunha.

Duas semanas depois, o destino era o sítio e, então, enfim veria novamente Argo. Três semanas sem vê-lo era muito tempo e seu coração ficava apertado. Na estrada ela já havia aprendido a controlar a sua ansiedade para não ficar perguntando o tempo todo quanto faltava para chegar. Marcava pelos postos de gasolina e pelas cidades pelas quais passavam. Já haviam passado a cidade de Andradas, e por volta de mais meia hora estariam no sítio. Estava quieta, mais do que costumava ser, até mesmo quando o pai conversava com ela.

Chegando ao sítio, assim que desceu do carro foi logo saindo para encontrar o cavalo. Não o encontrou no estábulo. Foi até perto da casa do caseiro e voltou correndo até seu pai.

— Onde está o Argo? Não está no estábulo.

— Pergunte para sua mãe.

O pai respondeu sem olhar para a filha, virando o rosto para o outro lado, como se esquivasse de um soco, enquanto terminava de retirar as malas do carro. Ele sentia aquela pergunta doer em seu coração, pois tinha consciência do estrago que a resposta traria. A mãe continuou andando enquanto transportava as coisas para a cozinha, como se não se importasse com a pergunta. A filha que esperasse ela terminar de descarregar o carro.

Carol foi andando atrás da mãe. Prendendo o choro, sentiu que a resposta lhe traria o maior sofrimento de sua vida. Lembrou-se das suas notas, mas nada falou. Apenas acompanhou a mãe para ouvir a resposta que ela nunca queria que saísse da boca da mãe.

— Onde ele está?

— Eu disse que se você tirasse nota vermelha ele seria vendido. A culpa foi sua por não ter se dedicado aos estudos. Estudar é a sua única obrigação.

A mãe poderia ter tirado o piano por alguns dias, ou ter pensado em outro castigo. Qualquer coisa que não tivesse vida e que não a matasse instantaneamente por dentro. Argo era aquele que se aproximou dela pela música, sem se preocupar com retorno. Era o amor mais puro entre um animal e um ser humano e a sua mãe jamais entenderia o que é isso. O cavalo não era um presente que ela havia ganhado.

— Minha menina, venha aqui.

O pai tentou trazê-la para o abrigo dos seus braços, mas a menina correu para o lado oposto. Não queria ver ninguém e foi até a cerca onde o havia encontrado pela primeira vez. Pensou que vizinho tivesse comprado de volta e ele estaria por perto, esperando que ela pudesse reavê-lo de alguma forma. Argo não estava lá. Aquele pedaço de pasto estava sem nenhum animal. Assoviou a música esperando que ele aparecesse. Agora ela estava aos prantos sentada ao lado da cerca. Não conseguia imaginar onde ele poderia estar. Com certeza o senhor João saberia porque só ele poderia tê-lo vendido, obedecendo às ordens da mãe.

— Você não tinha o direito de vender o cavalo. Foi uma conquista dela.

— Não deveria ficar contra mim. Estou cuidando da nossa filha e dos estudos dela. É o que deve ter mais valor pra ela ou você quer que ela vá ser tratadora de cavalos? Ela foi avisada.

— Você é incapaz de avaliar o sofrimento da sua própria filha. Não consultou ninguém para fazer isso.

— Alguém concordaria?

— Mas o sentido da consulta não é ter alguém para compactuar com as suas decisões, ainda mais porque elas são falhas e nunca acompanhadas de qualquer sentimento.

— Você não consegue tomar nenhuma decisão. Os sentimentos não podem estar sempre à frente nas decisões.

O pai achou melhor parar com aquela discussão e ficar do lado de fora da casa esperando a menina. Esperavam alguns amigos e ele também não estava bem para recebê-los. Sentia-se cúmplice daquela maldade. O remorso lhe corroía o estômago desde o momento em que ficou sabendo, ainda em casa. Aquele animal era a paixão da filha. Era impossível compreender a extensão do ato da mãe e se ele não teria um efeito inverso no âmbito escolar, devido à tristeza provocada por aquela perda.

Carol estava andando pelos arredores do sítio. Seu choro era compulsivo e seus olhos cheios de lágrimas, já não mais enxergava à sua frente. Lembrava-se dos momentos que passou com seu cavalo, desde o primeiro dia. Ela o acalmava enquanto assoviava a música de que ele gostava. Por várias vezes montou nele a pelo, pois sabia que ele jamais a derrubaria.

Parada na porteira do estábulo, a menina olhava o pasto que se estendia à sua frente até a cerca que dividia o sítio e se lembrava dos momentos que eles brincavam de pega-pega. Ele a cercava e tocava com o focinho e depois procurava esquivar-se de ser tocado por ela. Qualquer um que visse aquela cena não iria acreditar. Uma menina e um cavalo arisco, difícil de ser domado, ali naquele pasto, na altura do joelho da menina, brincando, como se fossem duas crianças.

Carol desceu da porteira e pôs-se a procurá-lo. Cortava o matagal do sítio vizinho assoviando aquela música na esperança de estar errada. Torcia para que aquele sonho ruim não fosse verdadeiro e que ele retornasse. Era um cavalo de marcha muito imponente e assim ela o imaginava voltando para o seu lado, cutucando-a com o focinho, como fazia quando esperava receber uma espiga de milho.

Era difícil aceitar que a força dos adultos prevalece e que Argo devia estar bem longe dali. A mãe não o deixaria por perto. Então, deveria treinar seu assovio para que pudesse ser ouvido de muito longe e ele viria para perto dela. Sob nenhuma circunstância desistiria dele.

Sentiu que algo beliscou a sua perna, como se tivesse enroscado em um arame farpado ou um prego. Quando olhou para baixo viu uma cobra saindo rápido. Sentiu muita dor. Associou aquela cobra a uma urutu e sabia que ela era muito venenosa. Procurou um local onde o mato estava mais baixo para avaliar o machucado. Aquela dor não era maior do que a dor que ela sentia em seu coração, pela distância do seu companheiro imposta pela força da mãe. Era a mais profunda que ela já havia sentido.

O veneno inoculado poderia ser um alívio para seu sofrimento, tanto que resolveu sentar-se. Enfim, a dor não seria somente dela e a entrega seria o seu basta. Nesse momento, ela se lembrava do Bernardo, que falava da sua preocupação com os animais peçonhentos. Cobras e escorpiões eram comuns naquela área e ele tinha especial preocupação pelas expedições que a menina fazia pelo sítio. A picada não havia sido muito profunda, mas já podia sentir alguns efeitos do veneno. Prestava muita atenção nas coisas que ele lhe ensinava.

Ele gastava o tempo que dispunha no sítio explicando tudo o que se relacionava à natureza e aos animais, trazia livros e tinha muita paciência para ensinar a menina que ele tanto queria bem. Por muitas vezes, ela se destacou nas atividades escolares, por demonstrar conhecimentos além do que havia nos conteúdos escolares para a sua faixa etária, coisas que ela aprendia em situações práticas.

Carol chegou em casa com o dia já anoitecendo. Os amigos quiseram cumprimentá-la, ainda sem saber o que havia acontecido. Certamente nenhum deles aprovaria a atitude da mãe, mas não teriam coragem para se opor às suas ideias. Poucas vezes ela viu a mãe ser confrontada pelos amigos, pela tia ou até mesmo pelo pai.

Em sua perna direita escorriam dois filetes de sangue. A picada não chegou a ser tão profunda, mas o veneno da urutu é extremamente forte e poderia levar a menina a óbito em pouco tempo, ainda mais uma menina de pouca idade. Estava bastante dolorida e ela queria que aquela dor de alguma forma pudesse refletir em sua mãe e ela, por medo de perder a filha, pudesse desfazer aquela maldade.

— O que é isso em sua perna? Que sangue é esse? — perguntou a mãe.

— Você não se importa comigo. — respondeu a menina, sem olhar para a mãe.

Sentou na sala e lá ficou quieta. Para sua indignação a mãe não se importou, pela maneira como respondeu e voltou a conversar com as amigas que ali estavam, sem maiores preocupações. O ferimento parecia uma espetada de arame farpado. Para ela, a filha tomaria um banho e voltaria para se sentar à mesa, não ao lado dela, mas ao lado da tia que a protegia em situações mais delicadas.

Amelie não arredava pé de suas atitudes e acreditava que a sua maneira de educá-la estava correta e que a perda elevaria as notas da menina e, até mais, poderiam mexer com a sua autoestima em relação à escolha da sua carreira. A menina já projetava seus estudos em música, veterinária ou agrária, contrariando totalmente os desejos da mãe, que tentava impor-lhe a medicina ou o direito.

Carol demonstrava conhecimentos superiores aos das crianças da sua idade e isso fazia com que ela, em várias situações, discutisse de igual para igual com os adultos. O pai aprendia com a menina e exaltava seus conhecimentos, fazendo-a sentir-se orgulhosa. Por outro lado, a mãe sempre exigia respeito e obediência, representando o desequilíbrio de forças, sem direito a vencê-la, em qualquer circunstância.

Carol estava deitada no sofá sentindo uma dor progressiva, que agora se dividia entre a angústia e a dor física, no peito e na perna, que agora já estava inchada. Imaginava a mãe entrando e levando-a ao hospital e lá ela recobraria o instinto materno e prometeria trazer de volta o seu cavalo. Olhava para a porta sem parar. Fazia bastante calor e a porta de tela estava fechada para que os insetos não entrassem na sala.

O pai ao entrar viu a menina dormindo no sofá, com a cabeça sobre duas almofadas. O corpo estava mal ajeitado, então ele a levou direto para a cama. Ela estava um tanto mais quente que o normal, mas a mãe nada havia lhe falado sobre o machucado. Colocou-a na cama, tomou um banho e foi se deitar. A mãe permaneceu na área de fora com os amigos por mais algum tempo.

No dia seguinte, o pai acordou mais cedo. Logo depois a mãe se levantou e foi preparar o café. Sentados à mesa tentaram conversar sobre o cavalo, a filha e o retorno para São Paulo. A mãe não aceitava a ideia de trazer o cavalo de volta, a sua decisão tinha de ser a palavra final. Assim a filha faria suas reflexões sobre a importância dos estudos e daria mais valor a tudo. O pai se opunha e achava que a felicidade poderia fazer os seus milagres.

Chegaram a um acordo que, logo após o café, retornariam para casa. Carol só acordou quando o pai foi até o quarto e debruçou-se para despertá-la com um beijo. As malas e outros utensílios já estavam ajeitados no carro. Associaram aquele sono até mais tarde ao cansaço de suas andanças pelo sítio por um longo tempo, na esperança de encontrar o cavalo.

Adorava dormir, mas quando estava no sítio ela mudava os seus hábitos, acordando mais cedo que o habitual. Perfeitamente compreensível, pois ela adorava a vida no campo e tudo o que o sítio lhe proporcionava. A represa, a terra, os animais, as árvores e o cavalo. Sempre quis aproveitar ao máximo o que a vida no interior poderia lhe oferecer. Mas agora perdia o encanto.

Só não acordou mais cedo naquele dia pelo estado febril provocado pelo veneno inoculado, mesmo que em pequena quantidade. Ela tinha suado bastante à noite. O pai não percebeu e voltou à sala para esperar por todos assistindo à TV. Revirava os poucos canais que a TV pegava, impaciente pela demora dos demais, desejando tão rápido quanto possível pegar a estrada.

Carol foi para o banheiro no centro do corredor e olhando a perna percebeu que o inchaço havia aumentado. A pele ao redor do ferimento apresentava uma cor mais escura. Ligou o chuveiro e deixou que a água escorresse pelo seu corpo por um longo tempo. Seus pés ainda traziam as marcas de terra do dia anterior. Seus pensamentos vagavam traçando a história desde o dia em que encontrou o cavalo.

A mãe cobrou para que ela se apressasse no banho, dizendo que todos já estavam prontos.

— A princesa ainda vai demorar muito no seu banho?

Carol desligou o chuveiro e se enxugou na toalha branca, deixando algumas marcas da cor da terra avermelhada do sítio. Dirigiu-se para a mesa do café, onde foi recebida pela tia que a aguardava com uma xícara e um pedaço de pão caseiro, que ela mesmo havia feito no dia anterior.

— Bom dia! Você dormiu bem? — perguntou a tia Mayla, sem esperar que a menina oferecesse um bom-dia, com aquele sorriso como sempre fazia pela manhã. Ela sabia que não seria um bom dia para a menina. Conforme previu, Carol com o pedaço de pão em uma das mãos e a xícara na outra apenas olhou, com olhos avermelhados e abaixou a cabeça. Mayla passou a mão pela sua cabeça e tentou animá-la com algumas palavras. — Outros dias virão e outros cavalos também.

A tia compreendia a importância daquele animal e da amizade entre os dois. O encantamento aconteceu para ambos. Aquela música e aquele momento ficaram marcados para os dois. Como alguém poderia entender que aquele cavalo arisco pudesse se oferecer com tamanha delicadeza a uma menina tão frágil e indefesa em meio àquele pasto com mato alto?

Talvez o antigo proprietário entendesse valor das amizades e dos sentimentos verdadeiros. A bicicleta certamente não tinha o mesmo valor que o cavalo e ele poderia ter comprado uma nova. Só agora ela entendia que o ato daquele senhor não se opunha à vontade do próprio animal. Por que aquele senhor, que nunca a tinha visto, podia compreender os sentimentos que sua própria mãe não conseguia?

Quando entrou no carro ela pensou que sentiria raiva da mãe, e de todos que não se opuseram, o pai e a tia. *O mundo não se opunha às estratégias sórdidas elaboradas e colocadas em prática pela mãe.* Pensou, mas atentou-se de que aquilo fazia parte da sua evolução e tanto ela quanto Argo estariam prontos para um novo encontro. Recostou-se no assento do carro e desligou-se de tudo e novamente adormeceu.

Depois de algum tempo na estrada, já próximos à São Paulo, ao voltar da loja de conveniência e ao sentar-se ao lado da menina, a tia percebeu que a menina não estava bem e colocando a mão em seu rosto percebeu que estava com febre.

— A Carol está com febre.

— Minha menina, o que você está sentindo?

— Estou com sono.

O pai percebeu pela entonação de sua voz que algo estava errado. A menina ardia em febre.

— O que aconteceu? Está doentinha agora. — perguntou a mãe com olhar de deboche.

— Ela está com febre bem alta. Precisamos levá-la ao médico.

— O que você está sentindo? — perguntou a mãe agora atentando-se à gravidade.

— Eu levei uma picada de uma urutu.

— Quando eu lhe perguntei, você apenas disse que eu não me importava.

— Você nem olhou a perna dela? Olhe como está inchada e roxa Vamos para o hospital.

No caminho ninguém dizia uma só palavra. Quando a mãe quis orientar um caminho mais rápido, foi logo contida pelo pai.

— Entra aqui nessa rua.

— Eu conheço muito bem a cidade.

Ele precisava agilizar a chegada ao Pronto-Socorro. O trânsito estava tranquilo, pois havia poucos carros, por ser um domingo depois do almoço. Demoraram pouco mais de trinta minutos para chegarem ao hospital. O pai pegou-a no colo e entrou com ela aos gritos chamando por um médico. Logo foi atendida por um médico e uma médica plantonistas.

— Vocês viram qual era a cobra? — perguntou a Doutora Alaíde, a qual foi respondida de imediato por Carol.

— Era uma urutu. Eu a vi.

— Uma menina conhecedora dos animais. Muito bem!

— Na verdade não temos certeza.

— Era sim. O Bernardo me ensinou a reconhecê-las e eu a vi quando saiu rastejando.

— Fique tranquila que nós vamos cuidar de você.

A Doutora Alaíde chamou a mãe ao lado.

— Faz quanto tempo que ela tomou essa picada?

— Foi ontem à tarde. Ela não disse que era uma cobra, parecia um espetada de arame farpado.

— Vocês arriscaram a vida da menina pela demora. Não viram a gravidade pelo ferimento?

A mãe quis logo encurtar o assunto para fugir da cobrança das suas responsabilidades.

— Qual será o procedimento agora? Precisa ficar internada?

— Vamos dar o antídoto e ver como ela reage. Ficará sim um tempo em observação.

Ainda apresentava febre que, segundo os médicos, deveria abaixar rápido e isso seria um indicativo de que o tratamento estava correto. Não deveria deixar o local antes de observada a melhora no quadro de saúde em alguns pontos cruciais, como a febre, diminuição da dor e o local deveria estar desinchado. O reconhecimento da espécie de cobra pela menina era importante para a fidedignidade do tratamento.

Carol estava com muito sono, devido aos remédios administrados, somado à sua tristeza. Chamou pelo Argo várias vezes, enquanto dormia. No dia seguinte, os médicos a liberaram para que pudesse voltar para casa, com a promessa de voltarem se a febre voltasse ou se apresentasse qualquer um dos outros sintomas.

Ela já sabia que não adiantaria discutir ou brigar pela volta do cavalo e que jamais venceria uma discussão com a mãe, ou ao menos colocar o seu ponto de vista. Seria como entrar numa batalha que já estivesse perdida. Então, decidiu adotar outra estratégia. Ia torcer para que o cavalo fosse muito bem tratado e feliz onde estivesse. Sabia que ele também deveria estar sentindo a tristeza na mesma intensidade que a sua. Para os animais não era diferente, ou poderia ser ainda pior, dependendo de quem fosse o seu dono e a maneira como estava sendo tratado. Esse era o ponto que mais a afligia.

Já em casa, sentiu a necessidade de tocar piano e escolheu a música que a sua mãe mais gostava. *Jogos proibidos* era uma daquelas que lhe tocava profundamente. Queria tocar o coração da sua mãe e no momento da sua maior tristeza, ela se entregava para trazer à tona seus sentimentos mais profundos. O amor da mãe sempre esteve presente e mesmo em situações que pudessem parecer exatamente o contrário, faziam-na refletir e tentar compreender o porquê de tudo aquilo. Ela não precisava se aproximar, abraçar ou beijar para mostrar para a mãe que, de alguma forma, perdoava as suas atitudes. Apresentaria o seu perdão em forma de música.

Sem dizer nenhuma palavra sentou-se ao piano e com seus dedos delicados começou a tocar. Logo nas primeiras notas, Amelie, que estava sozinha cozinhando alguns legumes trazidos do sítio, sentiu aquela música chegando aos seus ouvidos como quem recebe um golpe forte desferido não com violência, mas com absoluta destreza em seu ponto mais delicado.

A mãe derrubou a sacola de legumes que segurava em uma das mãos e levou a mão à boca como se tentasse prender o choro. Ficou entre abraçar a filha e pedir perdão ou apenas ouvir a música da porta. Esperou até que a música chegasse ao final, aproximou-se e abraçou a menina. As duas não precisavam dizer qualquer palavra, pois aquele momento ficaria marcado como uma grande aprendizagem para ambas, pela perda de um grande amigo e pelo remorso da mãe.

Sem admitir o erro, a mãe tinha certeza de que aquela era a melhor forma de educar. Foi uma perda previamente estabelecida por ela, em um acordo com apenas uma assinatura, a dela. Acreditava que assim criava a filha para a vida, sem mimos ou frescuras para as imperfeições que essa propunha diariamente. O sofrimento, como forma de educar, provocaria um desenvolvimento mais forte para encarar o mundo e aquele revés jamais faria a menina, que sempre foi forte, abater-se. A relação mãe e filha deveria ser algo sublime e ambas poderiam e deveriam evoluir com aquela situação da perda. As marcas deixadas pela evolução muitas vezes são muito profundas, atingindo diretamente o corpo e a alma.

A menina se recuperou e, depois daquele dia, tudo voltou ao normal para a família. Trabalho, estudos, aulas de piano e aquele episódio, no final das contas, ficou marcado para ela como um dos dias mais tristes da sua vida que ajudaria na sua evolução. Carol não tinha como intuito ser a primeira aluna da sala, tirar as melhores notas, não desejava para ela esse destaque. Já tinha boas notas e só precisava aproveitar as oportunidades que a vida lhe oferecesse para ser a melhor naquilo que realmente desejava. Ser uma pianista reconhecida mundialmente e futuramente uma maestrina. Reger uma orquestra estava em seus planos.

Capítulo 9

Em busca dos sonhos

Os anos passaram e, então, Carol decidiu que seria a hora de partir em busca dos seus objetivos. Já despontava na música e aos dezessete anos rumava de volta ao seu país natal, depois de aprimorar seus conhecimentos na Escola de Música do Estado de São Paulo, EMESP Tom Jobim. Voltaria para a Áustria com uma bolsa de estudos, conseguida por meio de amigos da família, na Universidade de Música e Performances Artísticas de Viena, o famoso Conservatório de Viena.

A Universidade, criada em 1817, era referência na formação de grandes maestros e a manutenção do seleto grupo de professores notáveis era primordial para assegurar o nível da instituição. Em seu primeiro ano venceu a competição internacional de piano de Beethoven.

Nem mesmo a triste história, na qual o Conservatório havia se envolvido na Segunda Guerra, por tornar-se um Reich em 1941, e as suas passagens envolvendo racismo declarado de professores poderiam tirar a glória de estudar nele nos dias atuais. Carol abominava atitudes racistas ou que exaltassem as diferenças em qualquer forma de preconceito. Mas, para o Conservatório e o país, os registros dos fatos motivantes viraram motivo de vergonha, perante todo o mundo.

Passear pelos corredores do antigo prédio era como reviver a história passada há mais de meio século. As fotos nas paredes escuras dos corredores sempre a atraíam. Aproximava-se ao máximo para extrair todos os detalhes de cada uma delas, em preto e branco. Chamava-lhe mais a atenção os olhares, todos exalando a mesma tristeza, melancolia e dor. Olhos que pediam clemência, sem qualquer culpa. A entrega da vida sem a compreensão do sentido obscuro que guerra escondia.

Sempre parava ali, sozinha, com a sensação de ter vivido aquela história, convivido com aquelas pessoas. A foto antiga daquela moça judia tocando piano, com a cabeça erguida, chamava muito a sua atenção, por demonstrar elevada autoestima, mesmo após ver o seu povo e a sua família serem dizimados no holocausto. O retrato era de Aganieska, uma abnegada professora e musicista, em um quadro em tinta a óleo, pintado por ela mesma, logo após a Segunda Guerra Mundial.

Ali, sim, ela conseguia as melhores notas e as melhores performances da sala, destacando-se não só no piano, mas agora também no violino. Certamente teria um futuro brilhante como musicista, como atestavam os seus professores.

Foi olhando para aqueles quadros que ela começou a perceber e imaginar o quanto poderia fazer pelas minorias, utilizando a música como estratégia de transformação. Não só pelo profundo conhecimento em música erudita, mas principalmente por levar um pouco de felicidade, educação e paz aos necessitados. Todos os seus projetos deveriam ter a chancela de estarem diretamente ligados às causas sociais e à emancipação dos miseráveis.

Começou a esboçar o seu projeto em torno do nome *Music for All*. Buscaria apoio junto a artistas e pessoas famosas que pudessem servir como exemplo para as crianças. Algumas empresas já estavam listadas para visitas futuras. Não seriam parceiras somente pelo dinheiro investido, mas essencialmente pelo exemplo que pessoas físicas e jurídicas pudessem transmitir aos alunos.

Assim que se formou começou a trabalhar na Orquestra Filarmônica de Viena, considerada pela crítica uma das melhores do mundo. A maioria das suas apresentações aconteciam na Musikverein, uma sala de concertos com arquitetura projetada para ser acusticamente perfeita, localizada no centro de Viena. Estar ali era a concretização de um sonho, mas ela não admitia que música e conhecimentos ficassem presos aos grandes palácios.

Precisava, estrategicamente, rodar o mundo difundindo a música e tudo de bom que ela pudesse produzir. Imaginava o seu projeto chegando aos países mais pobres, como aqueles tão necessitados do continente africano. Até mesmo no Brasil, onde a maioria das crianças não tinham contato com a música nas escolas.

Certamente precisaria de muito apoio. Mas não queria apoio político, vindo de maneira superficial e fracionada, situado na base do famoso "toma lá dá cá". Não poderia ser findável e falível como alguns governos. Jamais exporia a sua posição de reconhecimento, mesmo que fosse por um projeto essencial. Ele tinha que ser duradouro, trazendo benefícios que perdurassem e pudessem promover transformação social. Teria que ser pela força de leis e de pessoas comprometidas como bem-estar, jamais pela promoção.

Carol tinha o seu nome e a sua motivação para empreender em uma ONG que pudesse evoluir em várias partes do mundo. Sonhava em ver as crianças aprendendo por meio de uma educação moderna que transformasse não somente a vida delas próprias, mas de toda a comunidade onde elas estivessem inseridas. Deveriam compreender a cooperação, a solidariedade e a doação de si mesmos, como um meio de crescimento mútuo, onde cresce não somente quem recebe, mas principalmente aquele que doa.

Carol tinha o seu trabalho, os negócios da família e mesmo assim estava empolgada, disposta ao desapego das coisas materiais para o seu crescimento espiritual e, para tanto, precisava encontrar pessoas que, assim como ela, pudessem doar tempo, trabalho, dinheiro e, acima de tudo, um sorriso, afeto, carinho, amor e paz de espírito. A empatia não espera pela lei do retorno. A doação espontânea daquilo que é parte de si mesmo traz o alívio imediato das dores e angústias de quem recebe e de quem doa. Doação é sintonia.

A maestrina decidiu bater em algumas portas. Primeiro deveria listar uma turma de alunos que muito necessitassem da música em suas vidas e começaria ali mesmo, perto da Áustria, atendendo à crianças carentes. Foi então que Sarajevo, a capital da Bósnia, lhe veio à mente. As regiões medievais da Bósnia e Herzegovina eram lindas, a atraíam muito e, na sua região periférica, a miséria estava presente em cada canto, levando-a a crer que ali seria um ótimo começo de transformação.

A Iugoslávia, surgida após a Primeira Guerra Mundial, conseguiu desligar-se do domínio austríaco. Entretanto, foi a partir da década de oitenta que essa união começou a ruir e a existência de um Estado Nacional Multiétnico foi por água abaixo. A guerra que dividiu a Iugoslávia durou três anos, marcada por genocídios e destruição, efeitos catastróficos sentidos até hoje. Mesmo depois de mais de vinte anos da guerra, o país seguiu dividido e pobre. A capital teve mais da metade dos seus prédios destruídos, principalmente aqueles que tinham significado histórico e cultural. O povo vivia sob o trauma da guerra, coisas que o tempo se negava a apagar.

Partiria para Sarajevo logo ao amanhecer. A sua vida era muito dinâmica e, assim como os atrasos, ela também não suportava a comodidade e a preguiça. Se tinha que ser feito, seria agora. Iria de ônibus, assim teria mais tempo para pensar e planejar enquanto viajava. Por ora, precisava conhecer as necessidade e demandas locais. Estudaria o lugar, as suas possibilidades, aluguéis de espaços e segurança para os seus participantes. Conversaria com a comunidade, associações de pais e organizações não governamentais. Porém, jamais envolveria políticos.

Por ora, precisava descansar e sabia que aquela sequência pesada de *insights* simultâneos lhe traria muitas ideias, não a deixaria dormir, mas era do que ela mais precisava com certeza. Comprou a passagem de ônibus no primeiro horário da manhã, às sete e dez. Comprou ao lado da janela para olhar a paisagem e refletir sobre seu projeto.

O bairro de Pale tinha aproximadamente vinte e cinco mil habitantes e, justamente por ser um dos mais problemáticos, atraiu a atenção da maestrina. Algumas de suas escolas ainda apresentavam características que haviam sofrido os horrores de uma guerra há pouco tempo. Os seus efeitos, mesmo depois de mais duas décadas, pareciam irreversíveis. Seria ali mesmo. Procurou um prédio, que pudesse servir de escola, para alugar e quanto mais as coisas pudessem lhe parecer rudes e destruídas, mais o seu desejo de doação e de ajuda àquele povo sofrido lhe aflorava a pele.

Conversou com algumas pessoas e perguntou o que elas achavam de formarem uma escola de música, sem que eles tivessem qualquer custo. A grande maioria viu com bons olhos e alguns poucos ainda ficaram desconfiados. As ONGs humanitárias agem com muita frequência no local e algumas trabalhavam com a educação, alfabetização mais precisamente, mas nenhuma delas baseada em música.

Encontrou uma casa antiga, mal cuidada, porém com boa estrutura. Tinha as partes de madeira muito judiadas, mas oferecia um ótimo espaço interno grande, em dois andares. Possuía um quintal grande com uma bela árvore, uma Sorveira, com cachos de flores vermelhas que, caídas ao chão, davam um toque mais feliz àquela velha casa. Então, decidiu que ali seria a tão sonhada escola de música. O dono da casa morava ao lado e tinha uma pequena mercearia.

Se o objetivo primordial era salvar vidas por meio de um projeto cultural, aquele era um dos destinos certos, pois a cooperação dos países mais desenvolvidos diminuía a cada ano e já não mais atendia às demandas da população. Além das perdas humanas e estruturais, causadas pelos ataques insistentes de artilharia pesada, havia a perda cultural com a destruição de seus monumentos históricos e principais obras artísticas.

Conversou com o dono da casa sobre vários pontos. Deveria oferecer segurança, paz e tranquilidade às crianças que morassem perto. As coisas materiais ela se encarregaria. A reforma seria grande e lhe trouxe muita felicidade quando o proprietário, o senhor Gojak, disse que muitos pais e mães certamente viriam para ajudar de alguma forma.

— As famílias Bósnias sempre se ajudaram na reconstrução das suas casas e teriam muito prazer em colaborar com a senhora que tanto deseja ajudar na educação dos nossos filhos, ainda mais pela música que sempre fez parte da tradição e que havia morrido com a guerra.

A maestrina tentou conter o choro, mas ela era emoção à flor da pele, sempre. Teve a sua mão segura por aquele senhor com o rosto marcado pelas amarguras da guerra.

Deixaram o negócio acertado, sem nenhum contrato, apenas com a confiança que ambos depositaram na construção de um projeto e se ajudariam para oferecer um pouco mais de qualidade e felicidade na vida de algumas crianças. Ele mesmo ajudaria na reconstrução e ela sabia que financeiramente ele não poderia ajudar mais, o dinheiro do aluguel era imprescindível para que sua família tivesse uma vida um pouco menos miserável. A sua própria mercearia não oferecia muitas condições de funcionamento e os vizinhos pouco tinham para gastar. Em várias situações, ele fingia esquecer dívidas de velhos amigos.

Talvez ele até pudesse perceber uma melhora no seu negócio, a partir do projeto. A vida daquelas pessoas não estava nada fácil, com uma grande parcela da população procurando por trabalho, o desemprego já atingia a casa de absurdos vinte e sete por cento. A ONG poderia mudar a vida de algumas dezenas de crianças melhorando a autoestima e colaborando na formação delas. O projeto deveria exigir que eles tivessem boas notas. Não que ela fosse barrar aqueles que mais precisassem de ajuda, mas ajudaria inclusive nos estudos para que eles melhorassem as suas notas.

Agora colocaria tudo num papel, pois tinha que ser um projeto muito bem feito, com todas as fotos que ela havia tirado. Fez um breve estudo de demanda e estimou que poderia iniciar atendendo umas sessenta crianças. Depois levaria o projeto para que alguns amigos pudessem ajudar.

Acreditava fielmente que eles teriam prazer em ajudá-la nesse belo projeto de reconstrução da vida. Em suas conversas sobre atrelar a participação dos alunos às suas notas escolares ela citava a sua própria frase: “não vamos tirar o cavalo de ninguém”, e depois ela explicava a passagem triste da sua vida.

O local seria perfeito para abrigar as crianças durante o dia. Teria aquecimento no inverno e aulas ao ar livre debaixo daquela bela Sorveira, na primavera. As fotos ficariam ainda mais lindas quando estivesse com as flores caindo sobre um bom número de crianças tocando seus instrumentos ali embaixo. Seus olhos brilhavam ainda mais.

A grande maioria dos países europeus eram formadores de músicos clássicos. Porém, ali em Sarajevo, muitos deles passaram a atuar em outras áreas, exercendo funções totalmente adversas à música, ou permaneciam desempregados. Esse era um fato muito triste para a cultura local porque muitos deles possuíam habilidades inigualáveis.

Carol já havia conseguido tudo do que precisava para iniciar o projeto, em apenas mais um dia conseguiria acertar os detalhes finais. Colocou nele os principais pontos onde deveria buscar as verbas que financiaram cada parte do projeto, a reforma, a compra de equipamentos, utensílios, alimentos, profissionais, e entre esses ela não dispensava a contratação de uma excelente cozinheira.

A ONG não precisava saciar somente a fome de cultura. Carol também era uma excelente cozinheira e gostaria de preparar algumas refeições para aquelas crianças. Seria uma excelente oportunidade para aliar as suas duas maiores paixões, a música e a cozinha. Dessa forma ela levaria o cheiro de lar para muitas crianças. Nas ocasiões em que o tempo lhe proporcionasse o prazer em levar o sabor de suas comidas veganas, ela iria para a cozinha, com muito prazer.

Adiantou, para alguns amigos pelas redes sociais, que estaria formalizando esse projeto e agendando alguns encontros informais. Eram artistas milionários, alguns deles já haviam feito parceria para tocar com a orquestra, na qual ela era a maestrina. Carol sempre disponibilizava seus músicos e instrumentos, independente do ritmo. Já havia gravado com grupos de rock pesado, country, pop e tantos outros.

Artistas que geralmente vieram de condições também adversas e que ascenderam em suas vidas graças à música. Entre tantos artistas, havia também esportistas conhecidos que, certamente, ficariam orgulhosos em participar da reconstrução de uma ínfima parte, dentro das infinitas necessidades de transformação em Sarajevo.

Gastou pouco mais de um mês, literalmente viajando e batendo de porta em porta, até que então, finalmente, ela fechou os valores. Dentre aqueles que colaboraram, alguns pediram para não envolver o nome porque uma causa nobre como essa não deveria servir como autopromoção; outros, ao contrário, desejavam ter seu nome aliado ao projeto, justamente pela promoção e marketing. Mas era justo de qualquer forma e agora o que importava era romper as barreiras que distanciavam as crianças de Sarajevo do resto do mundo.

Voltou para lá, onde já era esperada pelo senhor Gojak, junto a um número razoável de pais que estavam dispostos a colaborar, já que estavam sem trabalho. Ficou impressionada porque eles já haviam limpado o local para iniciar as obras. Mesmo naquela situação de pobreza extrema, não quiseram receber o pagamento que Carol lhes ofereceria no final de cada dia trabalhado. Diziam não ser justo e que o dinheiro tinha que ser utilizado na escola.

A maneira delicada da comunidade a fazia refletir a cada instante e ter certeza de que estava no lugar certo. A leveza de seus sentimentos mais puros sobrepunha-se enormemente à covardia da guerra e esses eram transmitidos na mesma intensidade para as novas gerações. Como o poderio bélico, capaz de destruir uma cidade inteira, podia ser tão ineficaz contra a esperança de um povo?

Aquela situação de miséria lhe embrulhava o estômago quando lembrava que a guerras podem levar tudo de um povo, mas não a alma. Ocasionalmente, Carol estava em meio às pessoas da alta sociedade e quase sempre recebendo os louros e homenagens pelo seu trabalho. Sucesso, o desejo de tantos, a incomodava. Ela só queria estar naquele lugar, ao lado daquelas pessoas simples que se ajudavam e compartilhavam o pouco que tinham.

A situação de cooperação lhe dava mais prazer do que estar em uma roda de pessoas exibindo suas joias, roupas, comidas e carros luxuosos. Era como se cada detalhe acertado numa parede, no assoalho, numa fechadura de porta, valesse uma vida. Era tudo feito com amor e ela agradecia a cada um com uma frase simples, como aqueles atos. Agradecia por aprender tanto em meio à simplicidade.

— Muito obrigada por me permitirem estar com vocês.

A bondade não tinha preço. Ali ela se sentia feliz. Chegou a pensar que seu projeto seria um Robin Hood moderno. Não que roubasse dos ricos para doar aos pobres, mas que, de uma certa forma, devolveria àqueles que tiveram direitos e acessos negados. Eram trabalhadores, pais de família, pessoas de bem, moral e ética refletidas em toda a comunidade.

Em meio a tanta pobreza, Carol caminhava à noite sem qualquer problema. As necessidades nunca furtaram a honra e a moral daquele povo. A vida, por mais difícil que se apresentasse para aquelas pessoas, jamais lhes conduziu à desonestidade, pelo contrário, eles se uniam e se ajudavam cada vez mais e jamais admitiam que a desonestidade se aproximasse deles, principalmente de suas crianças.

Literalmente o projeto começou a deslanchar e, enquanto a reforma acontecia, Carol comprava os instrumentos, contratava os professores e a tão desejada cozinheira, além de formar os grupos de alunos. Atender a sessenta crianças, de início, não era assim uma tarefa tão fácil, mas todos estavam animados para a inauguração e para que as aulas começassem.

A escola estava linda e, no dia da inauguração, já estavam matriculadas e prontas para começar as aulas setenta crianças, as quais Carol decidiu que não cortaria nenhuma. No evento, foram expostos os instrumentos, os quais a maestrina fazia questão que as crianças pegassem nas mãos e fizessem os movimentos como se estivessem tocando. Isso a fazia lembrar-se de quando tocou piano na casa de dona Silvia. Era uma maravilha poder ver aquelas crianças com um sorriso no rosto.

Fez questão de cozinhar para todos que se empenharam para que o sonho da escola pudesse ser compartilhado e virar uma realidade.

Senhor Gojak foi o primeiro a perceber as crianças empolgadas demais com aqueles instrumentos novinhos.

— Melhor guardar, professora. Eles podem quebrar esses instrumentos, porque ainda não sabem tocar.

Por um instante ela vagou, ouvindo a palavra professora. Nunca a haviam chamado assim. Num piscar de olhos ela se viu em outra época, numa sala antiga com alunos e alguns poucos instrumentos. Abriu os olhos e respondeu.

— Não! Eles precisam sentir os instrumentos e ter responsabilidade, cuidando deles.

— Se a senhora diz.

Gojak era a pura felicidade, vendo as crianças e o envolvimento de uma mulher que trocava a sua fama e riqueza pela felicidade de crianças esquecidas em uma Sarajevo devastada, clamando por reerguer-se.

Os próprios pais, ao lado dos filhos, orientavam para que os instrumentos fossem bem-cuidados. No fundo, eles também queriam tocá-los. A maestrina, percebendo que alguns tinham habilidades com os instrumentos, disse a eles que poderiam tocar também. Depois de perguntar se alguém tocava, para a surpresa da maestrina, vários levantaram suas mãos e foram convidados a chegar à frente e pegar os instrumentos que tocavam.

— Que autores vocês conhecem?

Seria, em tese, uma pergunta muito pretenciosa da maestrina, mas a resposta veio à altura.

— Mozart, Beethoven, Bach... — Lá do fundo alguém, com um violino nas mãos, começou a tocar Vivaldi.

Surpresa e emocionada, em poucos minutos a maestrina estava regendo uma partitura de Vivaldi com eles. Então, ali ela propôs que eles poderiam tocar no período noturno, depois que voltassem do trabalho e que, além dos alunos, teria a orquestra dos Pais de Sarajevo. Enquanto regia a orquestra dos pais, para delírio dos filhos, muitos dos quais nem sabiam que seus pais tocavam, Carol viu entrar pela porta uma amiga, convidada como tantos outros que fizeram suas doações, mas não poderiam estar lá.

Olhou ela, deu um sorriso e pediu que se aproximasse. Apresentou a amiga, cantora pop polonesa, que residia nos Estados Unidos há muitos anos e pediu para que ela cantasse uma música acompanhada por aquela orquestra de pais, montada há apenas alguns minutos antes, mas foi logo avisando que eles tinham muitos talentos e que ela não poderia deixar a desejar.

Lana, com seu nome artístico abreviado de Svetlana, cantou duas músicas, não queria se promover, mas não se negou a tirar algumas fotos com aquelas crianças lindas, prometendo que, enquanto ela pudesse, ajudaria a ONG e o projeto da amiga. Pediu a palavra para falar sobre a maestrina.

— Em toda a minha vida jamais conheci alguém tão engajada em fazer com que a música transformasse a vida das pessoas e o que eu posso dizer, minha amiga, é que você mudou e continua mudando a minha vida a cada dia e enquanto eu puder ajudarei esse projeto e essas pessoas maravilhosas.

Carol agradeceu com a cabeça enquanto, literalmente, soltou o choro que já estava preso há alguns minutos. Agora ela chorava pelas palavras da amiga, pelos pais que tocavam e, principalmente, por algumas dezenas de crianças que estavam ali felizes, unidas pela música. As crianças eram as que mais se divertiam pedindo autógrafos, inclusive para os pais músicos.

Depois de algum tempo, com a nova orquestra de pais tocando, todos ficaram de boca aberta quando o senhor Gojak pegou o violão clássico, com cordas de aço e começou a tocar *Minueto II* de Johan Sebastian Bach. Carol, que limpava as lágrimas, colocou as duas mãos sobre seu rosto e caminhou em direção a Gojak.

Carol esperou que ele terminasse.

— Vocês não precisavam de mim, porque sempre tiveram tudo. Como o amargo e o vazio de uma guerra pôde abafar isso de vocês? Estava todo tempo em cada um.

— A senhora é um anjo que nos devolveu a dignidade e a confiança. Tudo o que estava morto dentro de nós pôde renascer e brotará em cada um de nossos filhos, graças à esperança que nos trouxe.

Capítulo 10

Doutora Adele e o segredo

O Hotel The Town, na Ilha de Man, era muito aconchegante. Tommy habitualmente não fazia muitas exigências em relação aos hotéis onde ficava hospedado. Era Buhba quem acertava todos os detalhes das viagens, e ele estava sempre de acordo. Nunca reclamava das escolhas feitas pelo amigo. Algumas vezes, ele pedia para ficarem em quartos próximos, pois gostava de conversar e dar boas risadas até altas horas. Pouco dormia, mas tinha o sono profundo e assim conseguia o mesmo efeito revigorante que muitas horas de sono para outras pessoas.

Para Buhba, por exemplo, a necessidade de um período mais longo de sono era perceptível. No dia seguinte a uma noite mal dormida, apresentava-se com olhos avermelhados e a cara amassada, como se houvesse levado uma surra. Tommy sempre dizia que ele era fraco demais para viver a noite e acompanhá-lo, ao que Buhba sempre concordava.

Toda a loucura daquela corrida disputada em uma mistura de circuito de rua com sarjetas de concreto envolvidas por morros e ribanceiras, era uma verdadeira montanha-russa para Tommy. As fatalidades ocorridas em quase todos os anos anteriores não eram capazes de colocar-lhe medo. Sempre estava muito confiante a tudo o que se referia às suas habilidades sobre uma moto, sentia-se protegido por algo superior.

Momentos antes de saírem do hotel, Tommy recebeu uma ligação de número privado, aos quais ele geralmente não atendia. Sabia que deveria ser algum jornalista pedindo uma entrevista ou algum convite que ele não aceitaria. Não compreendia como alguns deles ainda conseguiam o seu número. Mas, naquele dia, ele resolveu atender e até foi simpático, apesar de não conhecer a pessoa.

— Atendendo desconhecidos. Grande progresso!

— Era uma médica dizendo que precisa conversar comigo sobre algo muito importante. Não entendi muito bem a qual assunto ela se referia.

— Ela não disse qual era o assunto, principalmente sendo assim tão importante?

— Não. Apenas perguntou se poderia agendar. Pedi que ela o procurasse depois da corrida, quando formos para a Argentina. Estranho, porque ela nem perguntou o seu número.

— Então provavelmente não ligará novamente. Melhor assim, porque você precisa concentrar-se para essa corrida maluca.

Durante os treinos livres Tommy pode perceber a loucura que era aquela corrida. As ruas mais pareciam um tobogã fazendo a moto voar literalmente. Toda aquela situação o atraía pela sensação de medo que as provas de circuito não mais lhe ofereciam. Ali as coisas eram diferentes. Seria um ótimo aprendizado que ele levaria para sua carreira.

No domingo, durante a corrida, Tommy fazia ultrapassagens que deixavam todos da equipe e espectadores estarrecidos, com o coração na mão. A corrida da Ilha de Man não era chamada de "corrida da morte" à toa. Um piloto inglês, que tentava uma ultrapassagem em uma das ruas mais estreitas, sofreu um grave acidente. Após ter a carenagem tocada por outra moto, quando a roda pegou a sarjeta fez com a moto e o seu piloto rolassem várias vezes. O piloto foi levado inconsciente para o hospital.

Várias outras quedas eram informadas pelo rádio e mostradas pelas emissoras de TV. Algum tempo depois, a equipe de Tommy foi informada que ele também havia sofrido um grave acidente em uma ribanceira, mas que, ao contrário do piloto inglês, estava passando bem. Logo depois, uma imagem recuperada de um drone mostrou à equipe o voo realizado pela moto antes de rolar pela ribanceira. As pessoas que viram o acidente revelaram que era um milagre ele ter saído com apenas o dedinho da mão esquerda quebrado. Moto e piloto desceram a ribanceira rolando juntos.

Aquela seria a primeira e única experiência dele em corridas na Ilha. As proibições viriam em adendos contratuais em todos os anos seguintes. Mas Tommy também já havia percebido que aquilo não era para ele. Concordou que, em certas ocasiões, é melhor não abusar da sorte e respeitar alguns limites.

Tommy não admitia fracassar e a corrida da Ilha para ele sempre seria vista como o maior deles, perante a todos os seus fãs e sua equipe. Tommy estava muito depressivo pela situação de desconforto, principalmente perante o staff da equipe que foi contrária à sua participação. Luca apenas olhava fixo de longe e aquilo o incomodava ainda mais. No fundo eles tinham razão e Tommy conscientizava-se de que as corridas eram totalmente diferentes e que necessitavam de habilidades específicas. Não estava pronto para aquela corrida.

— Ele é o melhor. Preciso pegar o avião para outra corrida na Argentina.

Curto e grosso, Tommy respondeu à pergunta de um repórter inglês. Não respondeu aos outros repórteres que queriam ouvir a sua versão sobre a loucura que era aquela corrida. Ele respondeu como se quisesse lembrar a todos de que ele ainda tinha que correr na mais rápida categoria de motovelocidade no próximo domingo, onde ele era o campeão.

A verdade é que Tommy permaneceu, durante aquela semana que sucedeu à corrida, cabisbaixo e levemente depressivo. Foi preciso compreender que render-se à supremacia de outros heróis e outros ídolos era a atitude mais nobre a ser tomar. Ele viu o grande campeão vencer pela vigésima terceira vez e se rendeu. Estava nitidamente constrangido com toda aquela situação e só queria que o tempo passasse rápido. A viagem estava marcada para o dia seguinte e toda aquela pressa e as respostas evasivas só serviam para que a mídia prorrogasse o seu martírio.

Naquela noite, quis ficar sozinho no seu quarto. Dispensou a companhia de Buhba no jantar, mas depois pediu que ele fosse ao seu quarto.

— Eu queria muito vencer essa corrida.

— Não dá pra ser o melhor em tudo. É preciso respeitar a todos, assim como todos o respeitam.

— Agora eu sei disso mais do que ninguém. Sabia que era o mais rápido, mas estava literalmente voando sem qualquer tração naquelas ruas.

— Todos sempre irão respeitá-lo por tentar vencer a qualquer custo. Será sempre o "crazy boy" e eles o admiram por encarar essa corrida sem conhecer e chegar oferecendo a própria vida. Você está mal, mas já viu os noticiários desportivos. Só falam de você e da sua capotada. Falam da sua coragem.

Tommy o tinha como amigo e confidente justamente por isso. Buhba sempre dizia o que pensava. Nunca faltou com respeito, mas colocava as situações exatamente como elas deveriam ser colocadas. Às claras... sempre.

Recém-chegados à Argentina, mesmo antes de se instalarem, Buhba recebeu uma ligação, ainda no aeroporto. Essa era outra situação que o intrigava e ele era o encarregado de fazer com que nada o perturbasse para essa corrida.

Adele era o nome da médica que procurou Tommy para a conversa tão esperada, que o deixou bastante ansioso por vários dias seguidos. Toda aquela história de importância sobre passado, presente e futuro. A magnitude proferida em poucas palavras pareceu chegar até ele de maneira proposital. Ele havia sido alertado pelo amigo sobre pessoas que, de alguma forma, procuravam aproximar-se para aproveitar-se da sua fama.

Todos os contatos agora eram feitos por meio do amigo ou pela assessoria da equipe. Adele ligou novamente em seu número. Tommy não havia gravado seu número, mas logo ao vê-lo na tela do celular, imaginou ser ela. Ao atender sentiu arrepios na pele, sempre da mesma forma lhe subiam pelos braços até os ombros.

— Bom dia, Tommy?

— Doutora!

— Você está bem?

— Estava bastante ansioso por essa ligação. Você está por perto?

— Sempre estarei por perto. Preciso falar-lhe ainda hoje e tenha a certeza de que eu compartilho essa sua ansiedade, mas precisamos de algum lugar seguro. Acredito que esse é o momento certo para conversarmos.

Isso era o que ele precisava ouvir. Queria que tudo fosse agilizado desvendando aquele mistério. Geralmente não se enganava quando aquelas sensações o afligiam ou ao contrário lhe traziam alguma forma de conforto. Aquelas palavras pela maneira como eram soltas o deixavam ainda mais intrigado e atraído. *Por que aquela mulher dizia estar sempre por perto? Que importância ele teria para alguém como ela, sem qualquer ligação com os esportes de velocidade?* As suas sensações o atraíam de maneira incontrolável e ele queria muito encontrar aquela mulher.

— Podemos nos encontrar pra tomar um café — sugeriu Tommy.

Era de conhecimento de todos o quanto ele era apaixonado por café e pelas cafeterias do mundo. Ali em Buenos Aires, onde estavam desembarcando as equipes, ele sempre ia até o Café Tortoni com o seu fiel escudeiro, como a equipe às vezes se referia a Buhba.

— Seria perfeito um café, mas precisamos de privacidade total. A história é longa e preciso da sua disponibilidade por um bom tempo.

— Os equipamentos e os integrantes da equipe ainda não chegaram. Hoje tenho um bom tempo disponível para ouvi-la.

— Podemos marcar para as dez horas? — perguntou a doutora, acenando também a urgência que ela dava ao problema, pois já estava bem próximo do horário. Quando Tommy atendeu o celular já passava das nove e quinze.

— Claro! Eu espero você lá. Reservo um lugar onde não nos incomodem.

— Estarei lá às dez em ponto. E... cuide-se — a doutora disse isso como se ele estivesse ali ao seu lado e sentisse a preocupação entre eles sem ao menos se conhecerem.

— Sim. — respondeu Tommy, já se dirigindo em direção ao box

onde poderia pegar uma das motos que o levaria ao encontro da doutora. Resolveu sair sem avisar ninguém, nem mesmo Buhba que acertava os detalhes para a entrevista no programa esportivo que aconteceria as doze e trinta, ao vivo.

A nova H2R prateada com trezentos cavalos de potência estava ali oferecendo-se. Depois do almoço ele tinha marcado, para divulgação da moto, fazer uma volta rápida na qual certamente ultrapassaria os trezentos e cinquenta quilômetros por hora de velocidade real. Vestia calça jeans e moletom que, muito diferente do macacão de couro de canguru, não o protegeria em caso de acidente. Ao montar naquela que é considerada a mais potente das motos produzidas em série percebeu a chegada de dois mecânicos.

— Essa máquina é a estrela dos meus sonhos.

John era um mecânico de muita experiência, com passagem inclusive pela Fórmula 1. Mas a sua paixão pelas motos o fez aceitar o convite para trabalhar na equipe de Tommy, que era seu ídolo.

— Logo você terá a sua. Ela vai chegar fácil aos trezentos e sessenta quilômetros por hora. Pensei que ganharia essa depois da gravação, mas como destruí uma na ilha, acho que perdi.

Piloto e mecânicos caíram na gargalhada.

— Acredito que essa reta não é suficientemente longa para tamanha velocidade. Mas você conhece mais do que qualquer um de nós.

O ronco daquela moto era incrível. Parecia uma moto de competição, só que ainda mais potente. Aquelas especificações ultrapassavam muito às que poderiam ser utilizadas pelas equipes. Muito daquela tecnologia vinha das pistas e, certamente, Tommy e sua equipe eram as pilastras que asseguravam o crescimento da marca em seus modelos esportivos.

O dia estava perfeito, com o céu sem nuvens e temperatura em torno de dezessete graus. Tommy saiu para uma volta que seria muito normal para reconhecer as qualidades da moto naquela pista. Não se dispunha muito a aceitar conselhos ou a mudar de opinião perante pedidos, julgamentos e críticas. Havia apenas uma pessoa que ele ouvia mais, o amigo Buhba, mas ele não estava ali naquele momento.

Saiu do box acelerando forte, como se buscasse mais um podium com aquela moto fantástica. Os dois mecânicos dirigiram-se para a parte do box que dava uma ampla visão da reta de chegada. Eles já sabiam o que viria pela frente, pois conheciam bem o piloto. Ambos com celulares em punho esperaram para filmar.

Em seus pensamentos a imagem da pista livre o lembrava do encontro marcado para daqui há poucos minutos no Café Tortoni, na região central de Buenos Aires e não queria atrasar-se. Acelerou até o limite naquelas curvas. A inclinação da moto não atingia a mesma angulação que a sua moto de provas, mas a potência era incrível. Na última curva, antes da reta principal Tommy já estava em gás total. Os dois mecânicos já estavam prontos para filmar. Pensaram que ele abriria forte em uma segunda ou até mesmo em uma terceira volta, mas não sabiam que ele tinha um encontro. Seria uma única volta antes de partir para o centro de Buenos Aires.

Tommy passou pela reta a trezentos e sessenta e seis quilômetros por hora, velocidade bem superior ao que ele poderia atingir com a sua moto de corrida. Os mecânicos do outro lado vibravam com a sua passagem com o cabo do acelerador torcido até o seu limite, e o principal detalhe era o traje de passeio.

Tommy, após atingir aquela velocidade, saiu com a moto pelo pequeno portão que dava acesso à avenida principal. Um funcionário, reconhecendo o piloto, tratou logo de abrir o portão para que ele ganhasse a liberdade, pilotando aquela bela moto pelas ruas de Buenos Aires, sentido centro. Estava com o capacete que ele usaria na corrida com a linda bandeira da Argentina.

Pilotava com muita agilidade, mas preferiu, ao entrar em área urbana, respeitar os limites de velocidade. Em pouco tempo estava ele no centro da cidade, no badalado Café Tortoni. Conversou com o gerente, disse que trataria de negócios e pediu uma mesa onde pudesse conversar com total discrição. O gerente propôs a sala de reuniões privativa e acompanhou Tommy até ela.

— Perfeito. Ela deve chegar em breve.

— Bom que gostou. É uma honra recebê-lo mais uma vez em nossa humilde casa.

— Vou esperá-la para fazer o pedido. Por enquanto, me traga uma água mineral, por favor. Desde já eu lhe agradeço pela cordialidade com que sempre me recebe.

— Será sempre bem-vindo.

Tommy estava com bastante sede. Tomou quase toda aquela garrafa de água rapidamente. Lembrou-se da velocidade atingida pela moto e que, na volta da tarde, com equipamento poderia ser ainda melhor.

Às dez horas em ponto, a doutora chegou ao café e foi conduzida pelo gerente até a sala de reuniões privativa.

— Bom dia, meu querido! É um prazer muito grande poder conhecê-lo.

— Bom dia, doutora! O prazer é meu.

Ela tinha os olhos azuis, num tom bastante claro e a pele vermelha, lembrando uma índia que viu em uma tatuagem. Ela olhava para ele profundamente, parecia bastante tranquila para lhe dizer algo que desejava tanto. Ele tentava lembrar-se de algo a mais, naquela quase hipnose. Tommy também a olhava no fundo dos olhos e aquele azul parecia levá-lo à imensidão celeste. Se ela o olhava como uma mãe, ele também a olhava como um filho. Eles se mantiveram assim por alguns segundos, que mais pareciam uma eternidade.

— Eu quero compreender o sentido de tudo isso.

Tommy puxou a cadeira gentilmente para que ela pudesse sentar-se. Era uma mulher que devia ter os seus quarenta e poucos anos. Usava uma saia acima dos joelhos e tinha belas pernas, revelando que ela deveria fazer alguns exercícios físicos para manter a forma.

— Eu disse que faríamos o pedido e depois precisávamos ficar a sós.

— O que você pedir está bom para mim também.

— Tenho certeza de que você vai gostar dos famosos churros do Café Tortoni. Dois cafés, duas empanadas e churros de doce de leite e chocolate.

— Providenciarei rápido pra que fiquem à vontade.

O gerente anotou o pedido e saiu rapidamente fechando a porta pesada de madeira.

Conversaram um pouco sobre peculiaridades de Buenos Aires, comidas típicas e pontos turísticos famosos da Argentina até que o pedido chegasse. O próprio gerente levou aquela bela cesta de café, que continha, além do pedido, alguns outros itens oferecidos como cortesia da casa. Ambos agradeceram e elogiaram aquele agrado.

— Posso servi-la?

— Sim. Obrigada.

Os churros fritos recheados com doce de leite e chocolate eram a especialidade da casa e por estarem ainda muito quentes foram colocados em um prato ao lado. As empanadas eram tão famosas e deliciosas quanto os churros.

— Que cheiro fantástico.

Ela fechou os olhos desejando despejar toda aquela mistura de sabores em um único sentido.

— O que a trouxe até mim? Por que disse estar sempre por perto? — perguntou Tommy, direto como sempre.

— Quando eu disse que estava sempre por perto eu quis dizer exatamente isso. Estou sempre por perto e sei que não vai acreditar em tudo o que vou lhe dizer. Mas eu peço que ouça de coração aberto.

— Sinto-me bem ao seu lado, como se já a conhecesse. Isso aumenta ainda mais a minha ansiedade por saber o que está acontecendo.

Seus pensamentos estavam ligando tudo aquilo aos conselhos do amigo Buhba, mas as sensações o contrariavam.

— Sei que é difícil compreender. Mas você precisa estar preparado e confiar em mim. Você tem uma marca no ombro esquerdo.

— É uma cicatriz de um tombo de bicicleta, dos tempos de criança.

E o que isso tem a ver?

Sem que ela pedisse Tommy levantou a manga da camiseta e virou-se para que ela pudesse ver melhor.

— Você lembra quando isso aconteceu?

Ela o tocou na cicatriz com três dedos, como se tentasse encaixá-los em sua saliência.

Tommy sentiu um arrepio que lhe percorreu toda a extensão de seu corpo. Fechou os olhos como se o seu espírito vagasse naquele instante. Recobrou-se.

— Eu tinha oito anos. Me lembro de começar o ano escolar com curativos nos ombros. Foi um tombão quando tentava dirigir a bicicleta com as mãos trocadas. Foi logo depois de eu ter caído dirigindo com os pés. Aquelas brincadeiras de criança que sempre deixam as mães loucas.

— Você sempre foi um menino muito arteiro.

Ela sorriu, demonstrando conhecer parte da vida dele. Enquanto ela sorria, Tommy abriu os braços e franziu a testa olhando de lado, como se dissesse: esse sou eu.

— O que mais você sabe sobre a minha infância?

— Eu vou chegar nesse ponto depois. Preciso retornar ao início para que você entenda. Existe uma sociedade conhecida como "As Mães de Spalla". É um grupo de mulheres que não se expõe, que atendem a um chamado especial. São apenas mulheres com intuito de ajudar duas pessoas específicas e o grupo não é grande. São escolhidas e doam seu tempo e suas vidas em defesa de uma lenda que perdura por milênios.

Tommy olhava para aquela mulher diretamente nos olhos, às vezes contraía, involuntariamente, a musculatura próxima dos olhos como se quisesse extrair mais daquela história, esperando alguma contradição, pois a conversa parecia convergir para algum pedido de doação.

— Elas acompanham seus passos já há algum tempo. Essa procura teve alento quando viram uma foto sua em que a marca do ombro aparecia de forma bem clara. Essa marca revela uma importância muito grande em relação a duas pessoas especiais. Ela é chamada de "Toque de Deus".

Tommy não conseguiu conter o riso.

— Então você quer dizer que quando eu caí de bicicleta fui tocado por Deus?

— Você e ela foram tocados por Deus. Existem muitos documentos sobre a "O Segredo de Spalla" guardados no cofre mais seguro do mundo, no Vaticano. Ele guarda segredos que talvez todo dinheiro acumulado nos cofres do mundo não poderia comprar.

— E eu faço parte dessa lenda?

Tommy agora ironizava a fala da doutora.

— Você terá a maior prova de tudo isso em pouco tempo. Vai sentir-se honrado por fazer parte dessa história. Porém, não será nada fácil e certamente as suas insígnias e suas insônias serão muito mais intensas a partir de hoje.

Adele demonstrava conhecer essa parte da vida de Tommy. Quase diariamente ele tinha essas crises de insônia. Geralmente saía de moto ou para caminhar à noite. Muitas vezes acompanhado de seus cachorros, em tempos diferentes. primeiro com o dálmata Lucky que já havia morrido e agora com o pequeno schnauzer Frederico.

— Vou tentar começar de novo. Vou lhe contar a mais bela história de amor que você já ouviu, é sobre a lenda de Spalla.

Adele contou-lhe uma longa história de amor que perdurava por alguns milênios e parecia não ter fim. Enquanto ouvia, Tommy achava tudo aquilo extremamente absurdo, lembrando-se dos conselhos do amigo. Por vezes percebeu que ela falava como se participasse da história desde o seu início. Referia-se ao próprio Deus de forma, no mínimo, estranha.

— A história diz que uma criança salvou outra criança, que chegava ao mundo como o Messias enviado por Deus? E esse bebê que os salvou era no caso, eu?

— Todas as provas existentes são muito contundentes. Entretanto, inacessíveis a nós. Precisamos cuidar para que outras sociedades e religiões não cheguem até vocês.

— E, além disso tudo, eu ainda vou encontrar a mulher da minha vida ou das minhas vidas? E ela nasceu exatamente no momento em que eu caía da bicicleta?

Aquela história deixava de ser misteriosa por alguns momentos pela ironia das caras, bocas e risadas de Tommy. Não havia dúvidas de que era uma lenda interessante que poderia virar um filme, dependendo de como se desenrolasse a trama de cada uma das vidas. Pedir que ele diretamente acreditasse era, de certo modo, impossível. Até passou pelos seus pensamentos levantar-se e ir embora. Seria muito fácil escapar daquela situação. Mas ele sentia atração por estar perto daquela mulher que lhe fazia bem e ele se sentia de alguma forma protegido, mesmo desconfiando de cada palavra que ela dizia.

— Essa será a sua maior prova e esse momento não está longe. Alguém se aproximará e você vai ser atraído por sensações que jamais sentiu. Cheiros, olhares, toques e tudo mais. Nada mais será igual em sua vida. A sua vida será dela e você vai querer, de todas as formas, juntar-se a ela porque é a sua maior parte... sua alma.

— Agora sim essa história está começando a ficar interessante de verdade.

— Vamos continuar. Ainda não terminou — insistiu a doutora, finalizando a sua história depois de mais alguns longos minutos. Era uma bela história de amor com o poder de perdurar por toda a eternidade, revelando encontros em vidas terrenas e desencontros espirituais.

— Terminou? Daria mesmo um belo livro, um filme ou talvez uma longa série, com algumas temporadas. Seria um roteiro digno de um Oscar.

— Será escrito por um grande amigo nosso, a seu pedido. Esse é um resumo da lenda de Spalla, para que você possa começar a compreender o que está por acontecer em sua vida.

— Hoje tenho um dia longo e essa história... você conhece o meu trabalho e eu preciso estar muito concentrado na minha atividade.

Tommy frisou bem a palavra história tentando enfatizar que achava tudo aquilo loucura, jamais poderia compactuar e perder tempo com tudo aquilo. Permanecia estarrecido, porém seu semblante deixava transparecer um misto de atração e desconfiança. Era difícil descrever a sensação, mas ele contorcia-se internamente numa disputa entre atração e repulsa.

— Eu entendo a sua desconfiança, indignação, curiosidade, preocupação, qualquer sofrimento e até mesmo que você desacredite por hora. Mas a verdade é que logo mais acontecerá tudo o que eu lhe falei. A Mães de Spalla o encontraram antes que ela aparecesse e precisamos protegê-los para que as outras correntes não o reconheçam.

— Outras correntes? O que isso significa? O que mais pode haver além de tudo o que acabou de me contar? Será que isso já não é suficiente?

— A lenda de Spalla é questionada por algumas outras religiões que pedem ao Vaticano que abram seus cofres para que todos saibam e possam reconhecê-la como um patrimônio da humanidade. Eles alegam que todos têm o direito de conhecer a verdade sobre Deus. A lenda é sim uma das maiores comprovações da existência de um Ser Maior que tudo o que podemos imaginar. O Toque de Deus transformou um anjo em uma alma capaz de prosperar a paz e a alegria com a sua música por todos os lugares por onde passar e algumas partes de sua alma em protetores eternos da lenda. É como se ela pudesse levar o Toque de Deus para transformar a vida das pessoas que não encontraram o caminho da evolução espiritual, livre de sentimentos ruins e respeito a todas as formas de vida. Ela trabalha há milênios por essa transformação que está acontecendo no seu ritmo.

— Eu não sou quem vocês procuram. Minha vida está mais perto de uma roleta-russa, totalmente ao contrário do que você está me dizendo.

— Nós sabemos que você usa uma casca que não deixa transparecer o que você guarda aí dentro. Você vai mudar alguns hábitos quando a conhecer.

Adele falava olhando no fundo dos olhos de Tommy, apontando com o dedo indicador direto para o seu coração, enquanto frisava o “aí dentro”.

— Espero que encontrem a pessoa certa.

— Como já lhe disse, é compreensível tudo o que você está sentindo. Vai lembrar-se de cada detalhe dessa conversa em breve, a cada fato novo

— O que poderia acontecer com essas pessoas envolvidas se as outras correntes viessem a encontrá-las?

— Esse é o grande problema. As Mães de Spalla irão resguardá--los de todos esses problemas e o Vaticano entende, como nós, que isso jamais poderia ser exposto ao público, mas tenta acabar com a nossa sociedade. Estamos de lados opostos. O próprio Vaticano teria atitudes nada amigáveis com vocês, porque trariam problemas muito grandes para os seus credos e causar uma implosão da Igreja Católica. Para eles a lenda não pode existir, se é que você me entende. Isso se alastraria como um vírus e muitas pessoas no mundo estariam procurando por pessoas com marcas nos ombros. A própria Santa Aliança e os Cavaleiros Templários foram criados muito antes do que o relatado na história, com objetivos encobertos durante toda a sua existência, sempre sob a mão forte do Papado, que a coordena pessoalmente através dos tempos. Essas sociedades não foram criadas para proteger os cristãos na Primeira Cruzada ou conter o protestantismo e nem foram extintos pelo Papa Clemente V, como muitos acreditam. Os seus segredos eram pretendidos pelos maiores exércitos, como os de Napoleão e Hitler, como exemplo para não voltarmos muito na história, para aprisionarem Spalla e atraírem Deus. A lenda de Spalla precisa continuar em segredo até o momento final da evolução, quando se dará o reencontro com Deus.

— Seria o fim da liberdade para mim e para a minha amada.

Novamente ironizando, Tommy sorria.

— Seria um caos inimaginável. Haveria muitos caçadores procurando por pessoas com marcas iguais às que vocês apresentam nos ombros.

— Como assim, caçadores? Você quer dizer que já existem, tipo, caçadores de recompensa?

— Seria bem isso. Outras doutrinas também têm conhecimento da lenda, mas não sabemos em que pé eles estão. Eles procuram por você para encontrá-la e chegarem até Deus. Porém, eles não sabem a idade que vocês teriam hoje. A história é cíclica e a procura é constante pela reencarnação de Spalla. Não vão parar até que os encontrem.

— E, na situação atual, o que acredita que pode acontecer?

— Imagine se Vaticano deixar escapar alguma dessas provas irrefutáveis de que Deus existe. Em primeiro lugar haveria um esvaziamento das atuais religiões. Essas provas quebrariam todo o legado milenar da própria Igreja Católica. Então, todos teriam a prova de que Deus existe, mas diferente do contexto de cada religião, existente hoje. A verdade sobre Deus daria origem a um único credo, dentro de cada pessoa, e à sua doação pelo bem comum a toda a existência. Existem, como eu lhe disse, algumas correntes que confrontam toda essa proteção e tentam de todas as formas a conquista dessas provas, inclusive a maior delas, Spalla. A evolução busca a estruturação para o novo credo, pelo respeito à igualdade a todos os seres vivos.

— Essa unificação não seria boa?

— Deus está muito mais próximo do que as pessoas podem imaginar, no coração de cada um. Religiões são dispensáveis.

— É como se um filme estivesse passando na minha cabeça. É isso mesmo? É assim que a chamam? Spalla?

— Sim. O que eu posso lhe pedir, por hora, é que você se resguarde. Você está sendo cuidado pelas Mães de Spalla, mas até mesmo elas têm suas vulnerabilidades. Existem forças caídas dos céus, muito além do que você poderia imaginar.

— Está ficando mais interessante agora. Quer dizer que todas essas forças vêm diretamente dos céus? Seria algo como a luta entre Deus e o diabo?

— Sei que não acredita nessas forças. Diabo ou demônios foram os nomes dados aos espíritos caídos que disseminam os maus sentimentos por toda a Terra.

— Como Deus permitiu que a maldade existisse mesmo ao seu lado?

Agora era Adele quem sorria para Tommy. Não eram perguntas de resposta fácil.

— Deus criou o espaço, o tempo e a vida. Ao tempo e ao espaço deu a certeza e à vida deu a liberdade. O livre-arbítrio sempre existiu, mesmo sabendo que isso implicaria na luta pelo poder, mesmo no reino dos céus.

— Há quanto tempo as Mães de Spalla me seguem?

— Desde que o encontraram.

— E mais alguém me segue? Porque eu acredito que se eles conhecerem as mães chegarão até mim.

— Todos os cuidados são tomados por elas. Nem mesmo o Alto Clero do Vaticano conhece as suas identidades. É uma das sociedades secretas mais antigas do mundo, formada somente por mulheres. Algumas sociedades, compostas somente por homens, foram criadas para tentarem seguir os seus passos. No entanto, as mulheres conseguem ser mais espertas.

— Eu gostaria de voltar a conversar com você sobre esse assunto. Sinceramente, tenho minhas razões para o meu descrédito, mas sinto uma familiaridade muito grande em seus olhos.

— Já me desafiou uma vez com seu olhar. Mas entendo... no seu lugar teria agido da mesma forma.

— Eu me lembraria se já a tivesse visto. Preciso ir agora.

Tommy ia lhe fazer mais uma pergunta, quando Adele novamente tocou-lhe o ombro e esse contato lhe tranquilizava sobre todos os aspectos. Despediram-se e ela saiu primeiro. Pediu para Tommy tomar mais um café, para que não saíssem juntos daquele estabelecimento que era muito bem frequentado, principalmente por turistas do mundo inteiro que por ali passavam.

Foi o que ele fez. Acertou a conta e tomou mais um café, já no balcão. Deu alguns autógrafos e conversou com alguns fãs. Tirou mais uma foto para ficar guardada na parede da entrada. Saiu depois de quase uma hora e meia, quando descobriu que tanto ele quanto a H2R faziam o mesmo sucesso. Ela estava rodeada de curiosos, a maioria marmanjos argentinos que não acreditaram que iria montar naquela moto, ninguém menos que o grande ídolo, o maior entre todos os campeões de motovelocidade. Se eles gostavam de motos esportivas, certamente também eram fãs do melhor piloto de todos os tempos.

Ele conversou mais um pouco com aqueles que ali estavam, tirou algumas fotos e pediu para sair porque ainda tinha que botar aquela moto para correr de verdade. Convidou-os a assistirem ao vídeo que seria utilizado no merchandising daquela bela e potente moto. Tommy saiu acelerando, claro que nada perto do que aquela moto poderia oferecer, mas ela levantava fácil e todos ali deliraram com a empinada no centro de Buenos Aires.

Seguiu direto para o autódromo onde a equipe o esperava. O chefe Luca por várias vezes já havia entrado em atrito com o piloto, pedindo mais responsabilidade com os horários de treinos e demais compromissos. Era uma propaganda da equipe oficial apresentando a sua moto de maior expressão por aquele que era um dos atletas mais bem pagos do mundo. O mínimo que ele deveria fazer era demonstrar reconhecimento e agradecer pela oportunidade de poder estar ali. Isso tudo era o que o chefe da equipe pensou em lhe dizer, mas ele engoliu seco e apenas disse:

— Você precisa repensar muito bem sobre as suas responsabilidades. Precisa cumprir sua agenda, campeão.

Luca esperou por um momento em que os mecânicos e responsáveis pela propaganda não estivessem por perto dos dois. Sabia que nesse embate ele seria o perdedor. Além disso, ele também desejava ser campeão da modalidade, mas, acima de tudo, estava sempre muito curioso e controlador sobre todos os passos de Tommy fora das pistas. Isso o incomodava.

Tommy apenas sacudiu a cabeça de forma negativa já dentro do capacete. Ninguém dali sabia dos seus problemas, nem mesmo Buhba, que o seguiu com os olhos, mas não se aproximou e nada disse. Tommy sabia que ele seria o primeiro a questionar o que houve e se interessava pelo motivo que o fez se atrasar e, sim, o amigo saberia a verdade porque era o único em quem confiava, uma pessoa a quem ele confiaria os seus maiores segredos.

O macacão de couro de canguru trazia a marca da moto bem grande nas costas e no peito. Não tinha aquele monte de patrocínios como os utilizados nas pistas, durante as provas. Recebia as últimas informações de como deveria proceder para conseguir a melhor velocidade com a moto.

— Ok!

Essa foi a resposta de Tommy. Ele não estava mal humorado ou concentrado demais na volta que deveria dar. Já tinha afinidade com a máquina. Estava com a cabeça muito longe dali e só queria que aquilo acabasse o mais rápido possível. Queria tomar um banho e conversar com seu amigo sobre o fato ocorrido pela manhã que não saía da sua cabeça.

Tommy saiu com a moto exigindo tudo o que aquele motor podia oferecer, esticando ao máximo as suas marchas. A primeira marcha dela era brutal e totalmente diferente de qualquer outra que um cidadão comum pudesse experimentar. Entrou muito rápido na primeira curva, porém a moto se adaptava muito bem àquela pista, deitava fácil nas curvas e era muito forte em suas retomadas. Ele acelerava fundo e ela respondia à altura.

Chegou à última curva, antes da reta, decidido a cumprir a sua meta em apenas uma volta. Entrou na reta final muito rápido e cruzou a linha a incríveis trezentos e oitenta e oito quilômetros por hora, sem espaço suficiente para frenagem, deitaria mais na curva seguinte. Estava feito. Todos vibravam na sua passagem, até mesmo as equipes adversárias estavam estarrecidas com a velocidade daquela valente moto. O seu principal adversário nas pistas olhava de longe e, como era de se esperar, não estava nada feliz pelo sucesso Tommy.

Após cruzar a reta ele reduziu a velocidade, virou a moto e retornou para o box da equipe. Foi recebido com festa por todos.

— Fantástico!!! Só mesmo você poderia realizar essa façanha logo na primeira volta e atingir essa marca incrível. Já sabíamos que tinha atingido a marca de manhã sem trajes de corrida. Você é incrível.

— Obrigado.

Entregou a chave da moto na mão do diretor e se dirigiu até o canto do box, onde Buhba e mais dois membros da equipe conversavam sobre aquela volta inigualável e a velocidade atingida naquela reta, mesmo com a maioria dizendo que ela era muito curta para tal façanha.

— Parabéns, Tommy!

— Obrigado!

Foi abraçado pelos três e agradeceu em apenas uma palavra, como se ele tivesse realizado apenas mais uma tarefa simples em mais um dia de trabalho.

Tommy e Buhba saíram do box caminhando pela pista, acompanhados pelo schnauzer Frederico. Eles sempre caminhavam pelas pistas antes do início dos treinos de reconhecimento. Tommy estudava minuciosamente cada detalhe do asfalto de cada uma delas e gravava em sua memória cada pequena imperfeição que pudesse dificultar a pilotagem. Por várias vezes ele conduzia seu adversário até aquele ponto forçando-o a tomar diferentes decisões do que tinha em mente. Isso era uma estratégia muito audaz da parte dele e jamais percebida pelos seus adversários.

— Você já estava familiarizado com a máquina.

— Eu dei uma volta pela manhã e fui encontrar a doutora no centro da cidade para tomar um café, enquanto conversávamos sobre uma história muito louca que me deixou ainda mais curioso. Bem, é uma história muito longa e espero terminar até o final da nossa décima volta.

O autódromo Juan y Oscar Gálvez tinha quatro mil duzentos e cinquenta e nove metros de extensão, portanto foi fácil tirar uma gargalhada de Buhba após aquele comentário, que significaria ultrapassar a distância de uma corrida de maratona caminhando.

— Então a conversa com ela foi bem longa também.

— Sim. E agora virei herói mesmo. Não ria, por favor.

Tommy começou a contar pedindo a Buhba para não rir. Pensou que pudesse se esquecer de algum detalhe, mas ele tinha muito tempo para isso e rever os detalhes. Depois de uma hora e meia caminhando, eles retornaram ao motorhome, tomaram água e Buhba lembrou Tommy que já o havia alertado quanto aos possíveis perigos em reencontrar aquela mulher. Geralmente não era de contrariar os encontros de Tommy com pessoas que chegavam até ele para propor negócios, parcerias ou propagandas. Dificilmente ele errava sobre os seu conceito sobre as pessoas que dele se aproximavam.

— Vou tomar um banho e esfriar um pouco a cabeça, depois dessa tempestade.

— Vai lá, meu herói.

Buhba não se conteve e caiu na gargalhada. Do outro lado pode ouvir que Tommy também ria muito e voltava para retrucar a brincadeira enquanto tirava a linda camiseta cinza e verde da H2R.

— Você sabe onde ficou a minha roupa de Super Tommy?

Os dois estavam se divertindo com aquela história, porém Tommy só estava relaxado depois de conversar com Buhba e externar a sua aflição. Quando entrou no banho encostou as palmas das duas mãos na parede e deixou a água escorrer pela sua cabeça e costas, percebeu que a situação não iria se acalmar com brincadeiras. As palavras da doutora não saíam da sua cabeça.

Buhba dirigiu-se para os boxes para conversar com os mecânicos e com a equipe de propaganda que estavam tomando champanhe para comemorar a façanha de Tommy e da potente H2R, gravado e perfeito em uma volta. Tommy faria parte da campanha publicitária, e eles queriam guardar como recordação aquele momento inesquecível com todos os envolvidos pelo sucesso da marca no box. Alguns funcionários da Kawasaki estavam ali pela primeira vez encantados com todo aquele circo da motovelocidade, aguardando o retorno do campeão.

— Tommy não vai voltar para receber o presente dele?

— Podem entregar a mim se quiserem.

Buhba disse brincando, já imaginando que o presente era a própria H2R.

— Acho que não podemos entregar a você, porque você não conseguiria levar a caixa até lá.

Todos estavam felizes pela conquista e Tommy ficaria muito feliz por ganhar aquela moto. Era mais uma linda Kawasaki para a coleção do piloto, que ele já não esperava, uma vez que havia destruído uma igual na Ilha.

— Ele está ainda se acostumando ao fuso horário e hoje acordou meio mal, com dor de cabeça e estômago. Vocês sabem que amanhã não será fácil.

— Tudo bem. Ele já fez a parte dele e muito bem feito.

— Eu vou voltar e ver se ele está precisando de alguma coisa.

Chegando ao motorhome novamente viu Tommy sentado do lado de fora no chão brincando com Frederico. Não quis interromper aquele momento de paz. Frederico era a sua paz. Passou direto e entrou no motorhome. Um grande amigo sabe quando seu companheiro necessita ter o seu tempo sozinho. A H2R poderia esperar.

O sol sem nuvens aquecia seu rosto. O clima da Argentina era muito ameno e um vento suave soprava no rosto de Tommy. Apesar de estarem dentro de um autódromo, com tanto asfalto, a brisa lhe trazia o cheiro da mata, mesmo com poucas árvores que havia ali ao redor. Ele olhava longe com os olhos parados, pensando em tudo o que tinha ouvido naquela manhã e sempre sentia a vida lhe trazendo sensações de outras vidas.

Estava difícil concentrar-se na corrida, imaginar as suas ações para o dia seguinte. Às vezes, ele tinha a sensação de estar sendo acompanhado por alguém, o que lhe provocava insônias que podiam durar noites inteiras, em dias seguidos. Ali ele permaneceu até assistir a um lindo pôr do sol. Sentia-se mais próximo a Deus e perguntava se tudo aquilo poderia ser verdade.

Geralmente não rezava pedindo proteção para si, nem mesmo antes das corridas. Sempre pedia pelas pessoas que amava e todos aqueles que realmente necessitavam de proteção. O mundo estava tão cheio de dores e miséria para rezar por ele mesmo, agraciado por tantas bondades divinas.

Logo depois, Buhba passou por Tommy e disse que os mecânicos tinham algumas dúvidas sobre a marcação do tempo que precisavam repetir a volta.

— Está brincando. Eu bati a meta na primeira volta. Eles queriam trezentos e sessenta quilômetros. Está me cheirando a presente.

Às vezes era fácil tirar um sorriso de Tommy. Buhba era o cara mais sincero que ele conhecia, então qualquer pequena mentira era reconhecida facilmente, porque a fisionomia de Buhba alterava-se. Era fácil perceber uma pegadinha vinda do amigo.

— Vamos lá pegar o brinquedo.

Tommy abraçou Buhba e os dois saíram rindo. Chegando dessa forma nos boxes já foi logo dizendo:

— Buhba me disse que preciso repetir a volta. Vamos lá?

— Na verdade, temos um presente aqui pra você. A chave é sua campeão. A Kawasaki lhe agradece não por hoje, mas por ser fiel à nossa escuderia e elevar o nome da nossa marca para todo o mundo. Você e a H2R combinam perfeitamente.

— Obrigado. Essa foi a marca que escolhi para defender desde quando ainda nem sabia andar de moto.

O final de semana foi perfeito para Tommy dentro das pistas. A performance com a H2R foi somente o prelúdio do que seria a corrida. Conquistou o melhor tempo nos treinos, a pole position e a vitória sem qualquer dificuldade. Saiu na ponta e não foi incomodado por nenhum de seus oponentes, em nenhum momento da corrida.

A falta de oponentes brigando lado a lado, encostando na carenagem era o que o desanimava às vezes, fazendo a motovelocidade perder um pouco do seu brilho. A competitividade era uma das coisas que mais lhe proporcionavam emoções e ele precisava de oponentes à sua altura. Os dois jovens italianos, Mancini e Benedetti, estavam chegando forte e logo estariam no seu encalço. Precisavam de experiência, mas tinham todo aquele arrojo e impetuosidade, as mesmas características que Tommy apresentou no seu ingresso na categoria.

Capítulo 11

O encontro no GP da Espanha

O Grande Prêmio da Argentina havia deixado boas recordações para a equipe, acumulando quatro vitórias nas últimas quatro corridas disputadas. Tommy parecia correr em busca de bater seus próprios recordes, enquanto isso, seus principais adversários cresciam muito dentro da categoria.

A quinta corrida seria disputada na Espanha, no circuito de Jerez, onde Tommy também colecionava bons resultados. Sempre chegava empolgado para disputar essa prova. Era um dos seus circuitos preferidos. Na maioria das vezes era o maior responsável pelos bons resultados e se a moto tinha menor rendimento assumia a responsabilidade de superação pelas suas habilidades.

Tommy resolveu ficar dois dias na sua casa na Riviera Francesa, aproveitando-se da proximidade. Estava cansado e precisava recompor as energias em um lugar tranquilo, além disso sabia que o próprio Frederico sentia falta daquela paz. Era um lugar no qual ele gostava de estar quando toda aquela dinâmica de idas e vindas o deixava literalmente esgotado. O que mais o incomodava eram os aeroportos, pontes aéreas, considerados por ele como tempo perdido em sua vida. Ninguém da equipe se opunha a esse descanso, pois era nítida a sua recuperação quando voltava para as pistas do mundo. Literalmente relaxava a mente e o espírito. Buhba quase sempre o acompanhava, pois também apreciava a paz da Riviera.

Foram dezesseis horas de viagem. Tommy gostava de viajar de

moto, em velocidade bem menor do que nas pistas, apreciando a paisagem. A vida dentro de aviões, hotéis e motorhome já estava perdendo a graça. Precisava de algo que trouxesse um ânimo diferente. Nem mesmo Frederico suportava mais aquelas viagens, tanto que Tommy já estava aceitando a ideia de deixá-lo em casa, onde poderia ter uma companheira.

Na Riviera ele tinha uma bela paisagem e colocaria as ideias em ordem. Teria tempo de pensar no que faria com toda aquela loucura que havia sido despejada sobre ele. Poderia ser a pitada de novidades de que ele precisava ou talvez devesse se afastar e não mais atender a doutora e se firmar como maior recordista de todos os tempos da motovelocidade. Ele era, no momento, sinônimo de indecisão, totalmente intrigado por aquela lenda.

Já na Riviera, com os amigos Buhba e Frederico, sentou-se de frente para mar e aquilo parecia uma sessão de análise com os dois que o acompanhavam e conheciam as suas aflições. Sim, ele conversava com Frederico também. Estava inquieto sobre todo o seu futuro e essa deveria ser para ele a sua primeira crise de meia-idade, ainda um tanto novo. Novamente, ele falava sobre a conversa com a doutora, desânimo com a motovelocidade e necessidade de se acalmar.

— Venci na Argentina, mesmo sem me concentrar, por conta da conversa com Adele. Mas a intensidade da corrida não exigia de mim. Foi como se eu estivesse em um modo automático, como se eu não estivesse lá e, mesmo assim, venci com facilidade. Não havia disputas.

— Por isso acredito que não deveria mais encontrar com essa doutora. Isso está tirando seu foco. O campeonato praticamente apenas começou. Essa história é pura loucura da cabeça dela, ou estão lhe induzindo a algum golpe. Quanto às disputas acirradas, elas logo chegarão.

Buhba era muito minucioso e prestava atenção em todos os detalhes e estava muito desconfiado das atitudes daquela doutora.

— Sempre fui contra essa aproximação.

— Eu preciso de novos desafios.

— Se você ficar uma corrida sem pontuar, o Mancini e o Benedetti estarão no seu encalço. Nada está tão confortável assim, porque eles têm as motos mais potentes.

— Mas as coisas que essa mulher me disse me levam a muitas passagens de minha vida que não têm explicações. Sobre a mulher que vou conhecer. É só esperar e ver o que acontece.

— Você por acaso pensou que isso poderia ser arquitetado por algumas pessoas para prejudicá-lo? Muito dinheiro gira em torno do seu nome. Precisa estar atento a esses fatos.

— Seria muita pretensão. Mas taí uma coisa que você me fez pensar agora. Acho que você matou mais uma charada.

— Elementar, meu caro. Não seria demais ter um segurança por perto às vezes.

— Não chegaria a tanto. Mas se ela fosse italiana eu diria que sei de onde viria esse golpe.

Ambos riram e Tommy ainda perguntou para o Frederico o que ele pensava sobre tudo aquilo. Frederico colocou a pata sobre a perna de Buhba e latiu desesperadamente. Buhba, sem perder tempo, logo emendou:

— Até o Frederico concorda comigo.

— Amanhã pela manhã vou rodar um pouco pela orla, pena ainda não ter a H2R aqui. Vou entrar e tentar dormir um pouco. Essa viagem foi bem cansativa. Boa noite!

— Boa noite, meu amigo!

Tommy acordou cedo. Teve uma bela noite de sono, sem pesadelos. Tomou um café simples e pegou uma fruta. Gostava de carambola porque era azeda, como as frutas de que ele mais gostava, além de ser uma fruta típica do Brasil, o que o ajudava a matar um pouco da saudade do país.

Passou pela garagem, escolheu uma entre tantas de suas motos. Pegou uma réplica do campeonato de três anos atrás. Por onde passava, todos paravam para olhar a moto e alguns o reconheciam, apesar do capacete, acenavam. Utilizava os mesmos capacetes que trazia das corridas, com bandeiras dos seus dois países, ou muitas vezes homenageando alguns artistas e os países onde corria. Escolheu um que homenageava Miró.

Aqueles dois dias foram revigorantes para Tommy e até mesmo para Buhba. O fiel escudeiro do piloto poderia até ser uma muralha de proteção para o amigo, mas ele também estava cansado de tanta pressão. Era o responsável por absorver os problemas sem que Tommy tivesse a sua concentração dissipada nas situações que intermediavam as corridas.

Buhba era quem acertava as entrevistas e toda a agenda de Tommy. Antes da corrida ficou acertado um encontro com uma maestrina que conduzia uma ONG responsável por algumas dezenas de crianças carentes. Geralmente, ele mesmo filtrava esses encontros e acertava toda essa área contábil ajudando algumas instituições. Nada disso era divulgado ou comentado, fora os envolvidos nas transações.

Ela buscava recursos e precisa incluir em seu rol de colaboradores alguns grandes esportistas. A imagem de Tommy era de um piloto extremamente sério, sem participações nas contribuições sociais e, para muitos, acima de tudo arrogante. Talvez ele mesmo quisesse criar esse tipo para não associar a sua imagem a uma filantropia de marketing, para ele a doação estava longe de ser uma disputa de merchandising entre famosos.

Buhba encantou-se pela história da maestrina e da sua participação na recuperação de crianças em vulnerabilidade social nas guerras e países subdesenvolvidos, o que incluiria também a África. Havia um fator preponderante, uma coincidência muito grande para recebê-la e colaborar. A maestrina também possuía dupla nacionalidade, incluindo a brasileira.

Já no dia seguinte, Tommy esperava pela visita da maestrina ali mesmo no autódromo, no escritório do motorhome. Na noite anterior, chegou a dizer para Buhba que ele poderia ter acertado um valor e disponibilizado diretamente para aquela ONG. Ele tinha essa autonomia. Nem mesmo Buhba conseguia justificar porque não resolveu diretamente.

Tommy aguardava lendo o jornal local que trazia as reportagens sobre a corrida, quando Buhba abriu a porta exatamente na hora marcada.

— Com licença, Tommy. Gostaria de lhe apresentar a maestrina

Carol, Presidente da ONG *Music for All*.

Carol adiantou-se estendendo a mão para Tommy.

— É um grande prazer conhecê-lo pessoalmente.

Tommy, reconhecido pela rapidez de suas reações, estava atordoado, hipnotizado e depois de alguns segundos respondeu:

— O prazer é meu. Buhba me falou rapidamente sobre as suas intenções, mas eu pedi para que viesse, porque queria saber mais detalhes sobre esse belo projeto.

Tommy respondeu sem perceber que o amigo saía do escritório deixando os dois a sós para que pudessem conversar mais tranquilamente.

— A ONG busca parceiros e investimentos na luta pela igualdade de direitos, utilizando a música como estratégia.

Carol explicou o projeto todo para Tommy em pouco mais de dez minutos. Foi uma bela explanação, mas o piloto estava encantando pelos olhos da maestrina, ali na sua frente insistindo em falar sobre música e crianças. Não que ele desprezasse o projeto, mas o problema era outro. Havia sensações que ele nunca havia sentido e que estavam presentes ali, naquele exato momento. Ficou encantado pela moça, com aquela sensação de que já a conhecia há muito tempo e ela desacreditando que ele havia se interessado pelo seu projeto com as crianças.

Tommy ligou para Carol no dia seguinte, convidando-a para assistir aos treinos, a corrida e para tomar um café. Todos os seus pedidos foram negados de início. Até que ela cedeu e o encontrou em meio aos treinos para a corrida. Aceitaria um café, já que ficaria na cidade por mais algum tempo. Agora ela acreditava que ele havia mudado de ideia em relação ao seu projeto da ONG. Eles ficaram de encontrar-se no café.

À noite, Tommy não conseguia dormir, lembrando-se da imagem daquela linda mulher explicando todo o desenvolvimento de um projeto com crianças, enquanto não conseguia prestar atenção nas palavras que ela dizia. Era como se aquele desejo de se aproximar extrapolasse às suas condições de controle.

Encontraram-se no Café Central, Tommy chegou um pouco antes

do horário marcado e ela exatamente em ponto. Ela falava sobre toda a sua vida, seus desejos, seus problemas, enquanto ele ouvia, completamente perdido naquele olhar. Era como se ele se visse em outras vidas junto a ela. E então, disparou.

— Casa comigo?

Primeiro ela soltou uma gargalhada, tão demorada que quase não conseguiu responder.

— Você está louco?

As conversas entre os dois eram tão desinibidas que eles mais pareciam velhos confidentes.

— Sério. Nunca senti nada assim. Desde que a conheci não consegui parar de pensar.

— Mas, isso foi há dois dias!

Depois de algum tempo conversando, aconteceu o primeiro beijo. Do café saíram para passear de moto. De caso pensado, havia levado um capacete a mais. Quis lhe dar o capacete homenageando Juan Miró.

— Sério que você gosta desse tipo de arte? — perguntou Carol rindo, pois apesar de ser um Miró ela dizia que as suas pinturas pareciam infantis.

— É meu pintor favorito. Sinceramente não sei porque, mas sempre gostei muito.

Tommy iria utilizar aquele capacete homenageando o pintor Miró e a Espanha pela primeira vez naquela corrida e insistiu na sua presença.

— Fique para assistir à corrida, gostaria muito de dedicar a vitória a você e lhe dou o capacete de presente.

Poderia parecer pretencioso, mas a chance de vitória dele na Espanha era muito grande. Porém, logo foi provocado em tom de brincadeira pela moça.

— E se você não vencer?

— Vencerei por você.

A moça sorriu de maneira tímida.

— Acho que venceria de qualquer jeito.

Tommy levou a maestrina até o hotel onde estava hospedada, na despedida eles trocaram mais um longo beijo. Na volta, ele abriu a viseira do capacete, o mesmo que ela havia usado na ida, para sentir o seu cheiro, misturado à brisa espanhola.

Naquela noite, eles foram a um restaurante comer comida típica espanhola. A moça sugeriu o Restaurante Veggie Garden, um lugar simples, mas muito colorido e aconchegante que oferecia comidas veganas. Tommy ficou atento a esse primeiro fator. Lembrou-se da fala da doutora alguns dias antes.

Os dois se entregaram a uma cumplicidade de quem já se conhecia há muito tempo. A Espanha foi só o início de um romance e entrega. Tommy e Carol viviam emoções jamais sentidas. O cheiro daquela bela moça estava impregnado nele e não havia mais como fugir.

Na primeira vez em que se amaram ficaram estarrecidos quando perceberam que ambos tinham uma marca muito parecida no ombro. Ela no ombro esquerdo e ele no ombro direito. Eram os três círculos sobrepostos, conforme havia descrito a doutora Adele. Aquela história absurda agora se apresentava para Tommy como uma possível realidade. Ele não se lembrava do dia em que conseguiu aquela cicatriz, mas o mês e o ano já batiam. A história absurda que ele ironizava dava sinais de veracidade.

Os dias que se sucederam Tommy e Carol planejaram ficar juntos, respeitando as responsabilidades de ambos. Desejavam viver aquele romance de forma tranquila, sem badalações e exposição na mídia. Tommy nada disse a Carol sobre a sua conversa com a doutora, assim como o romance seria mantido em segredo, por enquanto. Porém, precisava contar-lhe, pois queria, junto a ela, compreender o que aquilo significava na vida dos dois.

As montanhas eram destinos desejados pelos dois. Alugaram um chalé na vertente sul do Pico de Almançor, o mais alto do Circo de Gredos, no município de Candeleda. Alcançar os pontos mais altos não era nada fácil, mas a vista daquele lugar era incrível, compensando o esforço para chegar ao topo. A vista dos Alpes gelados era incrível. Lembraram-se da serra de Minas Gerais, ponto comum de suas viagens, no Brasil, antes de se conhecerem.

A corrida na Espanha foi muito parecida com a última da Argentina, Tommy foi o mais rápido nos treinos livres, bateu recorde de velocidade e durante a corrida não foi incomodado pelos adversários. Largou na frente e assim permaneceu até cruzar a linha de chegada. Procurou pela maestrina que estava ao lado de Buhba. Então ele empinou a moto e curvou-se para ela, como se ela regesse as suas ações. Ela sentiu-se acanhada quando o piloto apontou o dedo para ela, dedicando-lhe a vitória, cumprindo a sua promessa.

No podium ele foi tão rápido para receber o troféu e estourar a champagne, quanto havia sido na pista. Soltou a garrafa para os mecânicos que o aplaudiam ali abaixo e desceu fugindo dos repórteres. Desejava tanto aquele abraço e aquele cheiro do qual não mais conseguia desvencilhar-se. Foi cumprimentado por Buhba e puxou a moça para o box e logo na entrada beijou-a com amor.

O pessoal da equipe ainda o aguardava próximo ao podium para comemorar, porque sabiam que aquela vitória o colocaria muito à frente na pontuação do campeonato e nada poderia tirar mais um título da equipe verde.

— Vamos comigo para a Áustria, sua terra natal? Vai me dar sorte novamente.

Ambos sorriram, antes de mais um beijo apaixonado.

— Você não precisa de sorte. Já sabia qual seria o resultado.

— Ficamos mais alguns dias no Chalé e depois vamos pra lá.

— Acho que vou aceitar seu convite, desde que não o atrapalhe.

Quando os mecânicos começaram a retornar para os boxes Tommy e Carol ainda se beijavam, então a ausência do piloto na comemoração teve um bom motivo para ser desculpada.

Carol havia se adiantado em alugar um carro, pois adorava dirigir naquela estrada que levava aos pontos mais elevados, entre curvas sinuosas. Preparou uma *playlist* de músicas gravadas por ela.

— Sei que você gosta dos clássicos do rock. Mas hoje vai ouvir Vivaldi.

— As músicas mais agitadas me dão um ânimo a mais dentro das pistas. Às vezes, eu me desligo da própria corrida.

— E Vivaldi é parado?

— As músicas eruditas são um pouco mais... *softs*.

— O meu violino está no banco de trás. Vou tocar depois e quero que diga o quanto é *soft*. Até mesmo os desenhos clássicos da Disney são embalados às músicas eruditas.

— Essa estrada é linda!

— Muito mesmo. Eu adoro curvas.

Tommy colocou a mão em sua perna. Em silêncio ambos permitiram-se deixar aflorar ainda mais aquele desejo por amor. Recostou a cabeça no banco e apreciou aquelas belas músicas, imaginando a sua amada tocando ao lado de uma lareira. Até aquele ponto ainda não estava nevando, mas já haviam sido informados que havia previsão de neve para aquela noite.

Pouco depois chegavam ao chalé. Não era grande, entretanto, era muito aconchegante, todo em madeira. A lareira já estava acesa e havia uma garrafa de vinho próximo a ela. A paz e a tranquilidade das montanhas sempre foram muito atraentes, tanto para Carol quanto para Tommy. Os dois tinham a vida muito agitada e a oportunidade de fugir daquele estresse seria um presente.

Carol, antes mesmo de tirar a mala e o violino do carro, quis caminhar para ver a paisagem. Deitou-se em uma pedra e chamou Tommy para deitar-se em seu ombro.

— Aqui eu me sinto mais perto de Deus. Quero tocar exatamente aqui amanhã e agradecer por toda a minha vida.

— Esse é o melhor lugar do mundo.

— É mesmo muito especial.

— Me referia ao seu ombro.

Ali se amaram e depois de alguns minutos sentindo a brisa gelada, voltaram abraçados para descarregar as malas.

Era a combinação perfeita em um chalé na montanha, ao som de violino, *fondue* de queijo, um bom vinho, muito amor e a neve caindo lá fora. De quebra, Tommy ainda pôde experimentar a comida vegana da maestrina. Fez questão de mostrar as suas habilidades na cozinha. Queria provar para Tommy que passar alguns dias sem comer carne poderia ser, além de saudável, muito prazeroso.

Depois, na volta, Carol foi surpreendida por uma frase bastante convicta daquele esportista de primeira linha. Ele tinha o corpo saudável e em forma, mas ainda assim, acreditou que poderia melhorar seguindo alguns conselhos da maestrina vegana.

— Vou deixar de comer carne.

— Sério? Excelente! Mas tem que ser por sua escolha.

Capítulo 12

Prejulgamento

Enquanto Tommy preparava-se para mais uma entrevista, Buhba saiu do lado de Carol, sem nada dizer e dirigiu-se para o motorhome para preparar a sala de concentração, como era de costume. Ele raramente esperava até o fim das entrevistas, pois já conhecia as perguntas que seriam realizadas e mais ainda, sabia as respostas que seriam dadas. Não que Tommy fosse de tamanha previsibilidade, mas pela própria interação e conhecimento das atitudes e pensamentos entre ele e o piloto, assim como pelo repertório de perguntas a ele dirigidas.

Buhba, apesar de mais novo, agora era quem cuidava e controlava os negócios referentes ao piloto dentro e fora do ambiente das corridas. Mais do que isso, a influência e sabedoria de Buhba eram sempre muito respeitadas por Tommy. De origem africana e de uma simplicidade sem igual, era também possuidor de uma inteligência e sabedoria que impressionavam e atraíam a todos à sua volta, os quais tinham o privilégio de estar em sua companhia.

A sala de imprensa do circuito de Salzburgring, na Áustria, estava lotada de repórteres, como era de costume em todos os circuitos. Jornalistas de vários países, revistas especializadas em motociclismo e esportes em geral estavam ali esperando por mais uma entrevista. Todos os ingressos já haviam sido vendidos com um mês de antecedência. Lá fora as arquibancadas lotadas para os treinos livres pareciam vibrar junto à empolgação da torcida. Muitos torcedores fanáticos de Tommy usavam camisetas, bonés, óculos e outros objetos marcados pelo número cinco, o mesmo número que, há muitos anos, estampava a carenagem da sua moto. Dispensava o número um do campeão.

Carol ficou ali, olhava o celular, digitava alguma coisa, mas não se mostrava interessada em nada do que acontecia ao redor naquele mundo agitado das pistas. Estava nitidamente incomodada, tanto que parecia não querer estar ali e, por vezes, fugia daquele ambiente, ao contrário da grande maioria das pessoas que somente desejavam estar perto dos pilotos. Sorriu quando se lembrou da maneira como ele abria a garrafa de vinho, girando a garrafa ao invés do abridor. Olhou para ele, balançou a cabeça e sorriu.

Tudo parecia ser ainda maior quando se tratava do maior ídolo de todos os tempos dentro do motociclismo. Assim Tommy era conhecido aquele garoto que havia crescido em meio aos pôsteres de grandes pilotos como Wayne Rainey, Randy Mamola, Wayne Gardner, Alexandre Barros e tantos outros, agora havia se tornado o maior entre todos eles, em todos os tempos.

Na sua época de garoto jamais conseguiu assistir a uma corrida desses grandes ídolos, apenas via alguns *flashs* em programas esportivos. Mesmo assim, curtia essa paixão pelas motos e pela velocidade, indo muito além de seus sonhos de criança, superando todos em conquistas. A sensação era inigualável quando batia algum recorde de um ídolo.

Desde as categorias de base, aquele menino de uma origem humilde tornou-se um atleta de renome logo aos dezesseis anos e chegando aos trinta permanecia imbatível. Mesmo nas suas derrotas, ele conseguia ser ovacionado por multidões de fãs espalhados por todo mundo. Às vezes, ele mesmo não acreditava no que havia se tornado e pensava muito na responsabilidade que tudo isso implicava na sua vida.

No início da entrevista, a primeira pergunta já surgia como uma bomba naquela sala que apesar de grande ainda parecia pequena, devido ao grande número de repórteres. A pergunta referiu-se à briga pelo título com os rivais italianos que cresciam na competição. Aqueles que, por várias vezes, se enroscaram na disputa em uma ou outra curva ou na reta de chegada.

Há algumas corridas, Mancini, piloto da Ducati, principal equipe adversária, havia claramente tocado de propósito a lateral da moto de

Tommy, derrubando-o na última volta, quando se preparava para mais uma vitória. Certamente apertada, mas seria muito difícil reverter aquela situação, não fosse o tombo espetacular, com a moto passando sobre a sua cabeça. A pergunta veio de Victória, repórter esportiva da França, que há mais de dez anos acompanhava o circuito mundial.

Era impossível não chamar a atenção aquela sua voz rouca, trabalhada em anos de aula de canto. Inclusive há pouco tempo havia participado de um *reality show* na Inglaterra, o qual venceu a final interpretando *Maybe*, de Janis Joplin e tocando piano. Tinha todas as chances de tornar-se uma cantora famosa, mas demonstrava toda a sua vontade de permanecer acompanhando a motovelocidade, conhecendo o mundo. Não trocou o certo pelo duvidoso.

— Muitos comentaristas afirmaram que Mancini jogou a moto contra você propositalmente, tirando-lhe a vitória na última curva, muito próximo à linha de chegada. Ele não foi punido e correu normalmente na etapa seguinte em Abu Dhabi, estando bem próximo a você na pontuação e na briga pelo título. Você se utilizaria da mesma estratégia para conquistar uma vitória chegando ao final do campeonato?

Victória não se importou em fazer a pergunta com o piloto da Ducati sentado à mesa esperando a sua vez de responder, e ele certamente tocaria no assunto depois. Deveria defender-se, pois já estava denotado pelo sorriso irônico, ao balançar a cabeça em sinal de desaprovação dirigido à Victória. Talvez ele tocasse no ponto fraco de Victória, insinuando comentários sobre um caso entre ela e o piloto da Kawasaki. Já havia feito isso em outra ocasião quando ela parecia tomar partido em suas reportagens.

Tommy brincou com um estagiário de jornalismo, que usava com orgulho uma camiseta da Universidade Keystone de Jornalismo.

— Aprenda que as melhores perguntas sempre colocam os entrevistados contra a parede.

O garoto sorriu feliz por ser lembrado pelo piloto. Até então, era um mero coadjuvante.

Tommy olhou para Carol, lembrou-se de que ela havia dito que estava com muita vontade de comer no Restaurante Vegano da cidade e sorriu para ela. Amava a maneira como ela falava e o timbre de sua voz. Ela retribuiu o sorriso, enquanto todos esperavam a resposta. Ele se permitia pensar nas coisas que ela falava.

Fechou os olhos por um segundo, parecia que nesse instante tudo o que eles viveram passava por seus pensamentos. Já havia dito a seu grande amigo Buhba que o cheiro dela o remetia a algo além dessa vida. Até tentava, mas nunca conseguia explicar o que isso significava. Lembrou-se do tempo, espaço e vidas. Era preciso viver os detalhes.

Victória dirigiu seu olhar para Carol, antes de insistir para que sua pergunta fosse respondida pelo piloto.

— Gostaria que eu repetisse a pergunta?

— Não é preciso.

Olhou novamente para Carol como se explicasse que aquele tempo era dela. Sério e compenetrado em seus pensamentos na jovem maestrina, que lhe tomava tanto tempo que mesmo ele, mestre em derrotar o tempo, os recordes e os próprios limites, agora deixava-se levar. Carol o conduzia, como se a sua vida fosse guiada pela batuta da maestrina. Depois voltou seu olhar para a repórter e com um sorriso cínico ao canto da boca, respondeu provocando seu adversário.

— Nem mesmo se eu estivesse na mesma situação de desespero em que ele se encontra eu faria. Eu também não gosto de perder. Mas somos eticamente e tecnicamente muito diferentes.

Ao terminar de responder pôde perceber o olhar de desaprovação no rosto de Carol. Já não aprovava várias atitudes dele. Todo desejo quase incontrolável de estar ao seu lado agora parecia se confrontar com muitas barreiras, as quais feriam seus conceitos. Era defensora de causas sociais e dos animais, jamais poderia admitir que duas pessoas influentes pudessem dentro de um esporte apelar para tais atitudes.

Já arriscavam as suas vidas acima dos trezentos quilômetros por hora. Pior que isso, pensava que dessa forma ambos, em sua idolatria, poderiam influenciar negativamente as crianças e jovens pelo mundo. Os ânimos acirrados dentro do esporte poderiam servir como uma motivação a mais para os pilotos, entretanto são os patrocinadores que comemoram os destaques na mídia. Estratégias muito comuns nos esportes de velocidade e lutas.

Para Carol, ouvindo a entrevista, no seu ponto de vista, Tommy, ao contrário dos outros dias, comportava-se como uma pessoa orgulhosa e arrogante. Ele nunca havia tido atitudes assim com ela, com crianças ou com as pessoas mais simples. Era confuso formar uma ideia do que era verdade nele. Mas foi assim em todas as perguntas a ele dirigidas. Pensou que ele poderia estar fazendo o papel de "bom moço" em algumas situações, quando ela estivesse por perto. *Seria tudo aquilo parte de um jogo de conquista?*

Era uma situação controversa. Preferiu deixar o local, dirigindo-se para a parte de trás dos boxes, perto dos motorhomes. Sentou-se no chão, com as pernas dobradas refletindo muito sobre aquela situação. Ela era impressionante. Apesar de todo requinte, não se importava com o que os outros pensavam. Gostava de sentar-se ao chão, com seu tênis All Star, calça jeans e uma bolsa peruana, bastante colorida, alegre como ela era quase sempre, mas não nesse momento. Pequenos detalhes a magoavam muito e geralmente a levavam para longe.

Não quis olhar o celular, pois iria entrar em redes sociais e olhar fotos e a página dele aparecia em primeiro plano. Queria apenas pensar. Decidiu ir embora direto sem dizer nada a ninguém. Suas emoções por muitas vezes contrariavam os seus pensamentos, a sua razão e ela não poderia aceitar o que representava exatamente o oposto do que sempre desejou para a sua vida. Preferia fugir.

Essa vida de corridas, recordes, fãs e champanhe derramadas ao pódio, realmente não lhe davam o menor prazer. Ela havia negado o próprio sucesso, pois, como uma grande maestrina reconhecida mundialmente, optou pelo trabalho voluntário desenvolvendo música com crianças. Era o que mais lhe dava prazer. Então, decidiu apenas que iria embora e da forma mais simples resolveria aquela situação. Seria mais uma de suas fugas. Assim aquele arrepio que ela sentia toda vez que ele tocava em suas mãos desapareceria. Afinal, apesar de tudo, era muito recente e cortaria todo o mal pela raiz.

Pegou o celular e colocou uma música aleatória. Não foi premeditado, mas *Believer*, do Imagine Dragons, foi a primeira música que ele pediu que ela tocasse ao violino. Sorriu em meio a algumas lágrimas que lhe escorriam pelo rosto e saiu em direção ao motorhome.

Carol pensou na música que tocava e que nada era por acaso, mas estava mesmo decidida. No motorhome, pegaria suas poucas coisas, uma blusa e sua carteira que haviam ficado em cima de uma mesinha de canto. Lembrou-se de que ficava trancado e que Buhba ficava com a chave porque era ele quem cuidava. Imaginou que ele já deveria estar lá, pois tinha saído do local das entrevistas para arrumar os equipamentos para a corrida como era de costume.

Encontrou a porta entreaberta e chamou por Buhba que veio do fundo daquele imenso salão ao encontro dela. Era uma enorme carreta de caminhão com duas salas. Ela só conhecia a primeira sala que parecia um misto de closet e escritório. Buhba trancou a porta que dividia a sala em duas partes. Ela que já havia estado na primeira sala com Tommy, percebeu que a outra era muito escura e perguntou:

— Aquela sala está sempre escura. O que há nela?

— É uma sala de concentração, onde ele se prepara antes das corridas. Geralmente ele fica lá por quase uma hora antes dos treinos e corridas, como se fosse um santuário para ele. Algumas vezes ele descansa também depois de uma noite mal dormida.

— Ser piloto parece ser divertido, mas conhecendo melhor agora eu posso perceber que é uma vida bem regrada também. Mas tem as suas regalias.

— Ele já deve ter falado pra você que é comum ele virar a noite sem dormir. Mas não há nada de mais, apenas uma TV grande, um tablete e um grande sofá que mais parece com uma cama... bom acho que só isso mesmo. É somente uma sala para que relaxe e se desligue dos problemas aqui de fora.

— Eu brinquei, mas sei o quanto deve ser difícil.

— Tudo o que acontece antes da corrida fica naquela sala. Durante a corrida ele precisa desligar-se de tudo. Ele fica muito tempo lá e não gosta de ser incomodado por ninguém.

Apenas Tommy e Buhba sabiam que ela servia para algo extremamente contraditório. Tommy se apegava aos problemas sociais de várias comunidades e tomava isso como agente motivador pela sua indignação a tudo ao que aquelas pessoas eram submetidas, o sofrimento extremo.

Assim que ele entrava no grid de largada era como se todo esse padecimento alheio fosse o combustível para ele e sua moto e quanto mais ele acelerava, mais pessoas poderia salvar. Pensava nas crianças, sem comida, roupas, escola e tudo mais. Como podia o mundo ser tão injusto. Ali, além do piloto, somente Buhba podia entrar e ninguém mais. Essa era uma regra colocada pelo próprio Tommy e jamais havia sido descumprida por qualquer membro da equipe, mesmo sob desconfianças.

Tommy jurou a Buhba que para sempre ajudaria financeiramente a tribo de Buhba e algumas outras comunidades. Muito do que ele ganhava arriscando a própria vida tinha destino certo, dentro de uma organização dirigida pelo grande amigo. Não existia uma entidade formada para tal fim, era só uma parceria entre a confiança e a honestidade e tudo funcionava perfeitamente.

Carol achou normal uma sala com pouca luz, cheia de troféus, fotos com celebridades, presentes de fãs e alguns equipamentos para estudar pontos estratégicos da corrida ou algumas manobras. Ela vivia as suas vitórias, recordes, glórias e fama. De qualquer forma havia um certo mistério. Jamais desconfiaria que por trás daquele "piloto arrogante" havia um ser humano dedicado a causas humanitárias de extrema importância para muitas pessoas de comunidades carentes.

Buhba já se preparava para responder que ali ninguém poderia entrar, além dele que preparava a sala e o próprio piloto, pois já estava acostumado a essa situação com curiosos que queriam conhecer mais sobre o piloto. Imaginou que não deveria ser diferente com ela, porém mais uma vez ela o surpreendeu. Depois de uma breve pausa, ela fez um sinal de positivo com a cabeça e não demonstrou nenhuma curiosidade em entrar numa área tão restrita. Não estava interessada em saber mais sobre aquela sala, que em seus pensamentos era uma simples projeção da fama, vitórias e provas do seu sucesso. A imagem que ela formava sobre Tommy estaria confirmada atrás daquela porta.

— Você pode pegar as minhas coisas?

— Claro. Mas, está tudo bem?

— Sim, está. Eu só preciso ir.

Ela estava muito diferente da maneira como se apresentara até o momento. Nos dias em que esteve circulando ao lado de Tommy apresentava-se sempre irradiando felicidade pelos lugares onde passava. Todos sentiam que a moça transferia aquela felicidade para o piloto que geralmente era muito sério e compenetrado.

Buhba não achava certo ela partir daquela maneira e perguntou indignado.

— Não vai esperar pelo Tommy?

— Ele ainda está na entrevista e acho que ainda vai demorar um pouco. Não posso esperar até que termine, porque tenho muitas coisas a fazer. Só preciso pegar as minhas coisas.

— Mais uns trinta minutos.

— Devo ir. Você sabe que se tivermos essa conversa agora vai atrapalhar o desempenho dele nos treinos.

— Não sei o que aconteceu. Mas, por favor, acredite em mim. Vocês precisam conversar, pois é importante pra ele e pra você também, eu suponho.

— Somos tão diferentes. Tão diferentes que não consigo entender algumas coisas. A vida é feita de momentos e eu jamais conseguirei compreender como eles podem ser diferentes a esse ponto. Como ele pode ser tão distante de todos os momentos que passamos juntos. Ele parecia não pertencer a todo esse *glamour*. Não sei qual dessas duas pessoas que se apresentaram a mim ele realmente é. Isso é um jogo de conquista? Detalhes.

Ela frisou a palavra detalhes.

— O mundo de vocês pode parecer diferente. Mas acredite. Vocês são iguais, pois ele também não se sente bem no meio desse circo. Correr é tudo o que ele sabe fazer e ele faz o melhor que pode aqui dentro. Ele não corre somente por ele.

— Eu sei. Ele corre e morreria pelos seus fãs.

— Não. É como se ele entregasse um pouco da sua vida a cada corrida. Mas não é só pela corrida, fãs ou sucesso.

— Então pelo que é? Me explica? Ele é extremamente arrogante com as pessoas e disfarça comigo e com algumas outras pessoas. Sempre trata tão bem as crianças e tantas outras pessoas mais simples. Me tratou como princesa todos esses dias. Mas esse não é ele. Deveria ser assim com todos, pois é um ídolo para crianças, jovens e mais alguns milhões de pessoas em todo o mundo. Por que ele não pode ser sempre esse Tommy?

Buhba torceu os músculos do rosto ao mesmo tempo em que balançou a cabeça demonstrando discordar das palavras da moça.

— Esse não é ele. Espere até que a entrevista termine, aí vocês poderão conversar com calma e acertar todas essas pendências. Eu não posso resolver os problemas por ele e ao mesmo tempo não posso deixar que vocês se percam.

— Eu só queria admirá-lo como aconteceu desde o primeiro encontro.

— E vai, com certeza.

— Buhba, isso não vai mudar nada. Por favor! Nós ainda podemos cortar isso no começo e tornar as coisas menos difíceis para nós dois. Isso não pode tomar uma dimensão que seja impossível depois. Você pode pegar as minhas coisas? Preciso ir.

Buhba ainda não havia pego, esperando que ela mudasse de ideia.

— Deixe o endereço onde vai ficar para que ele te procure.

— Eu vou para casa. Tenho saudades dos meus cachorros e tenho muitas coisas para fazer. Meus projetos não podem parar. Apesar de tantas viagens o que mais gosto é de estar na minha casa, cuidando das minhas coisas, dormindo na minha cama.

Carol olhava para cima enquanto falava de sua casa, com alegria e saudade estampada em seu rosto.

— Você já deve ter percebido como tudo é dinâmico nessa loucura que é a motovelocidade. Eu também quase enlouqueci no início. Na segunda–feira pela manhã tudo isso estará sendo desmontado rapidamente e nós estaremos dentro de um avião rumo à República Tcheca Você vai atendê-lo?

— Eu não sei. Por que devemos insistir nisso se nós já sabemos que nada vai mudar? Nós ficamos muito bem durante todo tempo em que estivemos juntos e nem víamos a hora passar. Ficávamos a noite toda olhando o céu. O tempo todo sentia aquele frio na barriga. Vou sentir falta dele deitado no meu ombro... aqui ele fecha os olhos e fica tranquilo.

Carol colocou a mão sobre o ombro e o sorriso de Buhba o denunciou, mostrando a ela que ele sabia. Tommy contava a ele os seus segredos, a sua paixão repentina e um pouco sobre os bons momentos que os dois desfrutavam com tamanho prazer.

— Sei que não vai mudar de ideia. Pelo pouco tempo em que a conheço sei o quanto é decidida.

Ambos sorriam por vezes em meio à tristeza que eles sabiam que era de despedida. Ela daria um rumo diferente à sua vida e iria atrás de seus objetivos, seu projeto de levar a música para crianças carentes nos locais onde poderia provocar a transformação necessária. O Projeto *Music for All* crescia aos olhos dela e com a força da sua batuta realizaria seus sonhos.

Alguns segundos foram suficientes para que ela repassasse todas as diferenças entre o piloto que percorria um caminho atrás da fama e uma maestrina que procurava pela paz e tranquilidade de trabalhar a evolução de crianças. Tinham projetos diferentes e ela jamais deixaria para trás os seus sonhos.

Ela era do mundo, de qualquer lugar onde a música pudesse salvar uma criança ou qualquer outra pessoa que necessitasse de ajuda. Além disso, defendia a vida animal da mesma maneira como defendia uma criança. Tornou-se vegana, mas jamais tentava impor às pessoas que vivessem à sua maneira. Apenas vivia uma vida simples, com regras explícitas e as pessoas que conviviam com ela sentiam-se atraídas pela mudança.

Tommy vivia num mundo totalmente diferente de tudo aquilo. Era carnista, adorava os churrascos brasileiros com a família e amigos. No motorhome havia pelo menos dez macacões de couro, oriundos de uma fazenda de criação de cangurus da Austrália. Era garoto-propaganda dessa marca porque o material era mais leve e mais seguro nas pistas.

Porém, ele nunca havia refletido sobre a criação de um animal tão tradicional exclusivamente para aquele fim. O animal símbolo virava um produto. O conflito entre ser símbolo para um país e um produto havia ficado na cabeça de Tommy, quando Carol havia falava sobre a vida e sofrimento dos animais. Mostrou-lhe alguns vídeos, entre os quais, *Terráqueos*, narrado por Joaquin Phoenix, que o chocou.

Ela não se sentia bem naquele ambiente e não era do tipo que fazia coisas a contragosto, muito menos para agradar pessoas. Pilotos se enroscando em curvas, lutando e arriscando a vida por uma vitória não era ao que ela gostava de assistir. Preferia sentar-se à beira do rio Danúbio, onde havia uma cafeteria flutuante, poderia tomar seu café tranquilamente assistindo ao pôr do sol. Ali ela tinha a liberdade para refletir sobre seus projetos, pedindo um lápis para fazer alguns de seus desenhos. Além de grande musicista, era habilidosa para desenhar e pintar. Em sua casa havia vários quadros, muitos deles ainda por terminar.

— Ninguém é capaz de mudar o outro, nem mesmo por amor, pois a evolução acontece por autoconhecimento e reforma íntima. Não podemos mudar a nossa essência, muito menos moldar o outro aos nossos desejos. A minha vida jamais será a vida dele e nem o contrário. Eu não sei... eu não sei mais o que dizer.

Tommy já havia dito para Buhba que era assim que ela respondia quando lhe dizia que a queria ao seu lado para sempre. Ela simplesmente repetia duas vezes dizendo “eu não sei”. Fazia aquela cara de indecisa que tinha o poder de deixá-lo maluco.

Carol pediu a Tommy para que não a expusesse às câmeras, repórteres e a todas aquelas pessoas que pareciam estar ali somente em busca de *flashs*, reportagens e fofocas. Todo aquele ambiente desejado por tantas pessoas poderia ser muito atrativo para quem necessitasse de um trampolim para a fama. Mas não ela que, apesar da sua simplicidade, tinha muita classe até mesmo para afastar-se daquilo que contrariava seus conceitos.

O conflito entre os desejos e as virtudes entre eles era grande no pensamento daquela moça. Como poderia ela, dedicada às ações sociais, estar ligada a um piloto de corridas com toda aquela vida badalada. *O que seria das suas ações? Como poderia ela, que doava seu tempo e sua vida promovendo projetos sociais, estar ligada a tudo aquilo?*

Buhba sabia exatamente o que ela sentia, pois percebia em cada olhar de desaprovação e em cada momento ao lado da pista.

— Não combinamos.

— Talvez nada nessa vida combine tanto quanto vocês. Faltam-me as palavras para explicar, mas nada acontece ao acaso.

— Eu já expliquei meus sentimentos.

— Entendo. Só posso dizer que são as pessoas mais parecidas que conheço e que as atitudes dele não refletem a verdade sobre quem ele é.

— Não! Isso jamais. Eu sou o avesso de toda a glória estampada em jornais e revistas que ele carrega. Uma sala cheia de troféus. A vida não é feita de gostar ou não de alguém. A vida é feita de tudo o que nos rodeia, o que somos. Tantas vezes deixamos de lado pessoas para pensar em futilidades. As atitudes fazem as coisas serem como elas realmente são. Não as pessoas. Quando ele toca nas minhas mãos eu me arrepio. Sinto como se nos conhecêssemos há tanto tempo, como se já tivéssemos vivido um amor em outra vida. — Buhba olhava no fundo dos seus olhos enquanto ela tentava explicar. Via amor na maestrina na mesma intensidade e frequência que ele via em Tommy. — Mas a minha vida não é essa e jamais seria. Deixei tantas coisas pelo que acredito, pelo que faço e pelo que hoje sou. A minha vida é tão diferente da dele. Toda essa exposição, grifes, bajulação e tudo mais. Onde está a doação, a cooperação e a ajuda aos que muito pouco ou nada têm? Por que tanto para poucos e nada para muitos?

— Acredite em mim. Ele não é essa pessoa que todos nós vemos quando ele está dentro do autódromo.

— Não estou dizendo que ele é uma pessoa ruim. Apenas somos diferentes. Eu realmente não sei explicar, apenas sinto. Mas não somos feitos somente de sensações. Preciso me dedicar ao que eu acredito e não posso mudar isso porque está em mim da mesma forma que está nele.

Ela dizia frases curtas, com certo tom de melancolia, uma tristeza quase absoluta que a fazia falar pausadamente. Era como se cada pausa representasse um período de um choro guardado no fundo da alma.

— Vocês precisam de um momento para entender o que está acontecendo entre vocês. Ele não merece isso. Espere até que a entrevista termine e vocês possam conversar.

Buhba sabia que poderia intervir de outra forma, mas eles tinham um pacto que ele jamais seria quebrado, desde o momento em que Tommy tirou Buhba daquele pequeno vilarejo na República Democrática do Congo. Tommy queria sempre mais para poder ajudar mais pessoas. Também sabia o quanto a moça era decidida e respeitaria a sua decisão.

— Somos assim e nada do que dissermos um para o outro pode mudar isso. A minha vida tem regras que eu mesma estabeleci e não posso mudá-las. Seria mudar a minha essência e por que eu deveria mudar aquilo em que sempre acreditei em toda a minha vida? Não é para ser. Você é uma pessoa especial. A maneira como você cuida das coisas e dele é bonito de ver. Até mesmo para dois irmãos seria difícil sentir tamanha afinidade. Cuide dele sempre.

— Ele é a pessoa a quem mais admiro por tudo o que ele é e tudo o que ele tem realizado.

— Ele conquistou o respeito e admiração de todos. É só olhar para as arquibancadas lotadas torcendo por ele para confirmar.

— Mas eu não me refiro a essa admiração. Não é somente o sucesso pelo sucesso ou a fama que ele conquistou. Ele precisa estar disfarçado para entrar em qualquer lugar no mundo e ainda assim ele prefere estar em meio à simplicidade.

— E o que isso difere do que estávamos falando? Não muda a essência de tudo o que transmite.

Buhba pensou por um longo tempo para uma resposta que poderia ser muito complexa. Mas ela saiu bem curta e diferente do que o seu coração mandava. Conhecia muito bem a história de toda a vida daquele que não era um simples amigo. Porém, a razão prevalecia sobre o coração.

— Um dia irá conhecê-lo de verdade.

— Sabe que tenho que me afastar de você também, infelizmente. Você é uma pessoa adorável. Mas é preciso. Estar em contato com você seria estar em contato com ele. Ninguém precisa se machucar. Teremos uma bela amizade um dia. Mas hoje precisamos desse tempo. Eu preciso colocar a minha vida em ordem, os meus projetos que precisam mais da minha presença e eu dela. Eu tenho me afastado e isso vai trazer consequências negativas no futuro.

— Sobre conhecer a verdade. Deixe o tempo falar por vocês, porque somente ele pode mostrar a verdade. A entrevista deve estar terminando. Daqui a pouco ele vai sair e com certeza vai procurá-la.

— Você pode ver isso como medo, insegurança. Se perguntar se estou fugindo eu responderei que sim. Mas, por favor, entenda.

Buhba com o coração apertado conteve-se para não chorar e apenas colocou a mão no ombro da moça. E então ela foi.

Buhba ficou olhando-a seguindo naquele longo caminho por entre os motorhomes e quando não mais conseguiu vê-la seguiu para a sala de entrevistas onde Tommy acabava de dizer que só responderia a mais uma pergunta.

A última pergunta coube ao repórter da Itália, Paolo Benedetto, e foi justamente sobre a linda mulher que o acompanhou pelo autódromo naquele dia. Já haviam sido feitas duas perguntas sobre o relacionamento dele com a bela maestrina. Mas agora, a pergunta era diferente, pois confrontava o sucesso da maestrina e o de Tommy.

— Nada pessoal, mas tenho certeza de que todos estão curiosos sobre essa situação. Você e Carol fazem muito sucesso. Porém, existem muitas diferenças entre vocês. A maestrina é vegana, dedica uma grande parte do seu tempo tirando crianças de comunidades pobres das ruas, defende causas animais, se veste de maneira simples e você nunca repete uma roupa, está sempre em meio ao glamour. Os opostos se atraem ou você estaria disposto a mudar?

Antes da resposta passou o olhar pela sala à procura de Carol. Não encontrou. Buhba que acabara de chegar à sala de entrevistas apenas balançava a cabeça negativamente e se lembrou de todo a longa conversa que havia tido com a moça minutos antes.

— Os opostos se atarem. Você tem razão porque ela é pessoa mais perfeita que eu conheço e deve ser tomada como exemplo. Eu nasci para correr, vencer, mas também para aprender e nesses poucos dias tenho aprendido muito com ela. As pessoas mudam, não simplesmente para agradar a outra pessoa, mas porque são oferecidas oportunidades de evolução. Seu eu mudaria? Eu mudo a cada instante.

Tommy levantou-se e saiu sem conseguir esconder que estava chateado. Antes de seguir pela porta lateral que estava mais próxima, foi até um estagiário de jornalismo que estava sentado próximo à Victória e colocou o boné em sua cabeça e disse:

— Seja a diferença.

Buhba, mais do que ninguém, sabia que ele não merecia passar por essas situações e a falta da moça iria causar uma tristeza muito grande no piloto.

— Onde a Carol está?

— Ela precisou ir.

— Como assim? Foi pra onde?

— Foi para casa. São as diferenças da pergunta do Paolo. Está tão escancarado que todos o julgam pelo que aparenta ser. Ninguém sabe o quanto vocês são iguais e não sabem que as suas ações fora das pistas são as mais nobres.

— Eu jamais mudaria o meu entendimento sobre essa situação. Sabe o que eu penso sobre aparecer na mídia ajudando a quem necessita.

— As pessoas lhe dariam o valor que merece.

— Nunca fiz isso pela admiração das outras pessoas. Isso mudaria meu entendimento sobre doação verdadeira. Não pode haver interesses pessoais.

— Ela o vê totalmente ao contrário do que você é.

— Tenho certeza de que você fez todo o possível para segurá-la.

— Sim, eu tentei de todas as formas possíveis ou quase todas. Se eu tivesse dito a verdade ela estaria aqui.

— Conheço muito bem você, meu irmão, e sei que jamais falaria sobre isso, mesmo que fosse com ela. Sabe o quanto tem sido difícil viver essa vida que não é a minha. Ela deixou o nome do hotel?

Buhba balançou a cabeça em sinal negativo, respondendo ao mesmo tempo.

— Não. Disse apenas que estará voltando para casa.

— Preciso respeitar a decisão dela, mas ainda vamos conversar.

— Vocês ainda vão se encontrar. Ficou de ajudá-la na ONG.

— Sentia essa distância quando estávamos juntos em algum lugar e ela olhava para as marcas das roupas com aquele ar de desaprovação.

— Você a amou desde o primeiro dia. Dava pra perceber no seu rosto. Parecia um garoto falando.

Buhba ria, parecendo querer tirar um pouco daquela tristeza que vinha de dentro do coração do piloto. Estava tudo tão nítido em seus sentimentos.

Tommy quis falar e parou. Seus olhos encheram-se de lágrimas. Quando isso acontecia era por algum motivo muito forte. Segurou as lágrimas e disse:

— Vou ligar pra ela depois.

— Sim. Agora você precisa se concentrar para o treino. Sabe que precisa tirar o máximo de você mesmo porque as motos italianas estão voando. Parece que elas foram feitas para esse circuito.

— Vamos transformar tudo em combustível para essa corrida. Vencer aqui com todas essas desvantagens seria minha maior motivação para todo o resto do campeonato.

Tommy já tinha uma grande desvantagem em relação aos demais pilotos, apesar de magro, era alto. Tinha um metro e oitenta e um de altura, enquanto seus rivais da marca italiana tinham em média um metro e setenta. Essa diferença de peso refletia em potência favorável à equipe adversária. Mas ele conseguia reverter essa diferença no braço pela sua qualidade e arrojo. Ele não tinha medo de acelerar até o limite da moto. Sempre arriscava tudo e isso o fazia ser o piloto das grandes vitórias e quedas.

— Está quase impossível de acompanhá-las. Sei que vou largar atrás. Mas, no domingo, na corrida tudo fica diferente. Sabe a minha *playlist* de rock? Quero você grave as músicas da Carol. Quero ter a experiência de correr com as músicas que ela tocou pra mim. Aquele som parece sair de dentro dela... parece vir da sua alma. Ela é a própria música que tomou conta de mim quando estávamos juntos. Como ela pôde simplesmente ir desse jeito?

— Acho que você pode acabar se distraindo durante a corrida. Pense melhor sobre isso. E não colcque tudo a perder a essa altura do campeonato.

— Já está decidido e espero que eles abram o menos possível o canal de comunicação, falando sobre ritmo de corrida e desgaste de pneus. Isso sim me distrai. Sabem que a parte mecânica e ciclística é com eles. Mas na pista é comigo.

— Todo mundo já sabe que você nem sabe onde fica o escapamento da moto.

Novamente gargalhou. Buhba tentava fazê-lo sorrir, mas percebeu que nesse momento seria difícil.

— Eu nunca havia me sentido dessa forma. Não consigo parar de pensar nela e isso me assusta.

Capítulo 13

Tirando a diferença no braço

Tommy levantou-se quando o sol começava a se projetar por entre as árvores, ao lado leste do circuito. O sol aparecia, contrariando as previsões iniciais de chuva para a região. Foi mais umas daquelas noites mal dormidas. A insônia, sua companheira de longa data, trazia-lhe a lembrança da sua amada, dos momentos que juntos passaram e dos que ainda poderiam compartilhar. Apesar do pouco tempo juntos, sentia falta de acordar ao lado de Carol, depois de amá-la por toda a noite.

Também sentiu saudade do seu companheiro de caminhada e reconhecimento de pistas antes das provas. Frederico havia ficado na casa da Riviera. O pequeno já vinha demonstrando cansaço das longas viagens, apesar de adorar o clima amigável dos boxes, dos representantes da equipe e até mesmo das outras equipes.

Há alguns anos ele já era tratado como o mascote da equipe verde, com direito à roupa da Kawasaki e tudo mais. Estava estampado em várias camisetas, era também figura fácil nas revistas promocionais da equipe. Por algum motivo, ele era mais um a não gostar do chefe de equipe, sendo o único para o qual rosnava e latia, virando motivo de piada interna do circo da motovelocidade. Tommy já havia homenageado várias vezes o amigo e companheiro em pinturas de seus capacetes.

Antes dos treinos, como de costume, Tommy passou um bom tempo na sala de concentração no fundo do motorhome. Dessa vez ele estava mais triste assistindo aos vídeos produzidos por Buhba. Sua mente embaralhava a mensagem das imagens do vídeo às de Carol ao seu lado. Era como se o seu cérebro a projetasse em uma marca d'água sobre a tela. Ficou ali por mais de quarenta minutos. Geralmente comia uma banana ou maçã, mas dessa vez não tocou nas frutas. Apenas tomou um pouco mais da metade de uma garrafa de uma bebida isotônica que o patrocinava.

Suas lágrimas nesse momento já lhe cobriam os olhos. Lembrou-se de que ela tinha sérios problemas de saúde e sempre falou abertamente sobre eles, desde o primeiro encontro. A leucemia, há algum tempo, lhe preocupava e vinha agravando-se. Porém, não se abatia e nem deixava que o sorriso saísse do seu rosto, porque tinha uma incrível força interior e vontade de viver. Ao contrário, usava o tempo a seu favor e o dia para ela parecia ter algumas horas a mais.

Ainda no sábado, após as entrevistas, os pilotos prepararam-se para os treinos oficiais classificatórios para a corrida do domingo. O dia estava ensolarado, começando a juntar algumas nuvens, conforme a previsão do tempo. Tommy olhava constantemente para o céu, como se pedisse para que a chuva viesse, como diziam os locutores.

Sabia que com pista molhada tudo seria diferente, porque ele adorava correr sob condições adversas, ao contrário da maioria dos pilotos, e o que parecia perigoso tornava-se uma válvula de escape, principalmente quando a sua Kawasaki não era superior a suas arquirrivais Ducati, Honda e Yamaha. Mas as poucas nuvens pareciam estar abandonando o piloto e se encaminhavam na direção leste, para onde ficava Viena. Era lá que Carol residia e pensou que ela teria sorte em ter chuva por lá. Imaginou-a ao lado do seu jardim com a chuva caindo pelo seu rosto e escorrendo pelo seu corpo.

Buhba sempre estava ao lado do piloto em todos os momentos e já havia percebido que ele estava agindo de forma diferente do habitual. Como num ritual, em silêncio, colocava o capacete, sentava na moto e esperava o momento de sair. Às vezes, trocava uma ou outra palavra com um mecânico ou com o Luca. Apenas limitava-se a responder ou fazer alguma pergunta.

Todos sabiam o quanto representava aquele momento de concentração para o resultado na pista. Nesse momento ele pensava nas crianças que ele precisava ajudar e em todos os outros que, de certa forma, tanto dependiam dele. Buhba colocou a mão no ombro do piloto, assim desejando-lhe uma boa corrida e afastou-se sabendo que logo após a saída do piloto o rádio seria aberto e o Luca faria algumas perguntas técnicas como era de costume. Toda a equipe já sabia que o piloto usava com mais frequência o rádio para conversas com Buhba do que para acertos de corrida.

Abrindo o treino de classificação oficial, os pilotos da Yamaha Oficial Team foram os primeiros a saírem, pois ainda precisavam de um acerto nas motos para melhorar o tempo, já que não haviam conseguido bons tempos nos treinos livres do dia anterior. Logo depois saíram os pilotos da Honda, tentando superar as Ducatis. E assim, sucessivamente, saíram todos os pilotos em busca de melhor posicionamento na classificação para a corrida.

Tommy saiu acelerando muito forte a sua Kawasaki da equipe oficial, que detinha apenas o oitavo tempo dos treinos livres do dia anterior. Até mesmo uma das Suzukis que vinham passando por problemas de acerto no motor havia ficado à sua frente. Na torcida, muitas bandeiras da Equipe Kawasaki e o número cinco de Tommy tremulavam na arquibancada. Porém, dentro da pista a moto e até mesmo a competência, a habilidade e o arrojo do piloto não eram os mesmos. Ele não conseguia concentrar-se e seu posicionamento vinha caindo em relação ao dia anterior.

Em seu capacete tocavam algumas músicas preparadas por Buhba e *TNT* era uma daquelas que ficavam no *repeat* para empurrar a Kawasaki com mais força para cima das demais. Em uma das voltas tentou pegar o vácuo de uma das Ducatis na reta principal. Deitou muito na curva anterior para sair colocado à moto vermelha. A moto verde entrava mais deitada na curva, quase raspando o ombro no chão e ele parecia com os olhos sempre à frente, buscando um ponto futuro.

Suas mãos pareciam querer ir além do que o próprio acelerador poderia proporcionar, mesmo nas curvas, onde muitas vezes conseguia reverter as desvantagens. Eram situações em que a máquina era levada ao extremo pelo piloto devido à sua coragem em estar tão próximo ao chão, mas qualquer descuido poderia significar mais um daqueles tombos espetaculares para a sua coleção. Ele era assim, arrojado ao extremo.

Tentava abstrair a voz do chefe de equipe que ecoava como um instrumento desafinado em seus ouvidos dentro do capacete. Colado à Ducati número três, de Mancini, tentou sair à frente logo no início da reta e como vinha de uma curva perfeita conseguiu colocar a moto ao lado e fazer a ultrapassagem, mesmo com uma potência inferior à moto rival. Era impossível, mesmo para ele, conseguir tirar tamanha diferença de potência no braço, porque nas retas, as suas adversárias pareciam estar utilizando algum tipo de turbina, retomando a frente.

Do box, o chefe de equipe tentava falar com ele pelo rádio para que ele apenas levasse a moto até o fim do treino, pois na corrida poderiam tentar algum acerto na moto, mas algo parecia estar interferindo na comunicação. Os mecânicos, sabendo que Tommy havia se desconectado propositalmente, entreolhavam-se alvoroçados, na torcida para que o piloto insistisse em sua estratégia contrariando o chefe.

Tommy levantou a torcida ao cruzar a linha à frente da Ducati, de Benedetti, conseguindo o segundo melhor tempo nessa volta. Mas não estava contente com a segunda colocação e insistia pela *pole position*. As corridas são diferentes dos treinos. É sempre assim, na corrida, o jogo de ultrapassagens e as motos emboladas mudam toda a perspectiva e é nesse momento que se pode pinçar quem faz a diferença. Luca, do muro que separava os boxes da pista, fazia gestos com as mãos para que ele diminuísse mantendo a sua posição e que preservasse a moto preferindo guardar tudo para a corrida no dia seguinte.

Tommy, ignorando a imagem do chefe, abriu mais uma volta rápida, aprovado pela empolgação dos mecânicos que comemoravam com punhos fechados, atrás do chefe, sentindo total confiança na habilidade e técnica do piloto. Ele vinha voando baixo, acelerando muito acima do limite que a sua moto poderia suportar e que a grande maioria dos pilotos não ousaria a arriscar. Mas ele era assim, vivia sempre além do seu limite.

Na cronometragem oficial para o primeiro trecho da corrida ele ainda aparecia na segunda colocação entre as duas Ducatis, levando a galera das arquibancadas ao delírio. Buhba olhava aquilo imaginando que, por fim, havia conseguido a concentração necessária para a *pole position*.

No segundo trecho, ele conseguiu diminuir ainda mais a diferença. Resolveu que buscaria a primeira posição a qualquer custo. Era tudo ou nada. Apesar de menor potência de motor, a parte ciclística da moto era uma das melhores e ele poderia utilizar-se desse recurso para ser mais ousado que os concorrentes.

A torcida o acompanhava fazendo uma "ola" mexicana, acompanhado a moto e dando um efeito muito especial que incentivava ainda mais o piloto. Era comum em todos os circuitos a torcida fazer isso quando ele estava nas pistas em treinos classificatórios, tentando acompanhar a velocidade da moto.

Chegou à última curva com o tempo muito próximo ao da Ducati quando resolveu deitar a moto ainda mais próxima ao chão, tentando tirar tudo de sua moto, quando o pneu dianteiro escorregou em uma pequena mancha de óleo, a moto escapou batendo a parte lateral da carenagem na zebra, literalmente decolando. O piloto caiu escorregando de costas e rolando algumas vezes para dentro da caixa de brita e viu a moto voando muito perto de sua cabeça.

Foi mais um tombo espetacular de Tommy que levantou-se e ainda teve tempo de ver a torcida parar a ola, ficando todos de pé para aplaudir o piloto. Saiu caminhando como se nada tivesse acontecido, foi ao encontro da moto fazendo-lhe um afago antes dos fiscais de pista chegarem correndo ao seu encontro para perguntar se estava tudo bem.

— Tudo bem, campeão?

— Amanhã será um outro dia, Tommy.

— Acho que ganhei mais uma fratura de dedo, mas o resto parece tudo bem. Obrigado!

Deu uma conferida no estrago da moto levantou-a e, já sem as luvas, saiu em direção ao box fazendo um curto aceno, com o dedo mínimo da mão esquerda torto, para a torcida que estava de frente aplaudindo a performance do piloto naquela volta. Era tudo tão extraordinário que a torcida parecia preferir o tombo de Tommy do que a grandes passagens dos pilotos da Ducati.

Na sala de imprensa foi questionado sobre a diferença de moto entre a Kawasaki e as demais para aquele circuito e ele preferiu amenizar os problemas e dizer que durante a corrida as coisas seriam diferentes, pois cabia mais alguns acertos. Sempre enaltecia a moto que ele tanto amava desde pequeno. Sabia que, apesar de passar por algumas dificuldades, formavam a dupla perfeita.

— O seu dedo, provavelmente quebrado, vai atrapalhar durante a corrida?

— Vamos dar um jeito nele. Não vai ser um mindinho a me impedir de vencer.

Tommy olhou para Benedetti e Mancini enquanto respondia.

— Você está sofrendo muito para reverter essa diferença no braço, como está essa pressão?

— Está brincando? Nós estávamos nos divertindo e levaríamos a *pole* se não fosse uma mancha de óleo.

Tommy se referia a "nós" reverenciando a parceria homem-máquina.

— Você continua concentrado para a corrida após a partida da maestrina? — foi a pergunta vinda de Victória.

— Sim.

Tommy respondeu seco e foi ao encontro do médico que faria a diminuição da fratura. Depois, queria caminhar e avaliar novas estratégias para o dia seguinte, principalmente o ponto de sua queda.

Os patrocinadores sabiam que o seu garoto-propaganda tinha o Toque de Midas, como se tudo o que tocasse, vestisse ou fizesse poderia ser transformado em ouro. A imagem com seu dedo torto levou a foto dele para muitos jornais e programas de TV, com a patrocinadora em destaque.

Era assim que ele conquistava a grande maioria dos seus patrocinadores. Se ele vencesse uma prova, as câmeras com certeza já estariam nele. Mas o difícil era acreditar que os seus tombos e mesmo os seus erros muitas vezes ainda lhe rendiam mais tempo na mídia do que as vitórias de seus adversários. Isso era motivo de ciúme e rusgas vindas de alguns pilotos que teimavam em não aceitar o carisma daquele piloto, mesmo com todo aquele ar sério, arrogante e provocativo.

Carol estava no *Café & Restaurant Motto am Fluss*, no rio Danúbio, em Viena, no momento da corrida a quase trezentos quilômetros do circuito. Ela havia saído de casa porque sabia que se estivesse ali, ligaria a TV por impulso para assistir aos treinos. No fundo, sentia um misto de desejo e repulsa que, de certa forma, sintetizava o que ela sentia. Sentia-o ainda em seu ombro, mas sabia que isso precisava ser apagado de suas lembranças. Agia com a razão sobrepondo-se à emoção, fugindo de tudo que pudesse trazer a lembrança dos bons momentos que passaram juntos.

Estava decidida e assim seria. Era linda, dedicada, inteligente, sincera e quase sempre feliz, com um bom humor que superava quaisquer adversidades com um sorriso ou uma gargalhada. O que mais impressionava nela não era a força daquele corpo malhado pelas corridas e *crossfit*, mas a força que empregava à condução do seu próprio destino.

Parecia empurrar tudo como um furacão, alterando tudo à sua volta. Queria transformar o mundo pela conscientização. Dessa forma, ela conquistava passo a passo a transformação com a qual sonhava, fazendo com que as pessoas interagissem no contexto dessa evolução. Porém, permitia-se também fugir de tudo e de todos que colocassem qualquer empecilho a essa conquista.

Já na corrida, os pilotos estavam se alinhando e a única sombra que aliviava Tommy daquele sol forte era produzida por um guarda-sol, seguro por uma linda modelo japonesa. Buscando a concentração para a corrida, ouvia a *playlist* de grandes compositores gravados por Carol ao violino. Largar entre as Ducatis dos italianos Mancini e Benedetti estava de bom tamanho para as atuais circunstâncias, mas ele tinha aquele olhar de vitória fixo à sua frente. Previa uma estratégia de afunilamento das duas motos vermelhas com maior potência na saída, impedindo a sua passagem, não permitindo que ele brigasse pela liderança na primeira curva, conscientes de que ali ele era imbatível.

— Duzentos e vinte.

Tommy sintetizou em um número a sua estratégia, que obviamente não foi compreendida por Buhba, Luca, mecânicos e muito menos pela modelo.

— O quê? Pode repetir? O que quer dizer com duzentos e vinte? — perguntou, insistentemente Luca.

Tommy apenas balançou a cabeça como se não fosse nada.

Pista livre para a volta de apresentação e a ola nas arquibancadas já se fazia presente acompanhando a volta dos pilotos. Novamente alinhados, Tommy mais uma vez estudava a sua estratégia e decidiu executá-la. Jogar a moto para a direita no ponto em que acreditava ser afunilado pelas duas.

Voltando aos boxes, Buhba ainda tentava compreender o que significava aquele número. Certamente não se referia à eletricidade. Apontou uma marca para os mecânicos.

— Ali. Duzentos e vinte metros.

Mais uma vez ninguém compreendeu.

Dada a largada, as duas Ducatis saíram ligeiramente à frente e aproximaram-se uma da outra, conforme Tommy havia previsto. Jogou a sua Kawasaki para a direita e assistiu aos dois pilotos quase chocarem-se no centro da pista, enquanto Tommy acelerava por dentro, chegando em primeiro na primeira curva. Nesse momento, Luca e todos os mecânicos voltaram os seus olhares para Buhba. Depois disso seguiram-se várias trocas de posições entre os três primeiros, permanecendo assim durante toda a corrida.

Tommy descobriu, na prática, o poderoso poder motivacional das músicas eruditas gravadas ao violino. Os pilotos da Ducati, durante toda a corrida, pareciam revezar-se na tentativa de derrubar o piloto da Kawasaki. Os dois pilotos, ainda jovens, pareciam ser treinados para a execução. Tanto nas retas quanto nas curvas, utilizavam joelhos e a carenagem das motos tentando levar Tommy ao chão.

Além de resistir bravamente, Tommy fazia gestos e balançava o capacete, deixando-os ainda mais desconcentrados e furiosos. A disputa entre os três foi incrível até a linha de chegada, quando Tommy e Benedetti cruzaram praticamente juntos, com Tommy a poucos centímetros à frente de Benedetti e Mancini colado a ele. Só souberam do resultado pelo rádio. Tommy venceu a corrida por um centésimo de segundo.

A equipe verde comemorava como se já tivesse ganho o título mundial. Aquela havia sido mais uma de muitas corridas em que o piloto carregava a moto no braço. Sem medo, ele fazia das curvas as suas maiores aliadas dentro da corrida. Tommy, dessa vez, tomou grande parte do champanhe estourada no pódio e como ele merecia cada gole. Antes de responder às perguntas na sala de imprensa e de comemorar a vitória com a equipe, quis mandar uma mensagem para Carol pelo WhatsApp.

Hoje o seu violino me inspirou para mais uma vitória. Você estará comigo sempre. Amo você e sinto a sua falta.

Carol leu quase que instantaneamente.

Como foi?

Cruzamos a linha quase juntos, os três. Foi por um milésimo de segundo.

Que bom. Você será o campeão para sempre. Eu também sinto a sua falta.

Você é a minha maior parte.

Por favor entenda que será melhor pra nós dois.

Capítulo 14

Projeto Adopte a Child & Music

Já era de conhecimento dos economistas de todo mundo que uma crise econômica estava por vir. A quebra de alguns bancos americanos colocava toda a economia mundial em cheque, provocando efeito dominó em vários países, necessitando de investimentos de algumas centenas de bilhões de dólares dos governos para tentar salvar a situação. A crise política, econômica e social dos dois anos anteriores ainda provocava impactos sobre atividades declaradas de segunda ordem, pelas grandes empresas, e as de menor porte sentiram ainda mais o seu efeito, sendo que muitas delas chegaram a ter suas portas fechadas.

Alguns países projetaram medidas econômicas tentando evitar que a crise chegasse até eles, e até conseguiram adiar os desastres do efeito cascata, como foi o caso do Brasil. O governo brasileiro esgotou as possibilidades para impedir a chegada da crise, sem sucesso, pois os problemas que assolavam a maioria dos países do mundo tiveram consequências devastadoras na economia de um país que começava a sair de uma situação de subdesenvolvimento.

O Brasil aderiu ao BRICS, formado por Brasil, Rússia, Índia, China e África do Sul, países que buscavam o seu lugar entre as grandes potências. A crise, mesmo com a chegada atrasada, trouxe um período de grande recessão que durou de 2014 a 2016 provocando profundas cicatrizes na produção e no mercado de trabalho, resultando numa drástica queda no PIB de todos eles. O país apresentava ainda alto índice de desemprego, chegando a superar doze milhões de pessoas desempregadas.

Com todos esses dados em mãos Carol, que havia conquistado muitos patrocinadores para outros programas, em outras partes do mundo, agora encontrava dificuldades para desenvolver seu projeto no Brasil. Esses entraves nunca foram motivos para que ela desistisse, ao contrário disso, ela sempre se expunha à proporção dificuldades *versus* possibilidades como fatores motivacionais.

Sabia que teria vários agentes dificultadores para a conquista de parceiros da iniciativa privada para que o projeto fosse levado à frente. Mas, afinal, era justamente esse emaranhado de problemas que a trouxe para o Brasil. A população carente necessitava de medidas que pudessem colaborar na formação educacional, muitas vezes maquiada estatisticamente pelos governos em todas as suas esferas.

A música raramente era trabalhada dentro das escolas, mesmo sendo assegurada por leis específicas. Não entendia porque nada era feito para que essa situação fosse mudada e lutava para que a música pudesse servir como elo entre passado e futuro, marcando o cidadão pela transformação na sua essência. Também não concordava com os poucos projetos musicais governamentais existentes que, em sua maioria, pouquíssimo agregavam para a formação cidadã, dada a sua qualidade insignificante na formação verdadeira.

Carol sempre teve espírito empreendedor e nunca se negava a correr pessoalmente atrás de parceiros para desenvolver seus projetos. Mas, atualmente, em quase todas as tentativas recebia a mesma resposta, que a empresa estava se adaptando ao mercado ou que as verbas empregadas em projetos sociais não conseguiriam suportar a magnitude do projeto. Os problemas aumentavam à medida que percebia que a maioria dos governos de países mais carentes e necessitados diminuíram a ajuda já quase inexistente aos programas de incentivo à cultura.

Apenas uma empresa, a Touch Music, mostrou receptividade ao projeto. Carol estava feliz por receber a proposta de uma das maiores empresas de venda de equipamentos e instrumentos musicais do mundo. A TM, como era conhecida, havia sido recentemente comprada por um grupo de investidores de capital europeu e declarou publicamente estar interessada em investir em projetos sociais ligados à música por todo o mundo para divulgar a empresa e os padrões encaixavam-se perfeitamente ao projeto desenvolvido pela maestrina.

Em todos os outros países, os projetos desenvolvidos pela ONG iam muito bem, com a participação de algumas centenas de crianças. Especificamente para o Brasil, essa parceria chegaria em boa hora, aumentando as possibilidades de solucionar vários problemas, servindo de exemplo para outras empresas. A equipe que formava a ONG, por ela liderada, não tinha ainda uma estrutura muito grande, mas tinha ajuda de algumas pessoas que abdicaram de projetos particulares e do próprio trabalho para dedicarem-se exclusivamente à implementação do projeto levando a música às pessoas mais carentes.

Carol tratou de marcar o mais rápido possível uma reunião com o pessoal de marketing da empresa. Para sua surpresa, a reunião foi marcada em Poços de Caldas, pois ali estavam sendo centralizadas as ações do marketing da empresa, baseadas em reconhecer e desenvolver dons musicais de crianças em situação de risco social.

A escolha da cidade se deu por conta do investimento no turismo cultural, chamando a atenção de artistas internacionais. A realização dos festivais atraíam milhares de turistas em todas as épocas do ano. Outro fator que encantava muitos turistas, era o clima ameno e as belas paisagens da Serra da Mantiqueira.

A TM estava passando por um processo de adaptação após a compra da empresa, mesmo assim eles quiseram marcar a reunião com pressa para que o projeto fosse a “menina dos olhos” do marketing para o seu reconhecimento na América Latina. A empresa via no projeto da musicista como o melhor meio de colocarem seu nome no topo das empresas de venda de equipamentos de som.

O contato foi feito por meio de uma ligação de André, um brasileiro que havia sido convidado para assumir a diretoria de marketing da empresa. Formado em gestão e marketing tinha um currículo extenso pela pouca idade. Porém, seu grande trunfo era o cunho social das suas propagandas. Buscava atrair as pessoas pelas suas emoções e a sua relação com o produto a ser vendido. Na verdade, ele era assim.

Acreditava que um mundo melhor só seria conquistado pela interação de ações do todo, ou seja, só compartilhamento poderia mudar o mundo. Era muito eclético nas suas ideias, mas procurava jamais esbarrar no "eu" ou no "ele". Para ele era assim, suas ações e seus pensamentos nunca se desencontravam.

O seu desejo de colaborar e transformar era colocado em prática utilizando a teoria do socialmente correto, rendendo excelentes campanhas publicitárias. Porém, tinha que estar direcionado para uma demanda que não esbarrasse no consumismo puro ou no egoísmo de alguns produtos. Por exemplo, seria impossível contratá-lo para realizar uma campanha que reafirmasse o potencial de vendas de uma marca de refrigerante.

Vendia o que pudesse transformar a sociedade. Venderia uma guitarra, um piano ou uma gaita com o maior orgulho, pois reconhecia o potencial transformador da música. Era perfeito, conectando-se perfeitamente aos ideais de Carol.

Durante a reunião, todos demonstraram muita empolgação pelo projeto da maestrina, pelo investimento da empresa e por todas as qualidades que a equipe agora formada teria para atingir seus objetivos. Carol estava visivelmente radiante por oferecerem de imediato trezentas vagas. A empresa desejava investir tanto naqueles que queriam conhecer a música, quanto naqueles que já possuíam conhecimentos e queriam expandi-los.

O local escolhido foi um casarão, abandonado há um bom tempo, tombado pelo patrimônio histórico, que passaria por uma restauração total. A TM conseguiu comprá-lo por um preço bem abaixo do mercado, pois os antigos donos jamais conseguiram arcar sozinhos com o valor da restauração. Os slides projetados pela equipe de marketing mostravam o antigo e o novo, passado e futuro lado a lado. As projeções de alunos tocando nas salas e no museu na antessala, logo na entrada, detalhavam a forte presença da música erudita, com instrumentos e fotos de grandes compositores.

Localizado no centro de Poços de Caldas, estava situado ao lado da Praça José Afonso Junqueira, próximo ao Palace Hotel e o Espaço Cultural da Urca. A pouco mais de duzentos metros partia o teleférico que levava ao Cristo Redentor e à rampa de voo livre na Serra de São Domingos. Tudo perfeito, alinhando-se ao turismo cultural, esportivo e paisagista daquele maravilhoso lugar.

O projeto ia muito além do que Carol havia imaginado para o Brasil, ainda mais na região do sul de Minas Gerais, onde tinha o sítio e havia visitado com Tommy. Ao lado da rampa de voo, ele se deitava em seu ombro. Era impossível não relembrar daqueles bons momentos estando ali novamente.

Logo após a reunião foi visitar a escola. Era um prédio imponente, com três salas imensas e seis quartos que resgatavam a grandeza dos áureos tempos do café. A praça, logo à frente, era linda com árvores imensas e um pergolado com plantas cobrindo-o. Os olhos da maestrina captavam cada possibilidade nas quais a música poderia ser oferecida ao público, no prédio e em todo o seu entorno. A bela cidade parecia respirar música e cultura.

Enfim, o seu projeto chegava com força ao Brasil, onde ela havia vivido a maior parte da sua vida e toda a sua infância voltava a seus pensamentos naquele momento. Era mais uma conquista, à qual internamente ela agradecia. Pensou em subir até o Cristo Redentor, caminhando pelo morro, como já havia feito com Tommy, para agradecer. Assim faria, mas desde já agradecia instantaneamente a Deus, por sentir a Sua presença tão forte e especialmente perto.

Agora haveria braços da ONG no Brasil, além da Iugoslávia, Moçambique, Burkina Faso, Eritreia e Haiti. Para a maioria das crianças que a ONG agregava, o alimento era muito mais necessário que a própria música. Então, a música tornava-se o elo de ligação que levava alimento até as crianças e, na maioria das vezes, estendia-se aos familiares.

Depois do Brasil, logo partiria para a República Democrática do

Congo, terra do amigo Buhba, considerado um dos países mais pobres da África e, consequentemente, do mundo. Ela havia prometido que o visitaria assim que possível. Considerado o terceiro país mais pobre do mundo e o segundo mais rico em biodiversidade, atrás somente do próprio Brasil. Mais uma daquelas peças que a vida nos prega em desafios diários, reverter situações que acometem os mais indefesos miseráveis em meio a tanta riqueza natural.

Desejava conhecer a escola onde a mãe de Buhba ainda era professora. Estudavam juntos todas as possibilidades para estender mais um braço do seu projeto por lá. Carol era incansável no seu desejo de transformar vidas, levando música, carinho e um pouco de tranquilidade a quem necessitasse.

Quinze dias se passaram até que Carol ligou para Buhba combinando a visita ao seu país natal. Buhba recebeu a ligação com euforia e faria o impossível para que tudo desse certo. Imaginava a felicidade de sua mãe em conhecer pessoalmente a maestrina e, possivelmente, ver suas crianças aprendendo música. A empolgação de Carol estava na mesma frequência e intensidade, pois tinha um carinho especial por todo o continente africano e todas as suas carências.

Buhba já havia conversado com Tommy sobre as intenções da maestrina em levar o projeto para Beni, o que foi muito comemorado por Tommy, que era o principal colaborador da aldeia. A felicidade era compartilhada entre eles e especialmente Buhba estava radiante em ver que sua tribo estava em boas mãos.

Agradecia tanto por Deus ter colocado Carol e Tommy em seu caminho que não percebia que tudo era por ele, que ainda muito jovem deixou a sua tribo e sua família para buscar meios de retornar com algum alento àqueles que persistiam em sobreviver perante tantas desgraças que assolavam o seu país. Havia muitas batalhas diárias, paralelas a uma guerra civil já existente. O projeto também era fruto da luta de Akin, o herói de Nyiragongo, que deu a vida pela floresta e pelos animais, e de Abeni, que não admitia nenhuma criança longe da escola. A família de

Buhba era o símbolo da conquista de recursos para a sua tribo.

O fator da violência gerada pela guerra era ponto crucial para ser posto em debate desde a primeira reunião. Buhba jamais permitiria que a maestrina ficasse exposta à violência e confrontos armados da guerrilha. As atrocidades cometidas refletiam em um nível de sofrimento humano que jamais poderia ser concebido. Famílias inteiras eram mortas ou separadas durante fugas; mulheres e crianças abusadas, além do número enorme de mortos e feridos.

Buhba chegaria antes do combinado e prepararia a sua mãe e família para recepcionarem a maestrina. Ela havia pedido para Buhba que queria ver a situação da tribo com realmente era, sem maquiagens ou mudanças repentinas, nada deveria ser alterado para a sua chegada.

Ele concordava e deixaria para ela a surpresa em perceber que aquela tribo tinha especialmente algumas diferenças. Era uma pequena parcela da população, mas que já era, de alguma forma, amparada. Tommy investia muito na tribo com a supervisão de Buhba, mas jamais seria o suficiente para suprir as necessidades persistentes ao longo de tantos anos de sofrimento. Até pensou em convidar Tommy, mas naquela semana seria impossível, pois o piloto tinha uma agenda lotada, com inícios de treinos e tomadas de tempo. Também não pretendia forçar esse encontro, sabendo que a maestrina queria, de todas as formas, evitá-la por enquanto.

Carol dispensou, delicadamente, os cuidados do amigo que se ofereceu para esperá-la no aeroporto. Era prática e buscava resolver-se sempre, dispensando bajulações e cuidados extremos. Se Buhba já estava lá, junto à sua família, deveria curti-los na sua essência. Logo estariam juntos e isso era o que mais importava no momento.

Buhba, mesmo já tão acostumado à elite presente na motovelocidade, gostava mesmo de estar ali com seus familiares. Não dispensava a boa situação que havia conquistado, mas a dividia com aqueles que sofreram com ele. Estava ali sempre que possível e cuidava pessoalmente de muitas tratativas dos investimentos do piloto, apesar de confiar cegamente nas pessoas que ali habitavam.

— Enfim, nossa maestrina chegou!

Assim foi recebida por aquela senhora, que não aparentava a idade, apesar de castigada por todas as necessidades impostas pela vida tão difícil e agitada que ela levava naquela tribo. Tinha uma postura muito ereta que representava a sua autoestima elevada. Sempre dizia aos seus alunos que a postura era a sua apresentação perante a sociedade. O orgulho em ser quem é.

— Estou muito feliz em conhecê-la. Meu filho não economiza elogios ao falar de você.

Carol apresentou-se com uma emoção totalmente diferenciada das situações em que ela habitualmente conhecia novas pessoas. Aquela mulher representava uma força interna invejável, exatamente como o amigo Buhba a descrevia, não era apenas orgulho de um filho distante e saudoso. Ela representava muito bem a vitória da persistência sobre as adversidades diárias de um povo castigado ao extremo.

Com dados estatísticos sempre referendando os seus projetos, Carol conhecia bem a realidade da educação no continente africano. Dois terços de todas as crianças sem acesso à educação estavam na África, colocando a ONU em alerta para a não extinção das escolas africanas, em pleno século vinte e um. Assim, sabia que toda a forma de elogio pela luta daquela "mãe" de tantos alunos estaria muito aquém do seu real valor.

Os investimentos de governos africanos ainda eram muito pequenos para a Educação e estavam na ordem de míseros três por cento do Produto Interno Bruto, o que sempre representava um interesse de governos autoritários muito abaixo das demandas necessárias para uma alteração nas estatísticas. As guerras civis e os constantes e violentos conflitos não apontavam para qualquer alteração em sentido contrário.

Era um sábado à tarde, as aulas haviam terminado pouco antes dela chegar. Nos finais de semana a escola funcionava de uma forma diferenciada, com atividades de teatro, filmes, esportes e muitas outras com participação das famílias. A Bio, empresa de sustentabilidade, atuava em parceria levando energia elétrica e desenvolvimento tecnológico por meio da captação da energia solar, também financiando projetos de ciências naturais.

O mesmo sol ardente, que castigava com o forte calor, transformava-se em energia elétrica trazendo a tecnologia, opções de lazer e um pouco de conforto, de maneira sustentável àquela comunidade sedenta de novas oportunidades. Os projetos eram de autoria da Bio, uma empresa fundada por três irmãos que, desde pequenos, desejaram transformar a realidade do mundo, semeando a igualdade e o progresso. Porém, o tão desejado desenvolvimento, jamais deveria ser sinônimo de degradação ambiental ou cultural.

Carol pegava-se em instantâneos *brainstorms* que lhe gerava um misto de revolta e encantamento. Logo na chegada, aquela quantidade de placas solares confundia os visitantes acerca da discrepância entre a tecnologia de última geração e a miséria extrema. A população daquela vila havia aumentando em trinta por cento, com a migração de outras regiões, na busca por melhores condições de vida, principalmente para os filhos, depois da chegada da tecnologia.

No domingo pela manhã, ela teria a oportunidade de, finalmente, ver aquela escola com o nome da professora em funcionamento. Não quis ver a escola vazia, apesar de ser muito próxima à casa da professora. Queria vê-la repleta de alunos. Instalou-se na casa muito simples. Fechou os olhos e sentiu aquele cheiro característico em suas lembranças que representava um verdadeiro lar, com cheiro de bolo e tudo mais. O cheiro da terra entrava pela janela, trazendo até ela um novo sentido para a vida. Era o cheiro da Mãe África, invadindo todo o espaço para apresentar-se à convidada.

Libertar-se de revoltas internas em meio àquelas pessoas era divinamente fácil, acompanhada de tamanha alegria. A presença de Buhba era comemorada pelos irmãos a cada instante, com palavras de carinho, abraços e beijos. Cozinhar era uma festa com a participação de todos. Carol adorava cozinhar, mas jamais havia compartilhado um espaço de cozinha tão feliz quanto aquele.

As cores das roupas, as músicas, a sincronia entre as danças e movimentos culinários eram muito perfeitos. Cortar os legumes ritmado ao embalo de soukous, cuja explicação confundia-se na cabeça de Carol, como sendo um misto de dança e música. Depois foi melhor explicado por Buhba, pois era uma maneira mais simples de esclarecer as excentricidades musicais do local.

Naquele dia havia fartura de comida, demonstrando que aquele era um dia muito especial. Era dia de festa por receber de volta o filho querido e também pela ilustre presença da maestrina. Carol, na sua condição de cozinheira vegana, queria ajudar e aprender mais sobre aqueles sabores e as suas combinações. Havia muitos vegetais, cereais e ervas aromáticas, porém, percebeu não haver carne entre eles.

— Vocês não comem carne?

— Sim. Às vezes, comemos galinha. Mas não sempre. Buhba já havia falado que você não come carne, então procuramos fazer nossas comidas tradicionais sem carne — explicou uma das irmãs dele.

— Não precisavam ter se incomodado com isso.

— Calma, que você verá que mesmo sem carne será completo e ninguém sentirá falta.

— Pelos cheiros eu já estou ficando com fome. Posso filmar?

— Filmar, fotografar e tudo o que você quiser, minha filha.

Carol sentia-se extremamente confortável e bem acolhida no seio daquela bela e feliz família. Resolveu pegar o violino e fazer uma surpresa acompanhando a cantoria. Seria perfeito acompanhá-los em meio àquela harmonia de sabores, sons e imensa alegria familiar. Sem dizer nada aos familiares, foi até ao cômodo da frente que era uma sala com a mesa de refeições. Pegou o seu violino e voltou para a cozinha tocando. Uma bela surpresa ter uma maestrina reconhecida internacionalmente tocando com eles.

— Meus Deus! Ela está tocando. Que coisa mais linda!

Elogios, danças e mãos à boca demonstravam toda a surpresa e agitação da família ao ouvirem o som do violino. Era o som divino compartilhado em meio à simplicidade. Buhba tentou conter as palmas para ouvir somente o som daquela bela música, com o dedo indicador à frente da boca.

— Xiiiiu!

— Sem parar de tocar, Carol balançou a cabeça para Buhba, indicando que a música deveria mesmo desencadear a alegria e ela deveria ser expressada da melhor forma, até com palmas. Como se fosse possível para Buhba conter as palmas entusiasmadas de toda a família. A alegria era mesmo contagiante. Era o poder exercido pela terra local, aliado à felicidade da família. *Bom seria ver essa alegria dissipada por toda a África*, imaginava Carol.

No final da tarde, Carol quis ver o pôr do sol atrás dos morros. Saiu da casa acompanhada de Buhba e alguns de seus sobrinhos. Era apaixonada pelo sol e pelo registro dele em suas mais belas fotos. Com o violino em mãos resolveu homenageá-lo. A maestrina tocava rodeada por aquelas crianças que a acompanhavam com o olhar, encantados pelos seus movimentos suaves e pelo som emitido pelo instrumento tão diferente daqueles por eles conhecidos.

As fotografias seriam o registro daqueles momentos. O pôr do sol, tão maravilhoso, ficaria então imortalizado. Achou linda a imagem onde o sol avermelhado, eliminou as diferenças de coloração de pele. Eram todos africanos. Sentiu-se honrada por estar negra.

Carol abraçou e beijou as crianças e depois abraçou Buhba.

— Aqui é o berço da nossa civilização. Difícil acreditar que preconceitos ainda separam pessoas.

— Somos todos privilegiados pela vida, pelo sol... é só olhar à nossa volta. Me sinto tão bem aqui. O que é aquilo?

— Era um tanque blindado da ONU, destruído por um disparo de bazuca.

— Tão perto! Tem muitas crianças aqui. Não têm medo?

— Todos temos. Mas a vida não pode parar. Guerras, mulheres

violentadas, governos incapazes de converter nossas riquezas em benefícios para esse povo.

— Pena, os homens responsáveis por essas conexões serem tão incompetentes. Seria tão pleno serem reconhecidos por toda essa riqueza.

— Exatamente assim que as coisas acontecem por aqui. Por falar em riqueza, o jantar deve estar pronto — interrompeu Buhba, percebendo que sua irmã sinalizava com uma das mãos, levando até a boca. Um gesto universal sinalizando que já está na hora de comer.

Quase pronto, o jantar era bem variado, com pilao, um arroz congolês cozido com repolho, cenoura e gengibre. O *pomme sautée*, uma batata inteira frita, temperada com ervas e especiarias. *Buffet froid*, uma salada de legumes, com maionese artesanal, batata inglesa, azeite e ervas. Fufu, um tipo de polenta africana, feita com farinha de mandioca e fubá. *Mwamba na*, couve manteiga cozida com pasta de amendoim. *Choux* repolho refogado à moda congolesa. Para beber *Tangawisi*, uma bebida de abacaxi, gengibre e cachaça artesanal.

A refeição foi servida logo ao anoitecer, pois era comum o jantar ser servido bem cedo. Também não demoravam muito para recolher-se para dormir. Essa noite era especial e as conversas entenderam-se até um pouco mais tarde. Os irmãos, que já não mais moravam ali, foram despedindo-se. Na manhã seguinte todos estariam na escola para acompanhar a visita da maestrina. Carol também estava muito cansada pela viagem.

A noite de sono foi tranquila, e mesmo a maestrina, que sempre acordava durante a noite, conseguiu recuperar bem as suas energias. A paz que o lugar oferecia era inigualável. Conhecer novos lugares e paisagens era um dos maiores prazeres da sua vida e, com certeza, esse ficaria marcado por inúmeros motivos. Não era somente pelas belezas naturais, mas principalmente por conhecer o povo, suas histórias e cada detalhe que a fazia sentir-se mais humana, era mais um ponto de evolução pessoal. Ter seu projeto na África era um sonho.

Enfim, ela iria conhecer a escola que servia de exemplo para a região e atraía investimentos de algumas ONGs do mundo. Todos na aldeia acordavam bem cedo e geralmente não tinham hábito de tomar café juntos. Cada um obedecia aos seus horários e às suas necessidades. O café, que já havia sido o segundo produto de exportação da República Democrática do Congo, hoje tinha sua produção muito aquém por causa de conflitos. Nessa região já era improvável encontrar cafezais.

Carol acordou com o cantarolar de Amara, irmã mais nova de Buhba que havia ficado responsável pelo café da manhã de Carol e do irmão. A mãe já estava na escola, pois era também a responsável por abri--la todos os dias. Buhba estava sentado na frente da casa brincando com os cachorros da família, que precisaram ser seguros para não pularem na maestrina.

— Pode soltá-los. Adoro cachorros.

Após o café partiram para a escola que ficava bem próxima à casa. Construída há pouco tempo, substituiu a velha lona e bancos improvisados. Ainda era bem simples, mas funcionava agora em um prédio novo, com salas grandes. Havia uma sala para as aulas de tecnologia e inovação, laboratório de ciências, ginástica e uma quadra coberta ao lado. A professora Abeni Ilunga tinha o seu nome logo na entrada.

— Não sabia que a escola tinha o nome de sua mãe.

— Ela se sente toda orgulhosa com a homenagem.

— E muito bem merecida. Ela faz da educação um ato de amor, como a maioria dos professores que conhecemos. Educar é um dom.

— Ela sempre cuidou dos alunos como seus filhos. Talvez até com uma intensidade maior do que cuidava de nós.

— Está com ciúmes das crianças?

Ambos riram bastante da brincadeira da maestrina.

— Ela sempre nos criou para sermos independentes, desde pequenos. No fundo, ela projetava essa independência para sermos fortes o bastante para alçar voos. Nosso povo acredita que o destino deles é seguir a sua herança cultural e aí se conformam com essa triste realidade.

— As emoções. Difícil acreditar que nada é feito para que tenhamos um mundo mais justo. É tudo tão contraditório. Gastam bilhões para chegar a Marte, com exércitos e nunca chegaram à África, o berço da humanidade.

Buhba concordou com a cabeça, sentado em uma poltrona muito velha, coberta com tecidos coloridos. A tristeza apresentava-se refletida nos olhos daquele homem diferente dos demais pela sua postura, pelo conhecimento repassado pela mãe, somado aos livros que leu e sua vivência fora da tribo. Aproveitou a oportunidade quando ela bateu à sua porta e, logo que possível, retornou para trazer mudanças, para colaborar com a evolução em comunhão.

Muitas crianças e famílias já estavam chegando à escola. Tinham um cronograma bem montado logo na entrada, designando os locais e atividades para serem realizadas por cada um deles, inclusive os pais. Todos entravam com muito respeito e organização.

Carol calou-se por um bom tempo e, enquanto caminhava pela escola, olhava para as roupas que as pessoas usavam e tudo ao seu redor, na área de esportes. O seu corpo parecia contrair-se apertando o seu coração e a sua alma, numa autopunição pelo seu prejulgamento sobre Tommy. Além de algumas muito coloridas, utilizadas por algumas mães, havia muitos jovens e pais usando roupas da mesma grife esportiva que patrocinava Tommy. Aquela marca era uma das mais utilizadas no mundo e reconhecida por patrocinar grandes equipes esportivas de todo o mundo, e também por ser cara.

— Tommy! Como eu não percebi!

— Não se culpe. Ele reluta a qualquer merchandising com seu nome sobre isso. Todos pensam que o seu closet e sua garagem estão cheios de caixas guardadas de roupas.

Existia um contrato firmado entre Tommy e a marca que deveria fornecer uma quantia muito grande de seus produtos. Muitos diziam que ele usava as roupas apenas uma vez e as descartava ou as guardava em sua casa. Tornou-se corriqueiro mecânicos e amigos pedirem roupas e ele negar. Foi assim que ele conseguiu a fama e apelido de sovina. Até mesmo Carol já havia pensado isso sobre ele.

Ainda quieta e chorando, percebeu que a mãe de Buhba aproximava-se.

— Por que está chorando, menina?

— São as surpresas boas que a vida nos oferece e muitas vezes não percebemos.

Abraçando a maestrina, dona Abeni logo tratou de explicar como tudo começou, sem saber o real motivo pelo choro.

— A escola começou ao lado daquela árvore, com uma sombra insuficiente para abrigar as crianças sentadas para aprender. Então o Akin conseguiu uma lona no parque e construiu uns bancos e, ainda assim, muitos ficavam no chão, ao lado dos meus pés. A lousa era uma placa de propaganda de Coca-Cola, com um menino loiro de olhos azuis que foi pintada de verde-escuro. As crianças aumentavam a cada dia. A cada vento forte nossas crianças tentavam segurar a lona, que insistia em nos abandonar. Ganhávamos alguns livros de turistas que nos ajudavam bastante. Hoje temos toda essa estrutura e podemos rir dessas histórias tristes.

A cada frase dita por dona Abeni, os olhos de Carol mais se enchiam de lágrimas. Era uma somatória de tristeza pelo sofrimento daquelas pessoas, pelo seu sentimento de culpa e a alegria por conhecer a realidade sobre a pessoa que ela amava. Esse último lhe trazia alento e uma vontade imensa de encontrar Tommy o mais breve possível, na esperança de tentar consertar o seu erro.

— Foi uma das maiores emoções do mundo quando Tommy disse que iria construir nossa escola com a ajuda da equipe e de alguns amigos. Aquele menino é um anjo para nossa comunidade. Ele não se conformou com nossas crianças estudando sob uma lona. O nosso sol brilha mais do que em qualquer parte do mundo, só que ele esquenta mais também.

— Ele é um anjo.

Não era uma pergunta. Ela olhava para Buhba e em seu pensamento já lhe pedia perdão, sentindo-se mal pelo seu prejulgamento.

— Sim, ele é mesmo. Durante a construção, ele veio algumas vezes, escapando de seus compromissos. Buhba me dizia que ele mesmo fazia os desenhos de como deveria ser a construção e passava para os engenheiros. A escola ia ter o nome dele, mas ele mandou trocar sem ninguém saber. Quando descerraram o pano na inauguração, para nossa surpresa, não tinha o nome dele, estava com meu nome. Eu jamais imaginara e estava tão feliz pela escola que demorei a compreender o que estava acontecendo.

— É uma linda escola e a senhora merece a homenagem, mais do que qualquer outra pessoa.

— Ele e meu filho trouxeram as parcerias. A Bio é uma empresa de três jovens filhos de amigos dele. Eles têm uma empresa de biodiversidade que produz energia limpa e difunde a ideia de parques naturais pelo mundo, vendendo royalties de carbono livre para multinacionais que poluem pelo mundo afora, além de fornecer projetos de energia limpa. Eles estão fazendo proliferar a vida por esse mundo.

— Bom que as pessoas desenvolvam essa consciência. Mas, me conte mais sobre essa Bio.

— São três jovens maravilhosos, que parecem querer mudar o mundo todo. O menino é engenheiro elétrico, uma das meninas é veterinária e a outra é engenheira florestal, formando uma equipe perfeita. Todas essas fotos são dos seus projetos de reintegração das matas e da fauna, aliados à captação de energia solar que eles difundem por esse mundo. Faço questão de deixar as fotos bem à vista de todos e para que possam contagiar nossas crianças. Os três são apaixonados pela África e, de vez em quando, aparecem para um café com a avó do coração, como eles dizem. Isso me dá um prazer incrível.

— Posso imaginar a sua felicidade. É tudo muito perfeito. A sua luta e a sua missão têm grandes parceiros. A senhora é um anjo que nos impulsiona.

— Tommy nunca quis a glória para ele. Disse que eu era motivo de orgulho e motivação para ele. Quem diria, eu motivar uma pessoa conhecida no mundo todo como o Tommy. Ele já lhe disse que antes de cada corrida assiste aos vídeos de nossas comunidades, gravadas pelo Buhba, para motivá-lo? Ele disse pro Buhba que cada minuto da sua vida terá que valer uma criança longe da miséria.

Carol voltou-se para Buhba, chorando, com olhar de cobrança. Mas, no fundo, admirava a cumplicidade de duas pessoas que se tratavam como se fossem irmãos de outras vidas que se reencontraram. Sabia o quanto um se importava com o outro e, mais do que isso, havia lealdade, tão difícil nos dias atuais. As lágrimas escorriam pelo rosto da maestrina à medida que o sentimento de culpa aumentava.

— Juro que jamais poderia imaginar.

— Ele consegue amigos para investir em vilas aqui perto. Arthur é um amigo que joga vôlei na Itália, hoje ele continua jogando mesmo gordinho, somente para ajudar na vila a quinze quilômetros daqui.

Todos riram da maneira como ela se referiu a um dos maiores jogadores brasileiros, campeão várias vezes da Liga Mundial e Campeão Olímpico.

— Tem um piloto campeão da Fórmula 1, bandas de rock. Até aquele jogador de basquete. Como é o nome dele mesmo, Buhba?

— Michael.

— Estão falando sério? Arthur, Rigo e... Michael estão juntos nessa parceria?

— Sim, além de alguns músicos. Waldir Menendes, aquele cantor espanhol já veio aqui várias vezes. Adora sentar com o seu violão e cantar para as crianças.

— Ele jogava basquete e trouxe as tabelas. Agora vive desafiando o Michel para o 1x1. Todas as crianças o adoram. Aquele quadro do Manute Bol encarando o Charles Barkley foi ele quem trouxe. Disse que simboliza quem manda aqui na África — Buhba explicava, completando os pensamentos da mãe e os nomes dos parceiros do projeto, deixando que ela apresentasse as benfeitorias realizadas na escola por Tommy e seus amigos.

Manute Bol havia morrido há algum tempo, mas era considerado um símbolo da luta africana por ter chegado à NBA, a maior liga de basquetebol do mundo.

— E agora você, trazendo a música e a cultura para nossas crianças — emendou a sábia senhora, não deixando que a parceria com a amiga ficasse abaixo dos grandes astros do esporte e da música.

— Estou me sentindo pequena perto de tantos astros que ajudam a comunidade de vocês e agradeço pela oportunidade e recepção. A senhora vai me arrumar uma salinha.

— Salinha? O Buhba não lhe contou? Já estão construindo um auditório. É pequeno, mas vai ficar lindo.

— Não acredito. Hoje parece ser o dia das surpresas não é mesmo, Buhba?!

— Gosto ver a felicidade da minha mãe ao apresentar a escola dos sonhos dela. Não tiraria dela a honra de lhe dizer.

Carol esforçava-se para não chorar mais, sentindo um misto de remorso pela sua atitude anterior, felicidade pelo andamento do projeto e, principalmente, por ter de volta em seus pensamentos aquele Tommy que se deitava em seu ombro.

Carol tinha *insights* imaginando os feitos de uma parceria de tamanha grandiosidade. Estava irradiando felicidade por ter seu projeto aceito em um dos países mais pobres do mundo. Poderia fazer dele uma rede de colaboração com a organização já estruturada. O seu projeto levaria a música erudita para uma tribo onde a musicalidade já era transmitida culturalmente pelas famílias, mas agora teriam a oportunidade de terem uma formação técnica específica. Imaginar aquelas crianças tocando violino, piano e outros instrumentos era fantástico.

As crianças se divertiam muito nos esportes de quadra, na sala de tecnologia e informática, assistindo à programas de TV e, além disso, algumas mães de alunos já preparavam a comida na bela cozinha da escola. Era tudo muito limpo e organizado. Naquele dia todos iriam almoçar na escola junto com as crianças.

Durante o almoço, as crianças receberiam a notícia diretamente de Carol sobre a construção do auditório e das aulas de música. Resolveu pegar o violino e tocar um *pot-pourri* de algumas músicas de Mozart, Beethoven e Vivaldi. Acreditou que uma bela mostra seria o melhor incentivo para que as crianças se motivassem pelas músicas eruditas. Sempre buscava interação em suas apresentações com o público.

— Vocês gostariam de aprender a tocar essas belas músicas?

As crianças levantaram e, pulando de alegria, aos berros responderam que sim.

Essa era a melhor resposta que a maestrina poderia ter recebido. Na noite anterior ao retorno para a Europa, Carol conversou muito com o amigo Buhba.

— Estou me sentindo muito mal pelas minhas atitudes, não dei a chance que ele merecia para se explicar. Não sei o que ele pensa hoje a respeito de tudo isso.

— Ele tem um sentimento muito forte por você. Eu disse que vocês tinham muitas semelhanças.

— Você tentou abrir os meus olhos. Eu criei situações contraditórias que só eu enxergava.

— Mas pense que daqui pra frente tudo pode ser diferente. Não vai haver mágoa.

— Preciso me desculpar de alguma forma.

— Acho que a melhor forma é você ir até ele. Não mande mensagem. Vocês precisam conversar olhando nos olhos.

— Acho bom eu ouvi-lo dessa vez porque é um ótimo conselheiro. Já pensou em ser conselheiro matrimonial?

Buhba deu uma gargalhada antes de responder.

— Se um casal já me dá esse monte de problemas, por que eu iria querer mais?

Carol compartilhou da gargalhada.

— Você é o mentor desse projeto, não é?

— Não. Todos as fases desse projeto foram minuciosamente detalhadas por Tommy. Ele pensa nisso enquanto se prepara naquela sala escura antes das corridas, porque ele não suporta que atrapalhem enquanto ele está escrevendo esses projetos. As corridas, ele projeta na pista, enquanto caminha com o Frederico, que cheira cada detalhe do lugar, mostrando ao Tommy os caminhos. O Frederico é o responsável pelo sucesso dele.

— Isso é verdade?

— Claro que não. Às vezes, ele deixa alguns presentinhos para os dois italianos.

— Do Frederico não posso duvidar nada. Mas, como eu pude não perceber a verdade?

— Ele vive e morreria por eles.

— Essa foi a sua frase no momento em que eu parti. Você disse isso e eu acreditei que se referia aos fãs. Me disse que não era isso. Como eu pude? Como?

— Lamentar-se é a cota daqueles que nada mudam. Agora cabe a você desfazer o mal-entendido entre vocês. Não se apegue ao sentimento de culpa. Pense em não perder a essência do que é verdadeiro.

— Vou falar pessoalmente com ele. Preciso que ele me perdoe. Obrigada, meu amigo, pelo que sempre fez por mim e pela sua lealdade a ele.

Antes de retirar-se, Carol pensou que deveria contar para o amigo sobre a sua saúde e as complicações que vinha sofrendo há alguns meses.

— Preciso lhe falar sobre outro problema. A minha saúde está agora mais debilitada. Preciso fazer um transplante de medula. Isso me trouxe uma piora também para as arritmias cardíacas. Estou na fila de espera, mas todos nós sabemos das dificuldades em encontrar um doador compatível.

— Mas, você está me parecendo tão bem.

— Estou fazendo um tratamento, com remédios que me deixam bem momentaneamente. No entanto, a realidade não é bem essa. Existe essa necessidade e logo ela será cobrada. Gostaria que você me ajudasse com a ONG. Nós temos uma equipe grande e muito boa trabalhando, mas não nessa organização global. Eu preciso que você não deixe que tudo acabe.

— Nada vai acabar e você ficará bem. Vou me empenhar em ajudar você primeiro. Quero que me procure depois para podermos fazer uma procura em bancos de doadores. Tenha fé.

— Sei que posso confiar em você.

— Vou começar uma busca pelos centros de pesquisas e hospitais. Tenho alguns amigos e vou pedir orientações para ampliar as buscas.

Carol abraçou Buhba e entrou no carro.

Capítulo 15

O reencontro

Já estava anoitecendo quando o avião aterrissou no Aeroporto Côte d'Azur, em Nice. Carol quase sempre adormecia durante as viagens aéreas, porém nessa ela não conseguiu fechar os olhos. A visita à escola onde instalaria uma nova base de seu projeto a deixava muito feliz. Havia várias pessoas patrocinando a escola e isso era muito bom para alavancar a música entre crianças tão abandonadas ao acaso.

Entretanto, a maior parte desse tempo foi dedicada a Tommy. Tinha um profundo sentimento de culpa que possuía toda a extensão do seu corpo, mas, mesmo com aquele emaranhado de desinformações e desencontros, ela estava feliz por estar errada no seu julgamento.

Assim que adentrou no saguão de desembarque e defrontou-se com aquelas pessoas, vestidas com suas roupas elegantes, malas de grife, pensou nas diferenças sociais entre os dois continentes. Entretanto, como era bom refletir e perceber que a simplicidade faz bem às pessoas. Como era bom lembrar-se do respeito entre as pessoas naquela tribo. Ali, no aeroporto, ela se sentia uma estranha, o que não aconteceu na África.

De seu celular pediu um Uber, que demorou menos de dois minutos para chegar. Não era indelicada, mas naquele dia não estava muito a fim de conversar com o motorista. Sua cabeça estava a mil por hora, por refazer os projetos aproveitando as parcerias já existentes. Queria chegar logo e ainda de dentro do carro fez uma ligação. Apenas dois toques e ela foi atendida por Tommy. Ouviu alguns latidos, vindos do Frederico. Sentiu saudades do pequeno.

— Carol!

— Tommy, tudo bem com você?

— Sim. Tudo bem! E você, como está?

— Bem. Quero dizer... bem mal... muito mal. Está em casa?

— O que aconteceu?

— Preciso ver você. Já estou a caminho.

Quando Carol chegou, Tommy a esperava na porta.

— O que aconteceu?

— Como eu pude fazer isso com você? Você sempre foi o Tommy que encostava em meu ombro e falava coisas bonitas. Como eu pude me esquecer disso?

Tommy a abraçou com força, percebendo a angústia que ela estava sentindo pela maneira como o havia deixado. Ele e o amigo Buhba já haviam conversado sobre a ida dela à escola, na África, e que por si só saberia da estreita relação entre o piloto e aquela tribo. Não seria difícil ligar os fatos. Sem esperar, tomou a iniciativa e a beijou ardentemente. Naquele dia, eles só saíram do quarto para tomar um café, quase às seis horas da tarde.

— Eu não consigo viver sem você, porque é a maior parte de mim.

— Você é o meu amor.

Novamente se beijaram.

— Por favor, me perdoe?

— Não precisamos disso. A culpa foi minha. São situações que eu nunca permiti que soubessem.

Depois de tomarem banho, foram para a sala que tinha uma bela vista para o mar, do alto das pedras, onde a casa estava enfincada. A paisagem era fantástica e eles tomavam um vinho branco. Tommy preferia vinhos chilenos e argentinos, feitos com a uva cabernet sauvignon, mesmo estando na França. Carol, por sua vez, preferia chardonnay branco. Mas ambos acompanhavam muito bem o outro, porém nessa ocasião, ambos concordaram em abrir um Salton Brut, produzido no Brasil.

Carol sabia que ele era conhecedor de bons vinhos e, claro, champanhes presentes em todas as corridas. Não se importava com os caros e sempre dizia que o sabor do vinho estava no acolhimento de quem o produzia.

Combinaram de viajar para visitar as vinícolas de Mendoza, na Argentina, e de Santiago, a capital chilena. A viagem seria para daqui a dois meses, quando a motovelocidade estaria encerrando as suas atividades. Tommy, provavelmente, estaria disputando o título com Mancini e Benedetti. Mas torcia ainda por bons resultados do seu companheiro, o jovem piloto português, Cardoso, para conquistar o título também por equipes.

Ainda faltavam os grandes prêmios da Holanda e Catar, onde seria disputada a última etapa. Era impossível prever qual seria o resultado final, pois Tommy ocupava a liderança naquele momento. Para atrapalhar mais uma conquista, somente opunham-se a brutalidade das Ducatis, de Mancini e Benedetti.

— Vem comigo para a Holanda nesse final de semana?

— Vou. Estou pensando em não mais sair do seu lado.

— Eu amaria ter você sempre ao meu lado.

Tommy estava deitado no ombro de Carol, mais precisamente sobre a sua marca. Era ali que se sentia melhor. O cheiro da pele dela era inebriante.

— Preciso lhe contar algo que aconteceu enquanto estávamos no GP da Argentina.

— O que aconteceu?

Carol levantou-se rápido da cama, demonstrando bastante curiosidade.

— Uma médica me ligou e disse que precisava falar comigo. Me contou uma história fantástica. Disse que eu conheceria uma mulher e me falou sobre suas marcas e cicatrizes. Era uma história sem pé e nem cabeça, até que você chegou à minha vida. A partir desse momento tudo mudou e eu comecei a pensar mais sobre isso porque muitas coisas aconteceram exatamente da maneira como ela disse que aconteceriam.

— Me conta essa história toda. Agora estou curiosa.

— Vamos lá. Segure-se.

Então, Tommy passou a narrar "o Segredo de Spalla" para a

maestrina, exatamente da maneira como a doutora havia lhe contado. Isso ficou martelando na sua cabeça por um bom tempo, com uma frequência muito intensa. Depois de alguns bons minutos apenas ouvindo, Carol disparou:

— Você acredita?

— É uma história bem louca na verdade. E, você, acredita?

— Seria uma boa justificativa para a intensidade do que sentimos.

— Ela disse que deveríamos tomar muito cuidado porque seremos perseguidos por alguém.

— Loucura de alguém que quer aproximar-se de você por algum motivo. Ela era bonita?

Tommy riu, o que não teve acompanhamento de Carol.

— Se fosse algo do tipo, ela não diria que alguém estaria entrando em minha vida.

— Faz sentido. Vamos pelas datas. Eu nasci no dia 22 de abril de 1977. Você não tem uma referência do dia em que você conseguiu a sua cicatriz.

— Era fevereiro. Isso eu tenho certeza porque estávamos ainda no início das aulas. Foi exatamente no dia anterior à morte do meu avô.

— Sabe a data?

— Não me lembro.

— Você consegue descobrir qual a data da morte dele?

— Posso mandar uma mensagem para minha irmã. Ela sabe com certeza. Já vou fazer isso.

Tommy enviou a mensagem e abraçou Carol. Logo seu celular vibrou. Era a resposta de sua irmã. Tommy a leu para Carol.

Bom dia, boa tarde ou boa noite! Nunca sei em qual fuso horário você está. Nosso avô morreu no dia 22 de abril de 1977. O que aconteceu? Beijo

— É inacreditável!

— Acredita agora?

— Não brinca com isso. Eu sou espírita já faz muito tempo. Fica difícil nos colocarmos como protagonistas nessa bela história, que certamente daria um belo livro e até mesmo um filme.

— Claro que eu respeito. Enquanto ela me contava, eu senti um arrepio muito forte correndo por todo o meu corpo.

— Existem muitas explicações. Mas é improvável pela magnitude de tudo isso. Talvez ela seja alguém que o conheça e quer se aproximar com outra intenção. Algum golpe.

— O Buhba também me alertou sobre isso. Quando contei para ele, o Frederico parecia querer falar. Ele uivava estranhamente e só havia ficado daquele jeito quando a sua companheira de longos anos, a Maitê, morreu.

— O que você queria falar para ele? — perguntou Carol ao Frederico que sempre os acompanhava, inclusive eles o apelidaram de Between. Frederico adorava a maestrina e parecia querer responder-lhe.

— Você precisa tomar certos cuidados.

— Vamos esquecer isso. Quer ir ao circo?

— Que máximo!!! Eu adoro circo.

Os dois viveram ali momentos de intenso amor, como sempre acontecia enquanto estavam juntos. Ainda no banho, eles comentavam sobre a marca e a cicatriz.

— Elas são muito idênticas mesmo. Será que é verdade?

— Você é tão diferente de tudo. Eu perco a vontade de fazer outras coisas. Só quero estar ao seu lado. Quero que me acompanhe em todas as corridas.

— Eu também sinto a mesma coisa. Fui tão tola tentando fugir de você e desse amor.

Logo estavam se preparando para irem ao circo. Jantariam em um restaurante vegano, acompanhado de um bom vinho. O restaurante foi sugerido por Carol, que queria conhecer o Koko Green, uma referência no mundo vegano.

Sempre ia para a Riviera para descansar e curtir a tranquilidade, mas quando saía sempre era reconhecido por algum de seus fãs e no circo não foi diferente, ainda mais chegando com uma de suas motos. As pessoas o reconheciam, mas não tiravam a sua paz. Era comum cruzar com jogadores de futebol, artistas e vários outros, pois ali, as pessoas já estavam um tanto quanto familiarizadas com os astros.

Havia no circo uma atração especial que despertava a sua curiosidade, o Globo da Morte. Com uma estrutura feita de metal e três motos circulando dentro dele ao mesmo tempo. Era difícil acreditar que aqueles pilotos pudessem fazer tantos malabarismos dentro de uma gaiola. Era algo que o fascinava e por várias vezes já havia confidenciado ao amigo Buhba que ele tentaria, quando tivesse a oportunidade.

Tommy pediu para conversar com os pilotos e foi atendido prontamente pelo gerente do circo. Eram dois irmãos e um primo que se apresentavam juntos há oito anos. Eram muito conhecidos em toda a Europa, não só pelo globo, mas também pelas apresentações em feiras e festas como acróbatas de motociclismo. Eram especialistas em manobras arriscadas. Tommy não poderia perder a oportunidade de conhecê-los.

— Tommy, nosso ídolo maior. — disse um dos irmãos ao vê-lo, descendo o zíper do macacão para mostrar-lhe a camiseta verde da Kawasaki — Tommy nº 5, com os mesmos desenhos do seu capacete da temporada anterior.

— Que prazer conhecê-los pessoalmente. Sempre quis saber como conseguem realizar essa loucura e eu sou fã número um vocês.

— Que isso, *brother*, nós é que somos seus fãs. Você é o maior piloto de todos os tempos.

— Está quase na hora de vocês se apresentarem e eu não quero atrapalhar o aquecimento de vocês.

— Não atrapalha. Aliás, não gostaria de se apresentar conosco?

— Sem treino algum? Acho impossível.

— Você sobe na "lambreta" e acelera em linha reta, nós desviamos de você. Não é uma H2R, mas você consegue.

O irmão mais velho rebaixou a categoria das próprias motos, como se fizesse uma comparação com a moto que Tommy apresentou no comercial a H2R, quebrando recorde de velocidade.

— A vontade é grande.

— Vamos lá!

Eles já estavam com outro macacão em suas mãos oferecendo-o ao piloto.

Tommy olhou para Carol, quase pedindo uma autorização. A moça deu de ombros, simbolizando que a decisão era exclusivamente dele.

— Ela pode assistir daqui de trás. Fica bem mais perto e pode ver melhor a nossa movimentação.

— Algum problema pra você?

— Você é louco de entrar nessa gaiola com três motos ao mesmo tempo?

— É um dos meus sonhos de criança.

— Mas, assim? Chega e vai? Não tem medo?

— Medo? Só de perder a oportunidade.

— Por mim, tudo bem. Mas assisto com a plateia para dar emoção.

Carol também não era o tipo de mulher que sentia medo de qualquer coisa. Tinha o mesmo estilo que se joga de braços abertos para novas emoções. Saltar de paraquedas, rapel, escalada em cachoeiras e morros. Literalmente divertia-se. Na garupa de Tommy também nunca sentia medo, ao contrário, às vezes pedia para que ele acelerasse. Também já havia dito para ele que desejava sentir a velocidade da H2R.

Tudo pronto para entrar no globo e iniciar as manobras. Já vestidos, inclusive utilizando a balaclava como item de segurança. No início iriam Tommy e um dos irmãos. Minutos antes de serem chamados um dos irmãos resolveu ir ao banheiro. Era comum isso acontecer pelo nível de ansiedade ao qual eles são constantemente acometidos. Só não era fácil depois de colocar todo o equipamento. Assim que retornou ouviram a mais famosa frase dos circos.

— Respeitável público. Temos o prazer em apresentar em nossa humilde casa, um dos maiores shows de pilotagem sobre duas rodas. Eles que são reconhecidamente os mais destemidos pilotos do mundo dentro de um globo da morte. Os Imortais. Andrei, Nikolai e Wlad, da família Polanski.

O apresentador, que era também o dono do circo, jamais economizava elogios às suas atrações e ele nem poderia imaginar que ali, dentro daquele globo, estaria o piloto mais reconhecido internacionalmente de todos os tempos.

Um dos irmãos disse colocando a mão no ombro de Tommy.

— Desculpe, irmão, mas aqui dentro nós somos os mais destemidos mesmo.

Uma boa dose de risadas para descontrair o ambiente. Tommy lembrou-se da corrida da Ilha de Man e concordou. Apenas o irmão que havia ido ao banheiro parecia tenso, olhando sempre para o lado oposto. Antes de entrar todos se abraçaram, deram as mãos e gritaram juntos:

— Imortais.

Então montaram em suas motos e encaminharam-se para o globo. Primeiro um dos irmãos, depois Tommy e, finalmente, o outro irmão O ronco fino daquele motor era ensurdecedor, o que dava mais emoção para aqueles que assistiam. Tommy deveria fazer a manobra mais simples, mantendo a velocidade e girando somente no sentido horizontal. Os irmãos deveriam fazer o xis em volta dele.

Tommy, tão acostumado às fortes emoções, estava ali realizando um sonho de criança. Estar entre os melhores do globo da morte era uma sensação única em sua vida. Ao sinal, Tommy deveria sair e trocar de lugar com o primo. Um dos irmãos estava aproximando-se cada vez mais de Tommy, trazendo perigo e aquilo não era usual entre eles. Sempre demonstraram habilidades, mas, acima de tudo, responsabilidade. Não deveria ser diferente com alguém não acostumado.

Quando tocado de leve, Tommy perdeu o controle, mas conseguiu equilibrar-se antes que a sua moto caísse. Ele mudou a trajetória dentro do globo, começou a fazer as manobras fugindo do piloto que tentava alcançá-lo. Já estava familiarizado com as possibilidades de movimentos e permanecia intocável, enquanto um dos irmãos berrava dentro do globo, tentando parar as loucuras do outro.

— Nikolai. Nikolai.

Todos desaceleraram para uma saída. Tommy sairia antes, mas o irmão que o havia tocado saiu antes, seguiu com a moto pelo meio da grande tenda, ganhando a entrada principal por onde fugiu. Tommy saiu depois. Andrei saiu e tentou ir atrás de Nikolai, mas desistiu e voltou. Tommy entrou no vestiário e encontrou Nikolai desacordado atrás de um banco.

A iluminação era fraca e Tommy estava com dificuldade em perceber o que estava acontecendo. No entanto, parecia bem claro que alguém o havia atacado e entrado em seu lugar. Alguns funcionários do circo logo se aproximaram e ligaram para o pronto-atendimento, que chegou em cinco minutos.

— O que aconteceu com o Nikolai?

— Não era ele quem estava lá dentro. Seu irmão foi atacado por alguém que tomou o seu lugar. — Tommy tentou explicar, mas também não estava entendendo o que havia acontecido.

— Meu irmão jamais teria tentado derrubá-lo como aquele cara fez com você.

— Você tem ideia de quem pode ter feito isso?

— Ele entrou no lugar do meu irmão e tentou derrubar você, então acredito que você seja o alvo. Nunca tivemos problemas.

Nesse momento entra o dono do circo, que havia sido avisado por um de seus funcionários e com a sua voz estridente quis logo saber o que havia de errado.

— O que está acontecendo aqui? Quem era aquele cara saindo com a moto?

— Tommy, é melhor você sair e nós resolvemos aqui. Cuide-se, *brother*.

— Obrigado por tudo e me desculpe pelo transtorno.

— Boa sorte!

— O que está acontecendo, Tommy?

— Eu ainda não sei, mas precisamos sair daqui logo. Alguém tomou o lugar do Nikolai no globo e tentou me derrubar. Queria me assustar.

— Quem está ficando assustada, sou eu.

— Calma.

Tommy pegou a mão de Carol e procurou sair dali o mais rápido possível. Chegaram até a moto, colocaram os capacetes com os transmissores e saíram rápido. Ainda tinham um longo caminho até a casa. Agora mais tranquilo, Tommy diminuiu a velocidade para respirar um pouco de ar fresco, mantendo a viseira levantada. A *Promenade des Anglais*, principal avenida beira-mar da cidade, não estava com tráfego muito intenso, Tommy dirigia com uma das mãos e com a outra ele segurava a mão de Carol.

— Estranho acontecer logo agora que estamos juntos. Até parece que...

Antes de terminar a frase, Tommy olhou pelo retrovisor e viu um farol de moto ultrapassando vários carros em zigue-zague. Não estava acostumado a ver os pilotos por essa perspectiva em uma corrida, mas aquela moto aproximava-se de maneira extremamente suspeita. Resolveu acelerar, no mesmo ritmo em que seus batimentos cardíacos também aceleravam, pois temia que alguém ainda os perseguisse. Percebeu que a moto ainda continuava aproximando-se.

Carol havia abaixado a viseira quando percebeu que Tommy estava acelerando forte e algo estava errado. Agarrou-se ainda mais em Tommy. Quando olhou para trás viu uma moto quase emparelhada com dois homens e perguntou:

— O que está acontecendo?

— Não vamos esperar pra ver.

Abaixou a viseira para proteger os olhos e apertou a mão de Carol que estava agarrada à sua cintura, queria transmitir-lhe segurança. Por algum tempo ele pilotou sem soltar a sua mão, até que ela pegou a mão dele e a direcionou novamente para o guidão da moto. Apesar de todo o seu arrojo e experiência, ela estava amedrontada.

A moto, totalmente negra, estava lado a lado, com dois homens vestidos com roupas e capacetes também pretos. Aquela visão ao lado mais parecia a própria sombra da moto de Tommy. Dificilmente haveria outra moto capaz de acompanhar a moto H2R da Kawasaki, assim como acompanhar Tommy com todas as suas habilidades sobre duas rodas. Tommy dificilmente apresentava sensações de medo em suas corridas ou treinos. Sempre disse que seu maior pesadelo havia sido na Ilha de Man, quando moto e piloto rolaram pela ribanceira. Naquele momento ele temia muito mais pela vida de Carol que estava agarrada a ele.

— Acelera!

Tommy e o outro piloto pareciam disputar uma prova final do Moto GP, mas dessa vez entre os carros e caminhões. Por várias vezes eles estiveram com as carenagens coladas. Pareciam não estar armados, o que dava mais condições para Tommy querer fugir. A história contada pela doutora Adele agora estava martelando mais forte na cabeça de ambos. O garupa tentava segurar o guidão de Tommy, tentando fazê-lo diminuir. Eles não queriam forçar uma queda, ou já poderiam ter tentado.

Era uma pista bastante sinuosa e com subidas e descidas, mal sinalizada. Mas eles conseguiram acompanhá-lo. Tommy acelerou forte a H2R, mesmo sem conhecer aquela estrada. O velocímetro agora marcava quase trezentos quilômetros por hora, a moto novamente emparelhou e uma subida que terminou repentinamente em uma curva de noventa graus.

Tommy só conseguiu segurar o guidão e foi salvo por uma estrada de terra que seguia em frente. Não souberam o que aconteceu aos dois que os seguiam. Foi preciso recorrer ao GPS para reencontrar o caminho de volta para casa. Ambos estavam muito assustados, mas acharam melhor não envolver a polícia nessa história maluca. Poderia lhes causar mais problemas do que soluções. Pelo celular, pediu a Buhba que pedisse seguranças para a entrada da casa. Era ao amigo que ele recorria a cada problema, pois sabia que podia confiar nele e a solução era quase sempre imediata.

A casa na Riviera Francesa era grande e construída em dois andares, com os quartos na parte de cima e área social embaixo. Ela havia sido construída no alto de algumas rochas e era de difícil acesso. Tommy apaixonou-se pela vista do mar e, ao mesmo tempo, ela lhe oferecia a privacidade em seus momentos de descanso de que ele tanto precisava. Ao aproximar-se percebeu que havia seguranças que faziam movimentos circulares com lanternas, como Buhba havia pedido para certificarem-se que eram da sua equipe. Ao entrarem na casa foram recebidos pelo Frederico.

— Ei, meu amigão, você precisa nos proteger. Estamos em apuros.

— Between vai nos proteger?

— Quero entender com quem ou o que estamos lidando.

Tommy ligou para Buhba que ainda estava com a família na África.

— Tommy, está bem?

— Sim. Já estamos em casa e os seguranças estão no portão. Você faz o contato com a Adele?

— O que você acha que foi isso? Carol está bem? Não seria pior ligar pra ela? Já lhe falei que tudo isso é muito suspeito.

— Está bem. As cicatrizes, as datas, tudo o que ela disse está acontecendo, inclusive as perseguições. Tentaram me derrubar dentro do globo da morte, no circo.

— Globo da morte? Você está louco, Tommy? Onde você foi se meter?

— Os russos me convidaram para participar e eu aceitei porque era um sonho de criança. Agora está realizado. Mas alguém desacordou um deles e entrou em seu lugar no globo e tentou me derrubar. Depois nos perseguiram na estrada.

— Você confiou neles, Tommy?

— Eu estou indo pra aí. Melhor não saírem de casa, por enquanto.

— Não precisa se preocupar agora. Estamos bem. Estou pensando no que virá depois. A viagem pra Holanda é na quarta, certo?

— Sim. Polícia?

— Quem acreditaria?

— Acha que os russos podem estar envolvidos?

— Acredito que não. Eles não queriam roubar ou matar. Apenas nos cercavam e o piloto era profissional. Os russos do globo são muito bons pilotos, mas um deles também foi atacado.

— Não pode confiar em ninguém. Vou reforçar a segurança.

— Faça isso. Obrigado, mais uma vez, meu amigo.

— Cuidem-se.

Antes de dormir perceberam que o pequeno Frederico estava sentado na frente da cama em posição de guarda, como se tomasse conta do casal. Era dócil e incapaz de morder alguém. Os schnauzers são pequenos e muito carinhosos, quase sempre incapazes de oferecer riscos a qualquer pessoa. Mas o pequeno devia mesmo acreditar com aquela postura de cão de guarda que poderia colocar algum intruso em maus lençóis. Pelo menos ele descontraiu o casal, que ainda estava tenso.

Pela manhã perceberam que estavam muito bem guardados pelos seguranças no portão e na entrada da casa. Estariam protegidos para desfrutar a paz da mansão e a bela vista para o mar Mediterrâneo. Era uma companhia de segurança de elite reconhecida em toda a Europa que já prestava serviços para a equipe. Aquele portão certamente ninguém conseguiria ultrapassar.

Viveram ali momentos de intenso amor, aproveitando a momentânea tranquilidade, em cada quarto, sala e espaço daquela linda casa. Os dias passaram rápido demais e, na quarta-feira, Tommy rumaria para a Holanda, levando Carol consigo, pois decidiram que ela não deveria retornar para a sua casa. Deveriam ficar juntos, pelo menos até que aquele mistério pudesse ser resolvido.

Acompanhados pelos seguranças chegaram ao aeroporto. Discordando de Tommy, Buhba acertou para que dois seguranças estivessem acompanhando o casal. Deveriam estar à paisana e seriam um homem e uma mulher que pudesse acompanhar Carol a qualquer parte. Não deveriam descuidar-se, mesmo depois de terem chegado à Holanda. Era indigesta para o casal aquela sensação de estarem sendo vigiados o tempo todo. A liberdade sempre foi uma busca frequente para ambos.

Desembarcaram no Aeroporto Amsterdam Schiphol, há pouco menos de cento e cinquenta quilômetros de Assen, uma pequena cidade com cerca de setenta mil habitantes, onde fica o TT Circuit. Um carro alugado estava à espera do casal. Buhba já os esperava na frente do motorhome da equipe. Tommy não havia reparado a nova pintura que cobria toda a lateral daquela enorme carreta. Foi Carol quem viu primeiro e chamou a atenção.

— Ficou linda essa nova pintura.

— Que pintura?

— Venha aqui ver.

— Ninguém havia me falado sobre essa nova pintura.

Agora os três rodeavam a carreta afastando-se um pouco para obterem um melhor ângulo de visão daquele enorme mural. Eram fotos de Tommy, Cardoso e suas motos em várias situações de corridas que cobriam toda a carreta. Carol chamou a atenção de Tommy para uma foto menor onde Tommy estava com o macacão abaixado, com as mangas amarradas à sua cintura, e uma camiseta sem mangas, expondo a sua cicatriz.

— Está bem visível.

— Mas eu acredito que a sua marca eles ainda não conhecem Devem ter me vigiado durante todo esse tempo para chegarem até você.

— Que loucura é essa? Quero a minha paz de volta.

— Vai ter, acredite em mim.

Enquanto conversavam, eles eram acompanhados pelos dois seguranças. Buhba disse que a empresa afirmava que poderiam confiar neles de olhos fechados. Ambos eram lutadores de várias artes marciais. Anderson era alto, magro e inspirava total confiança a Tommy, porém pediu para Buhba que revisse com a empresa a troca da Amanda. Era também muito forte, mas ele insistia para que fossem dois homens. A perseguição na estrada da Riviera havia deixados os dois apavorados e não queria baixar a guarda.

Todas as equipes tinham seus seguranças e isso deveria fazer com que o autódromo fosse um dos lugares mais bem-guardados da cidade. Precisavam relaxar um pouco. Segundo Buhba, tudo deveria ser um golpe para assaltar o casal ou roubar aquela moto que chamava a atenção por onde passava. Buhba insistia em não acreditar naquela história maluca que a doutora Adele havia contado para Tommy.

Durante os outros dias tudo correu tranquilamente, fora a agitação normal das pistas. Tommy estava sem o seu companheiro de reconhecimento dos autódromos. Fredericc havia ficado na casa da Riviera. Na sexta-feira, dia do primeiro treino oficial, Carol também não poderia acompanhá-lo, pois não estava sentindo-se bem. Não quis ir ao hospital.

— Carol, é melhor você passar por um médico. O hospital da cidade é pequeno, mas nessa época ele recebe maiores cuidados por causa da corrida.

— Acabei de tomar meus remédios e logo estarei melhor.

Tommy estava visivelmente desconcentrado, com seus pensamentos nos problemas extra pista. Estava com o sétimo tempo, quase perdendo a moto em saídas de curvas fáceis. A preocupação com Carol e com a lenda contada pela doutora Adele o atormentavam. Nem Buhba, ou qualquer membro da equipe, conseguia fazer seus pensamentos voltarem para a corrida. Buhba ouviu Luca comentando com um dos mecânicos que a vinda da maestrina atrapalhava o desempenho em todo o campeonato. Mas ele jamais comentaria com Tommy, pois não queria piorar ainda mais a relação entre eles.

Carol, agora um pouco melhor, preferiu ficar descansando no motorhome, em uma cama colocada na segunda sala a pedido de Tommy. Ela sabia que Tommy estava preocupado com a sua saúde e que estava prejudicando a sua participação naquela prova.

— Sei o que está pensando, mas é por você. Ele estaria pior se você não estivesse aqui e quer vê-la segura.

— Mas nem todos pensam assim.

— Não se importe com os outros. Tenho certeza de que tentaram um golpe contra ele, mas aqui estarão seguros.

— O que o Luca disse sobre os seguranças?

— Eu disse que tentaram assaltar vocês e eu contratei, mesmo contrariando as ordens do Tommy.

— Você assume todos os problemas, sempre. E agora não só por ele. Você é nosso anjo. Posso reconhecê-lo.

Carol segurou a mão de Buhba e agradeceu.

Buhba percebeu que ela estava em estado febril.

— Calma! O remédio já vai fazer efeito.

— O médico do autódromo pode atendê-la.

— Não vamos sair daqui agora.

Na pista, Tommy havia despencado para o décimo primeiro lugar, nos treinos oficiais da sexta-feira. Logo atrás dele estava seu companheiro de equipe Cardoso. As duas Ducatis estavam disparadas na frente. Atrás das Ducatis vinham as duas Hondas e depois estavam emboladas as outras equipes.

Tommy percebeu que, do outro, lado Mancini e Benedetti o encaravam fixamente. Era provável que estavam tentando entender o que afligia o campeão, já que ele não conseguia obter êxito em muitas de suas manobras. Faltavam-lhe aquela inquietude e irreverência que sempre o levavam para as vitórias. O campeão estava longe de domar a sua máquina.

Antes de fazer o trajeto de bicicleta pela pista, Tommy quis passar no motorhome para ver como estava Carol. Sabia que ela não estava bem mas não tinha conhecimento da real condição de saúde em que ela se encontrava. A necessidade de fazer o transplante era iminente e irreversível. Ela tentava ser forte e não transparecer toda a sua incapacidade em ser aquela guerreira que a tornava conhecida.

Ao chegar próximo ao motorhome pôde ouvi-la tocando. Era *Sweet Child O´mine*, do Guns N' Roses, que ele dizia ser a música favorita. Tommy entrou devagar para não atrapalhar, não queria que ela parasse de tocar. Esperou até o final para abraçá-la.

— Que bom que já está melhor.

— Sim, já estou bem melhor. Como foi o treino?

— Nada que não possa ser revertido na corrida.

— Quem não estava bem? O homem ou a máquina?

— Hoje o homem deixou a desejar. Melhor assim, fica mais fácil de resolver. A máquina parecia estar com vergonha de mim hoje.

— Relaxe um pouco.

— Preciso fazer a linha contrária para ver como devo proceder amanhã. Vem comigo?

— Acho que vou terminar a minha conversa com Buhba sobre o projeto. Vocês me esconderam tantas coisas que agora eu tenho essa necessidade imensa de saber como funciona tudo.

— Estão me deixando de lado, mas tudo bem. Volto logo.

Tommy beijou a moça e, de punhos fechados, cumprimentou Buhba. Pegou a bicicleta e saiu em sentido anti-horário. Anderson que deveria acompanhá-lo ficou sem saber o que fazer.

— Meu amigo, se você pretende vir comigo é melhor pegar a outra bike, pois o caminho é longo.

Saíram juntos, mas Tommy prestava muita atenção na pista, olhava, media e comparava com o olhar. Pouco conversava, não porque menosprezava a presença do segurança, mas porque esse era o momento em que ele começava a fazer a diferença. Talvez essa fosse a maior delas entre ele e os demais pilotos, a determinação. Na volta, Tommy descontraiu-se um pouco e passou a conversar com o segurança.

— Desculpe por não ter falado com você na ida. Eu tenho esse momento como revisão de todas as passagens sobre tudo o que deve ser corrigido.

— Relaxa. Eu sou seu fã faz tempo. Uma vez li uma reportagem em que falavam sobre o seu comportamento. Você faz a diferença.

— Foi uma reportagem do Thiago Rossi. Ele ficou meu amigo depois daquele dia.

O segurança compreendia perfeitamente o que o piloto estava fazendo. Tommy estudava minuciosamente cada milímetro da pista que poderia lhe oferecer uma oportunidade de acelerar, frear, enfim, utilizar-se de todos aqueles pormenores para que ele pudesse fazer a diferença.

— Mas e você, pratica algum esporte?

— Tenho preferência pelas artes marciais. Eu era especialista em

Muay Thai, Jiu Jitsu, Boxe e algumas outras em menor escala. Tentei carreira no UFC e estava indo bem, até que uma fratura na perna direita me tirou a oportunidade de disputar o título.

— Eu curto UFC. Você nunca mais tentou depois de se recuperar?

— Descobri que tinha outra missão a cumprir.

— E sobre a Amanda, você acredita que ela está à altura desse trabalho?

— A Amanda é a melhor. Também foi uma grande lutadora do UFC. Tinha grandes chances de chegar ao título, mas ela simplesmente desistiu da carreira.

— Mas vocês tinham tudo para ser grandes campeões de um esporte que cresce muito, por que terminar assim?

Anderson olhou para Tommy e sorriu.

— O que é um título comparado a estar com vocês?

— O que quer dizer?

— Tommy, nós sabemos que as pessoas que estão atrás de vocês são grandes. A nossa missão é protegê-los. Por isso Buhba nos convocou.

— Convocou?

— Contratou.

Anderson saiu pedalando e então demonstrou outras habilidades.

— Essa pequena depressão vai acumular sujeira. Evite-a.

Não havia muita vegetação próxima ao autódromo, deixando a vista de puro concreto com certo ar de tristeza. Mas havia, naquela tarde, uma vista fantástica saindo diretamente das nuvens. Entre elas, em diversos tons de branco e cinza, havia um buraco, por onde vazavam os raios do sol, descendo de maneira a abrir-se em forma de leque sobre todo o autódromo, dando-lhe um ar divino.

Naquela noite, Tommy preparou uma surpresa para Carol. Pediu a Buhba que organizasse ali no motorhome um jantar japonês, sem peixe ou frutos do mar. Dizia exatamente as combinações que desejava. Carol já estava mais animada, cantando e tocando violino. A sua doença apresentava-se assim, em altos e baixos. Algumas dores nas pernas, mal-estar, marcas roxas que apareciam do nada e estado febril. Sintomas previamente descritos pela médica que indicavam a necessidade do transplante com certa urgência. Carol não havia encontrado possíveis doadores na família, por isso fazia parte de lista de espera em um banco de doadores mundial.

Buhba quis deixar os dois a sós para que pudessem desfrutar do jantar, mas logo foi impedido de sair pelos dois.

— Onde você pensa que vai? Comer pipoca?

— Curtam esse momento.

— Buhba, você adora comida japonesa e pipoca também. Mas vai jantar conosco — insistiu Carol, pois eles tinham algumas coisas para acertar sobre todos os fatos que aconteceram nas últimas semanas e estar a alguns milhares de quilômetros de distância não era garantia de estarem livres de todos os problemas.

— Já ia preparar a minha pipoca, mas já que insistem. Na verdade, eu ia sonhar com essa barca.

— Como seu não soubesse disso.

— Vocês sabiam que o Anderson e a Amanda eram estrelas do UFC e desistiram da carreira?

Tommy queria testar a reação de Buhba ao ouvir a frase solta intencionalmente ao seu lado.

— Sério? E você estava achando que a Amanda deveria ser substituída.

— Eles haviam me falado qualquer coisa assim quando foram contratados. Eu pedi pelos melhores e acho que eles entenderam à risca.

— Mas eu não sei se existe a necessidade de nos acompanharem em nossa próxima viagem?

— Tommy, nós já havíamos combinado sobre isso. Você não acha que deveria ouvir a Cá, antes de decidir. Ela precisa sentir-se segura também.

— Claro! Cá, a decisão é sua.

— Eu acho que até domingo nós teremos uma resposta mais clara.

Não adianta decidirmos agora se ainda não sabemos o que está por vir. Se continuar tudo tranquilo como agora é porque pode ter sido uma situação pontual. Mas eu ainda tenho receio de que possa acontecer alguma coisa. Principalmente por você durante os treinos e corrida.

— Podemos reorganizar o contrato para eles continuarem por mais um tempo.

— Acho prudente que seja feito dessa maneira.

— Ok. Então vamos comer.

— Hoje o Mancini estava me olhando de uma maneira muito estranha. Não consegui decifrar o que estava acontecendo.

— Hoje você estava dando mole. Claro que eles estavam achando estranho. Eu também percebi a maneira como eles te olhavam depois do treino.

— Esse autódromo é tão quente. Eles deveriam plantar mais árvores no seu entorno. É muito diferente dos demais e logo na Holanda, um país tão rico em flores — reclamou Carol por não haver flores e área verde que poderiam inclusive diminuir a temperatura do autódromo.

Buhba não se demorou muito para ir. Percebeu durante o jantar que o casal estava de mãos dadas. Precisavam ficar juntos. Era Carol quem revigorava as forças de Tommy. Era ali que ele se sentia seguro e amparado, recostando-se em seu ombro, onde sentia o cheiro da sua pele, e a olhava nos olhos e sentia sensações indescritíveis. Tinham o fogo da paixão, mas naquele dia era Tommy quem precisava ampará-la e dar força. Estar ao seu lado era a maneira que ele tinha para retribuir.

Antes de sair, Buhba brincou com o casal.

— Que lindo seria um filho de vocês dois. Já perceberam que têm exatamente a mesma cor de olhos, cabelos e pele?

— Não são exatamente iguais, ou são?

Ambos ficaram em dúvida. Mas para Buhba não havia dúvida alguma.

— Exatamente iguais, inclusive o brilho ao fundo. Sempre reparei nisso.

Carol vestia a camiseta cinza, com o símbolo da marca esportiva que o patrocinava, a mesma que sempre pegava. Ela jamais havia vestido qualquer camiseta de Tommy antes de visitar a África e conhecer como funcionava o mundo das camisetas e das roupas que ele ganhava dos patrocinadores. Depois daquele dia ela parecia não mais querer tirar as roupas que eram dele. Não as novas que ele ganhava, sempre as mais velhas, as que ele tinha usado mais. Aliás, Tommy, por sua vez também gostava quando ela usava porque o cheiro da sua pele ficava em suas roupas.

Adormecer no ombro da amada era, além de revigorante, muito confortável para Tommy, mas depois de um certo tempo Carol acordava com o braço formigando. Era comum isso acontecer nos dias em que passavam juntos e, nesse momento, Carol aproveitava para atacar a geladeira. Quando estava na casa da Riviera, Tommy algumas vezes surpreendeu a maestrina, acompanhada do Frederico assaltando a geladeira. Mas, durante esse pequeno delito na Holanda, ela não estava acompanhada do pequeno companheiro.

Ambos sentiam muito a falta do pequeno que os acompanhava em todos os momentos. Comendo pipoca enquanto assistiam a um filme ou série, ali estava o pequeno Frederico ou Between. Ele, literalmente, posicionava-se entre os dois. Quando estavam meio distanciados ele deitava-se em uma posição onde poderia ver os dois ao mesmo tempo. O pequeno colocava-se de certa maneira parecendo cuidar dos dois.

Carol voltou para a cama, deitou-se e dormiu abraçando Tommy pelas costas. Sabia que a vida de piloto não era fácil. Ele sempre acordava cedo e cumpria um plano de exercícios de flexibilidade e força, depois seguidos de uma complementação aeróbia, às vezes, por corrida ou de bike. A sua preparação física era um dos pontos-chaves para a manutenção de boas apresentações nas pistas.

No início dos treinos do dia seguinte, antes dos treinos classificatórios, Tommy pediu a Carol que passasse a sua *playlist* de músicas para Buhba inseri-las no microchip do capacete. Eram rocks clássicos gravados por ela ao violino. Naquele dia, especialmente, ele precisaria de toda a motivação. Ele mesmo colocava sobre seus ombros a pressão por colocar a sua equipe entre as primeiras posições. As Ducatis e as Hondas estavam muito à frente e ele partia da décima primeira posição.

Início dos treinos e, logo na abertura, Tommy saiu acelerando muito forte, confirmando suas estratégias de corridas anteriores. Partiu assim que a pista foi liberada, pois queria a pista sem nenhuma moto à sua frente. Os cronômetros visualizados nos boxes informavam que ele vinha forte, como se o ritmo imprimido ao violino pela maestrina pudesse empurrar a sua moto com uma potência muito maior do que havia apresentado no dia anterior. Passou com o quarto tempo na primeira volta, tirando de cara uma das Hondas. Tommy estava, finalmente, concentrado no circuito de Assen.

Ele não era o mesmo do primeiro dia, havia recuperado aquele olhar de vencedor atrás da viseira fumê. Lembrou-se do olhar de Mancini, no dia anterior, e nesse momento despejaria a sua raiva. Quando apontou na reta para abrir a sua segunda volta rápida, percebeu as duas Ducatis saindo dos boxes.

Estrategicamente eles deveriam dificultar a passagem de Tommy e ambas estavam à sua frente. Precisava ultrapassá-los. Tentava ludibriá-los, porém, sem sucesso. Na reta, eles conseguiam abrir uma certa vantagem e nas curvas eles seguravam Tommy. Tinham a certeza de que nenhum outro piloto conseguiria ultrapassá-los.

Luca tentou várias vezes comunicar-se com o piloto, cortando o som da música, pedindo para ele dar um tempo nos boxes e depois voltar. Mas não era assim que as coisas funcionavam para Tommy. Carol acompanhava a briga de Tommy, agora ao lado de Buhba, na frente dos boxes. Mesmo acima dos trezentos quilômetros por hora, ele conseguiu compreender o medo naquele olhar. Foi assim que, num ritmo alucinado, Tommy conseguiu colocar a sua moto emparelhada com as duas Ducatis, e eles chegariam juntos, os três ao final da reta que, certamente, ficaria estreita para a batalha.

O público aplaudia de pé aquela chegada nas cores verde e

vermelha. A torcida era para que Tommy e a Kawasaki conseguissem superar os italianos. Tommy havia conseguido colocar a sua moto por dentro, o que lhe daria a preferência na próxima curva. Seria uma glória conquistar a pole, devido às atuais circunstâncias. Tommy olhou para o lado para elaborar a melhor estratégia para a tomada da curva.

A visão sobreposta era como se houvesse apenas uma Ducati com os dois pilotos sobre ela. Mancini à frente e Benedetti na sua garupa. O sol brilhando intensamente destacava-se naquela imagem, realçando ainda mais o *déjà-vu* que se formava ao seu lado. Uma imagem escurecida e nítida ao mesmo tempo, através da viseira fumê. Aquela visão ficou printada na memória de Tommy, que não conseguiu relacionar aquela imagem à de outras corridas com os três pilotos quase na mesma linha. Era um fato inédito, mas que lhe trouxe uma memória já vivenciada.

Durante alguns milésimos de segundos, passou o filme de muitos momentos na cabeça do piloto porque, certamente, esses *déjà-vus* são muito mais intensos nos esportes radicais e de velocidade. Tommy sentiu que seria fortemente pressionado pelos dois pilotos no final da reta. Quando voltou seu olhar para a frente, viu o rosto de Carol projetado sobre a carenagem da moto e pressentiu que ela não estava bem. Buhba cuidava dela, mas sabia que somente um transplante de medula poderia salvá-la.

Ao final da reta Tommy mantinha a preferência para a curva, Mancini estava ao lado e Benedetti agora estava um pouco mais atrás, colocando na sua alça de mira o pneu traseiro da Kawasaki. Tommy foi tocado ao mesmo tempo na lateral da carenagem por Mancini e na roda traseira por Benedetti. Ao tentar manter a moto em pé, a roda de Benedetti escorregou e também foi levado ao chão. Tommy sofreu uma queda espetacular com as duas motos rodando várias vezes e passando ao lado do seu corpo que escorregava pela brita. Tommy aproximou-se de Benedetti e o empurrou, sendo contido rapidamente pelos agentes do autódromo.

Mancini seguiu em frente para consolidar o seu tempo e anotar mais uma *pole* em sua carreira. Benedetti seria o segundo e Tommy largaria na quinta posição, pois havia perdido mais uma posição para o segundo piloto da Honda. Tommy queria voltar rápido para os boxes para acalmar Carol que não deveria ter sua situação piorada pelo nervosismo.

Apesar de todos os entreveros que vinham acontecendo ultimamente entre as equipes, os pilotos jamais haviam chegado às vias de fato. Há que se lembrar que nunca houve um clima amigável entre os três pilotos. Muitas vezes chegaram a se tocar e, na maioria das vezes, propositalmente. Mas alguma coisa estava diferente dessa vez. Aquele *déjà-vu* agora voltava à sua memória como um aviso do que viria pela frente.

Carol estava ao lado de Buhba de frente para a TV, assistindo ao acidente com as duas mãos na cabeça.

— Calma, ele saiu ileso. Viu? Ele saiu andando. Nenhum arranhão — Buhba tentava acalmá-la. — Tome um pouco de água.

Cinco minutos mais tarde, depois de pagar uma carona na moto de Cardoso, Tommy já estava ao lado de Carol para dar-lhe um abraço apertado.

— Você está bem?

— Sim, estou bem. Mas o problema é com você. Difícil acreditar que não se machuca.

— Eles armaram mais essa pra você e estão sendo analisados pelo comitê — disse Buhba.

— Não vai dar em nada. Eles vão alegar que estávamos enroscados desde a reta. Espero que seja assim mesmo até a corrida.

— Tommy, não faça nada que vá prejudicá-lo ainda mais.

— Claro que não. Só estou com uma vontade incrível de vencer essa corrida. Estou mais preocupado com você.

— Eu tive uma sensação muito ruim quando você passou na nossa frente, com eles ao seu lado.

— Eu também senti algo muito estranho. Foi como se eu já tivesse vivido aquela cena em algum outro momento.

Tommy alegou dores e a necessidade de tratamento para não conceder a entrevista. Mesmo sem estar entre os três primeiros colocados, era um dos mais procurados pelas emissoras a dar entrevistas, principalmente dentro das atuais circunstâncias. Os comentaristas evidenciavam como um "cerco" arquitetado pelos dois pilotos contra Tommy.

Na verdade, ele só queria estar na tranquilidade da sua sala com Carol. Passou rapidamente pelos boxes, conversou com os mecânicos e deixou Luca, que já traçava novas estratégias e acertos para a moto, falando sozinho. Isso o deixava muito irritado, socando o ar na frente dos mecânicos. Tommy e Carol voltaram para a pequena tranquilidade oferecida dentro do motorhome. Buhba os acompanhou até lá e quando Carol entrou para tomar banho. Tommy chamou Buhba no canto para conversar.

— Como ela estava durante o treino?

— Bastante teimosa e nada bem ao meu ver. Estava aparentando um pouco de mal-estar e febre. Não quer demonstrar suas fraquezas porque não quer afastar-se de você. Sente-se culpada pelo tempo que ficaram longe e talvez seja uma forma de tentar recuperá-lo.

— Mas ela precisa ir ao médico. Precisamos convencê-la a acelerar esse transplante. Você deve conhecer alguém.

— Já tentei. Mas não é fácil. Além disso, existem filas que não podem e não devem ser burladas. Tinha que haver alguém da família, alguém próximo.

— Não tem ninguém da família compatível para doar. Precisamos procurar no banco mundial, com uma precisão maior.

— Mas, e sobre a visão que disse ter visto?

— Foi muito estranho hoje na reta, antes da curva. Foi um *déjà-vu*.

Tommy explicou detalhadamente aquela imagem para Buhba.

— Pode ter sido uma espécie de pressentimento sobre o que aconteceria depois.

No jantar, Carol ofereceu-se para fazer uma macarronada, não relacionando aos fatos ocorridos com os italianos durante aquela mesma tarde. Logo foi repelida com boas risadas de Tommy e Buhba que levaram na brincadeira, tendo como descontração para o estresse momentâneo.

— Depois de tudo isso, você quer fazer comida italiana? Vamos comer uma comida japonesa, com muita raiz forte e muito verde. Nada de vermelho, por favor.

— Eu só pensei em algo rápido e todos adoramos macarronada, ou não?

— Eu também já não gosto mais. Estou com Tommy. Comida japonesa verde, com brócolis, pimentão.

— Ok! Me desculpem. Mas não devemos associar esses caras à comida italiana. Nunca mais vão comer pizza?

Os dois apenas se olharam e rapidamente responderam juntos em tom de brincadeira.

— Não!!!

Tommy precisava estar relaxado para a corrida, mas o que mais o afligia não eram as situações colocadas dentro das pistas. Aquilo ele sempre tirava de letra, mesmo sabendo que dessa vez a situação era muito mais relevante. Teria saído no braço com Benedetti, não fosse a intervenção imediata dos fiscais de pista, que previram o que poderia acontecer quando Tommy aproximou-se do piloto da Ducati.

A situação de Carol era urgente e também era aparente a diminuição no seu estado de ânimo. Sempre foi uma guerreira, hiperativa e determinada. No entanto, hoje ela demonstrava o cansaço que sentia e pouco falava de suas dores, mas devia sentir, pois era um dos principais sintomas, além da febre. Tanto Tommy quanto Buhba já haviam dito a ela que essa era a prioridade deles agora e que não seria necessário esperar o final do campeonato para que ela fizesse mais exames.

Tommy sugeriu que Buhba a acompanhasse e tomasse todos os cuidados necessários. Ela sabia que seria bem amparada por ele, mas preferia estar ali. Tinha mais duas semanas até que tudo terminasse, para depois então seguirem juntos. Ela não queria mais deixá-lo, ainda mais naquela situação de estresse ao qual o piloto estava exposto. A equipe italiana jogava com todas as cartas na reta final do campeonato. Deveriam permanecer juntos.

Tommy tinha apenas um ponto de vantagem sobre Mancini e seis sobre Benedetti. O mundial por equipes já estava praticamente perdido nesse ano, porque seria necessária uma combinação muito grande de resultados para reverter a situação. Cardoso ocupava apenas a sexta posição na classificação geral. Não era culpa dele, pois seria difícil para qualquer outro piloto que não tivesse a experiência e as habilidades de Tommy para levar a Kawasaki até as primeiras posições. Era perfeitamente compreensível.

Depois de uma deliciosa comida japonesa, Tommy e Carol tiveram uma boa noite de sono. Carol, talvez ajudada pelo efeito dos fortes remédios, conseguiu dormir a noite toda, com direito à soneca do celular depois que Tommy levantou. Naquela noite não acordou para atacar a geladeira, como sempre fazia. Ao acordar, lembrou-se do companheiro Frederico que sempre ia acordá-los ao lado da cama. Aquela espreguiçada de boca aberta era o bom-dia dele. A sua companhia e alegria faziam muita falta para o casal.

Tommy, ao contrário, tinha os olhos inchados e avermelhados. Não se levantou, quis ficar ao lado de Carol, entretanto não conseguiu fechar os olhos durante toda a noite. A insônia atacava agora com maior frequência. Já havia tentado alguns tratamentos com remédios, terapia Reiki, com uma amiga brasileira. Ana era uma professora brasileira que desenvolvia a técnica apenas com os amigos mais próximos. Ela tentou ajudá-lo em uma de suas passagens mais longas para rever familiares e amigos no Brasil. Mas, nem a ajuda da amiga conseguiu reverter o problema das noites sem dormir. Nessa época era Lucky, um belo cachorro dálmata, quem o acompanhava em caminhadas na madrugada, quando não saía de moto.

Tommy esperou a chegada do amigo Buhba no motorhome, para que ficasse com Carol, enquanto ele fazia o trajeto do autódromo. Dessa vez, ele quis fazer caminhando sozinho. O sol logo pela manhã já estava bem quente. Precisava refletir sobre tudo o que estava acontecendo ao seu redor. Para apimentar ainda mais um pouco aquele domingo ensolarado, ele acabara de receber uma mensagem da doutora Adele informando que estava ali perto e precisava falar com eles.

Era um emaranhado de coisas boas e ruins acontecendo ao mesmo tempo, que não tinham uma solução aparente. A própria Adele era uma incógnita. Ela poderia apontar um novo caminho para ajudar Carol e chegaria a Assen em duas horas. Tommy nada adiantou sobre Carol.

Quando chegava à reta oposta pôde ver ainda longe a jornalista Victória fazendo caminhada também. Não era difícil cruzar com algum mecânico ou outro piloto realizando seus exercícios matinais, mas jamais a havia visto tão cedo no autódromo, ainda mais fazendo caminhada. Ela tinha cabelos pretos e compridos, e um belo corpo, mas não fazia o tipo de mulher que gostava de malhar.

Nesse dia, Victória usava traje esportivo completo. Vestia uma calça legging preta, tênis de corrida, fone de ouvido, boné, celular preso ao braço, não seria demais dizer que ela estava disfarçada. Usualmente, estava vestindo vestidos até os joelhos e não dispensava salto alto, mesmo quando fazia reportagens dentro das pistas. Sempre dizia que incômodo para ela era usar tênis.

— Bom dia, Tommy!

— Bom dia! É a primeira vez em muitos anos que a vejo caminhando pela pista.

— Sim. Geralmente eu nado na piscina dos hotéis para manter a forma. Mas hoje resolvi fazer uma caminhada na pista mesmo. Sabia que o encontraria.

— Eu não vou dar entrevista agora. Só quero caminhar e relaxar um pouco.

— É sobre a lenda que a doutora Adele lhe contou. Não deixe que ninguém perceba a marca no ombro dela.

— O que você sabe sobre a Carol ou a doutora Adele?

— Ela é uma renomada geneticista, biomédica e um dos maiores nomes em transplantes de órgãos. Uma excelente profissional.

— Mas qual a relação entre nós? Me fale o que tudo isso significa?

— Protegemos vocês.

Eles continuaram caminhando conforme sugeriu a repórter.

Começavam a contornar a curva Stekkenwal e quando Tommy insistiu em saber, ela pegou um bloco de anotações e começou a fazer perguntas sobre a corrida. Tommy não entendia o que estava acontecendo, ela parecia estar tendo um lapso de loucura, quando Mancini e um dos mecânicos da Ducati aproximaram-se correndo e foram diminuindo o ritmo até pararem ao lado dos dois.

— Entrevista durante a caminhada?

— Sim. Quero saber sobre o acidente de ontem. — respondeu Victória, olhando para Tommy e jogando para trás os longos cabelos castanhos que lhe cobriam o ombro. Mancini logo olhou para o ombro da repórter que possuía uma marca de nascença idêntica à de Tommy. Ele não conseguiu conter aquele olhar de assustado. Estava bastante suado e até então a sua respiração estava tranquila, como deve ser a de um atleta de alto nível. Olhou fixamente para a marca e depois para os olhos de Victória, com a sua respiração começando a ficar ofegante. Olhou para Tommy e voltou o seu olhar para a marca.

Tommy olhava para os dois sem compreender o que se passava. *Por que aquela repórter que o acompanhava há anos, praticamente desde a sua entrada para as categorias de base, tinha uma marca exatamente igual à de Carol e tão parecida com a sua? E por que aquele piloto com o qual ele vivia se estranhando dentro das pistas havia ficado tão perplexo ao ver a marca daquela jovem repórter? E por que ela havia, nitidamente, forçado aquela situação entre os três?*

— Qual é a sua? — perguntou Tommy a Mancini andando em direção ao adversário, dentro e fora das pistas. Tommy foi contido pelo mecânico da Ducati que parecia também não estar entendendo nada do que estava acontecendo. Mancini não conseguia responder. Ele apenas olhava para o ombro de Victória e a encarava. Parecia nem prestar atenção a Tommy. Logo foi puxado pelo mecânico que insistia para que voltasse para a caminhada. Assim que se afastaram, Tommy insistiu em tirar alguma informação da repórter.

— O que está acontecendo?

Antes mesmo de responder à pergunta de Tommy, Victória colocou a mão direita sobre o seu pescoço e lhe deu um beijo, olhando para o lado para certificar-se de que Mancini havia visto.

— Logo você saberá. Apenas pense no que lhe falei sobre não deixar que ninguém veja a marca no ombro de Carol.

— O que esse cara tem a ver com isso? — Tommy perguntou, apontando o dedo em direção ao final da curva referindo-se ao Mancini que havia acabado de contorná-la.

— Adele vai falar com você daqui a pouco. Está muito preocupada com a saúde de Carol, porque precisa de cuidados urgentes.

— Como vocês conseguiram essas informações?

— Ela já deve ter lhe contado uma bela história de amor.

— Isso é loucura. Qual é a armação de vocês? É para que o Mancini vença?

— Nada de motos ou títulos. Quando alguém perguntar sobre nós, demonstre desconforto, mas deixe-os entender que acontece há algum tempo. Faça-os pensar que temos um caso e que eu sou quem eles procuram. Faça isso pela Carol.

— Isso é loucura.

— A Carol já sabe de toda essa história, mas precisa saber que ninguém deve ver a sua marca. Isso os atrairia até ela. Tommy, nós precisamos protegê-la.

Tommy só conseguia imaginar que toda aquela armação estava sendo arquitetada para que ele perdesse o título da temporada. Voltou andando até o motorhome. Iria conversar com Carol e Buhba. Eles deveriam saber o que estava acontecendo e decidirem juntos se ele iria encontrar-se com a doutora Adele que já deveria estar por chegar.

Carol estava sentada em uma cadeira confortável em frente ao motorhome estudando algumas partituras no notebook. Ao seu lado havia uma pequena vasilha com cascas de mexerica brasileira que ela adorava. Lembrava-se do Frederico sentando ao seu lado, porque ele também adorava as mexericas. Naquele dia ficava apenas a saudade do pequeno amigo que sempre a acompanhava nas comilanças.

— Bom dia... de novo! — Tommy abaixou para beijá-la.

— Bom dia! Fez boa caminhada para relaxar?

— Sim. Mas eu prefiro caminhar com você ao meu lado. Preciso ir até o boxe. Você quer vir comigo?

— Estou estudando umas partituras que preciso enviar ainda hoje. É para um filme.

— Maravilha! Parabéns! Eu preciso ir até lá e volto daqui a pouco para um café.

Tommy deu mais um beijo na maestrina que aparentava cansaço pelo progresso da doença.

Buhba estava nos boxes conversando com alguns mecânicos e com o Luca, que mais uma vez tentava convencê-lo a colocar o piloto concentrado na corrida. Lembrou que Tommy deveria sempre ser piloto da última volta do treino classificatório, antes da queda que lhe tirou a chance de ser *pole position*. Apesar da queda feia, era aquela garra que ele queria ver durante a penúltima corrida da temporada.

Tommy ao chegar cumprimentou os mecânicos e o amigo Buhba pôde perceber que Luca estava ao telefone no canto dos boxes. Conversou um pouco sobre os ajustes que estavam sendo realizados antes do treino livre das dez horas. Agora eram pouco mais de oito e meia e ele teria tempo de conversar com Carol e Buhba juntos. A doutora Adele também deveria estar chegando. Havia sido concedida uma autorização para entrar como médica a pedido de Tommy.

— Preciso falar com você e a Carol agora. Ela está no motorhome aguardando. Estou indo e você vem logo depois.

— O Luca está impaciente para falar com você.

— Ele está ocupado. Diga a ele que uma médica de confiança nossa está chegando para reavaliar os exames que eu fiz.

— Ok. Logo estarei lá.

Chegando ao motorhome, percebeu que Carol ainda revisava das partituras.

— Já voltou?

— Preciso falar com você e com o Buhba. Ele já deve estar chegando.

— Algum problema?

Logo o amigo chegou.

— Eu fui caminhar pela manhã e encontrei com a Victória no caminho. Eu não sei como, mas ela sabe sobre a história que a Adele contou e tem uma cicatriz idêntica à sua, no mesmo ombro. O Mancini também estava caminhando com um mecânico e cruzou conosco. Ela fingiu estar me entrevistando e fez questão que ele visse a cicatriz, então ele ficou assustado, completamente transtornado.

— Tommy, isso é uma armação deles. Eles querem desestabilizar você.

— Ela quer proteger a Carol, porque todos já sabem sobre mim e ela quer que todos pensem que ela própria recebeu o Toque de Deus. Pediu para que você nunca mostre a sua cicatriz.

Enquanto Tommy explicava a situação o seu celular tocou e ele, antes de atender, mostrou para Carol e Buhba a informação de número restrito.

— Adele.

Ao atender, antes que dissesse algo ouviu a voz da doutora.

— Tommy?

— Sim.

— Eu tinha pedido para falar com você e conhecer a Carol, mas aconteceu um imprevisto agora e eu preciso retornar ao trabalho. Podemos combinar outro dia?

— Tudo bem. Marcamos depois.

Adele parecia estar um tanto quanto impaciente, pela pressa ao desligar. Em outras ocasiões, ela havia sido bastante gentil.

— Ela desmarcou.

— Tommy, fique longe dessas pessoas. Esqueça isso.

— Não tem como esquecer. A história e tudo acontecendo conforme ela previu.

— Escute o Buhba. Preocupe-se com a corrida. Mas parece prudente ouvir o que a Victória disse. Não sei porquê, mas me parece o mais correto a ser seguido agora. Você precisa ter paz, inclusive para que esteja seguro dentro da pista.

— Eu vou fazer um treino leve. Vou guardar tudo para a corrida à tarde. Você vem assistir ao treino?

— Sim.

— Buhba, deixe o Anderson e a Amanda perto da Carol.

— Claro! Ficarei por perto também.

— Esperem. Mas e a Victória?

— O que tem a Victória?

— Vocês não acham que alguém deveria protegê-la também? Eu acho que ela pode estar certa.

— Claro. Buhba, você e o Anderson ficam ao lado de Carol e coloque a Amanda ficar colada na Victória.

Depois de dez voltas na pista Tommy encerrava o seu treino. Não forçou a máquina conforme havia prometido, apenas a colocou para andar e queimar um jogo de pneus. Estava tudo guardado para o período da tarde. Conversou bastante com os mecânicos e até tentou falar com o Luca, mas dessa vez, quem parecia estar distante era ele. Novamente, ele estava no canto do boxe falando ao celular. Tommy foi falar com Carol e Buhba.

— Prefiro você assim andando devagar.

Tommy e Buhba riram bastante ao mesmo tempo.

— Com certeza esse cara *light* que nós vimos de manhã não era o Tommy que vai correr à tarde.

— À tarde eu estarei usando uma capa vermelha.

Luca estava de frente para Tommy e parecia estar irritado com a felicidade aparente dele. Sempre estava cobrando o piloto por uma performance perfeita. Ao celular ele gesticulava metodicamente, muito além do que ele era normalmente.

— Não estou vendo a Victória por aqui. Vocês a viram?

— A Amanda não a encontrou e saiu à sua procura.

— Isso não poderia ter acontecido.

— Buhba, converse com algum repórter sem chamar a atenção e vê se descobre algo.

— Talvez ela venha somente para a corrida.

— Não. Ela sempre acompanha os treinos.

Enquanto eles comentavam preocupados sobre a ausência da Victória, ela entrou na área dos boxes para alívio dos três. Ela conversou com alguns repórteres e foi cumprimentá-los. Ao ver a Victória chegando, Luca, que estava mais ao canto, desligou o celular e aproximou-se.

— Olá, Carol! Tudo bem?

— Sim! Tudo bem e você como está?

— Muito bem. Tommy foi muito salutar guardar as suas forças para a corrida, meu querido.

— À tarde será diferente.

— Luca, você parece mais nervoso do que o próprio piloto?

— É, normalmente eu fico bem apreensivo com algumas situações que se envolvem em meio às corridas.

— Mas, Tommy, você acha que consegue superar as Ducatis do Mancini e do Benedetti na corrida?

— A corrida sempre me traz boas surpresas.

— E quanto ao jogo sujo que eles vêm fazendo contra você? Não acha que precisa de um apoio do segundo piloto?

— Estamos fazendo o nosso trabalho de equipe.

— Bom, preciso conversar com outros pilotos.

Victória deu um beijo bastante provocante no rosto de Tommy, nitidamente para que Luca tirasse as suas conclusões e foi falar com Cardoso, que largaria apenas na oitava posição. Entre os mecânicos havia sempre alguma brincadeira sobre ele ser mais devagar. Muitas vezes diziam que ele rodava com pneus murchos. Logo depois, foi falar com os favoritos da prova, os pilotos da Ducati. Fez algumas perguntas para ambos juntos. Ela colhia algumas informações rápidas sobre os pilotos antes das provas, porque, minutos antes da largada, ela entrava no ar falando sobre as expectativas dos pilotos para a corrida. Estava provocativa com ombros à mostra.

Tommy ficou de frente para Mancini e pediu para Buhba e Carol ficarem de costas, para ver a reação dele à chegada de Victória. Percebeu que Mancini estava muito apreensivo com a aproximação da repórter.

— Só o tempo irá nos mostrar o que está acontecendo.

Depois de um almoço leve, Tommy convidou Carol para descansarem um pouco no motorhome. Buhba havia preparado o vídeo sobre as novas perspectivas dos projetos na tribo africana. Esse vídeo apresentava a fala das crianças agradecendo a oportunidades de participar de vários projetos. A parte final era sobre a tribo vizinha que logo receberia parte do projeto e os mesmos benefícios, com a ajuda de Tommy, seus parceiros e agora também da maestrina. Carol ficou feliz ao ver que a música já estaria incluída no novo projeto e lisonjeada porque a música de fundo do vídeo era uma composição sua.

Tommy vestiu o macacão, amarrou pelas mangas na cintura, calçou as botas e colocou seu boné. Tommy sempre saía pronto do motorhome. Naquele dia ele decidiu que iria de camiseta sem mangas. Queria mostrar a sua cicatriz para Mancini, deixando-o ainda mais nervoso. Se ele havia ficado daquele jeito ao ver a cicatriz de Victória, sentiria na pele a provocação.

Geralmente era tranquilo, mas também sabia ser provocativo quando necessário. Sabia jogar o jogo dos italianos. As luvas e o capacete já estavam em cima da moto, como Jeremy, o piloto de testes da equipe sempre deixava, como forma de carinho e desejo de boa sorte ao piloto principal. Era um ritual demorado, que ele gostava de cumprir de forma solitária, mas agora queria ser assistido e ajudado por Carol.

Carol o acompanhava com os olhos, com as mãos e com a boca. A cada parte do ritual que era cumprida ele era premiado com um beijo, com um cheiro e com um amor com o qual ele jamais havia sonhado. Ela era diferente, com todos os problemas pelos quais vinha passando, deixou de lado sua carreira para cuidar da própria saúde e para ficar ao lado de Tommy. Ela o ajudava a colocar o macacão produzido em couro de canguru. Sobre isso ela não se conformava e ele sabia muito bem.

— É a última vez que me verá usando. Sei o quanto fica triste e eu também fico agora que me conscientizei.

— E como será depois?

— Não sei. Veremos.

Carol tinha a tristeza nos olhos. Havia muito couro por todo o motorhome. Deveria haver outro material que pudesse substituir oferecendo a mesma qualidade de segurança. O couro de canguru era bem mais leve, com igual ou superior resistência ao bovino. *Como podia ainda não terem criado um material sintético com a mesma qualidade?*

Tommy fez questão de parar na frente do box da Ducati, deixou Carol na porta, entrou, parou ao lado de Mancini e Benedetti, olhou primeiro para o Benedetti e depois para o Mancini que estava fitando a sua cicatriz, exatamente como ele fez quando viu a cicatriz da Victória. Era visível como aquela visão o incomodava.

— Espero vocês na primeira curva — Tommy disse isso e sarcasticamente riu.

Aquilo não era uma atitude aprovada pela maestrina, mas pelas atuais circunstâncias ela simplesmente compreendia. Temia que algo pior ainda pudesse acontecer e eles não estavam de brincadeira. Provocá-los não lhe parecia ser uma boa ideia. Eles estavam acompanhados pelos seguranças que ficavam a uma certa distância, mas já estavam aproximando-se de Tommy.

Tommy deu um beijo em Carol antes de terminar de vestir aquela armadura. Agora, finalmente, o traje estava completo. Buhba havia gravado, especialmente para aquele dia, as músicas indicadas e compartilhadas pela maestrina. Eram suas composições finalizadas há pouco tempo. Cinco músicas orquestradas em movimentos que demorariam mais ou mesmos os quarenta minutos de tempo da prova, com alguma sobra.

Ele já estava na moto pronto para chegar ao grid de largada. A quarta posição não lhe garantia a largada na mesma linha, mas logo atrás da Ducati de Mancini, com a preferência de curva ao final da reta. Tommy teria, entre ele e as Ducatis, a Honda de Lucca Capelli, outro italiano, porém esse um tanto quanto amigável, que largava na terceira posição. Tommy colocava sobre seus ombros algumas pressões estratégicas, como, por exemplo, deixar Mancini e Benedetti para trás na primeira curva.

Depois da volta de apresentação, os motores começaram a roncar mais alto. Luzes vermelhas acessas. Tommy sempre contava o tempo para a chegada da verde, economizando assim o seu tempo de reação. Era como marcar o ritmo musical e ele tinha uma orquestra toda comandada pela sua maestrina tocando dentro do seu capacete. Estava curtindo o show ao vivo, tamanha a qualidade do som, e ela tinha razão quando falava nas emoções do som orquestrado.

Largaram todos rasgando a reta e, na visão aérea, a moto verde parecia ir mais longe antes de frear. Já na primeira curva, Tommy estava colado na rabeta de Mancini, já se colocando entre ele e Benedetti. Mancini já havia ficado um pouco mais atrás. As Ducatis eram fortes na reta, mas Tommy era imbatível nas curvas, chegando a tocar a lateral de Benedetti, fazendo com que as duas motos dançassem na mesma vibração. A galera nas arquibancadas ia ao delírio com a performance de Tommy, já conquistando a segunda colocação.

A partir daí a corrida resumiu-se nas lutas entre os três primeiros colocados. Nas retas, segurava Benedetti que tentava recuperar a segunda posição, e, nas curvas, Tommy brigava pela primeira colocação com Mancini. Na penúltima volta, na curva Mandeveen, Tommy e Benedetti enroscaram-se, onde mais uma vez o piloto da Ducati tentou derrubar o piloto da Kawasaki, só que dessa vez o italiano levou a pior, após Tommy forçar a sua moto contra ele. Benedetti e sua moto escorregaram até a caixa de brita.

Logo à frente estava Mancini, literalmente na alça de mira. Tommy precisava melhorar a sua estratégia nas curvas e forçar toda a potência da Kawasaki na reta. Agora a sua única preocupação era acelerar com pista limpa. Tinha mais uma volta para o tudo ou nada. Além da vitória, do título estavam em jogo questões pessoais e Tommy mantinha acesa toda a sua raiva como motivação.

Ele visualizava as duas curvas fechadas nas quais ele ainda teria chance de ultrapassagem. A De Bult e a Mandeveen não eram as curvas mais fechadas do circuito, mas elas lhe davam as últimas chances de vencer. Logo, na primeira das duas curvas, ele conseguiu colocar a sua roda dianteira ao lado de Mancini e não sairia dali até a próxima curva. Assim feito, Tommy conseguia colocar a sua moto com vantagem na próxima curva deixando Mancini pelo lado de fora.

Mancini não conseguia acreditar que Tommy estava colocando-se em vantagem. Ao olhar pôde ver uma marca no ombro de Tommy em seu macacão, fazendo referência à cicatriz com a tríade. Tommy pediu a Buhba que fizesse aquela marca para que Mancini ficasse desestabilizado ao vê-la e isso não poderia ter acontecido em um momento mais oportuno, justamente na ultrapassagem na última curva.

Ainda faltava mais uma parte do circuito. A Duikers-loot dava a preferência a Tommy que pensou em diminuir e provocar a freada de Mancini, mas resolveu acreditar na potência da Kawasaki em mais um suspiro. Tommy mudou um pouco o traçado forçando Mancini, que estava quase emparelhando, a correr por fora, o que o obrigaria consequentemente a frear mais forte. Tommy conseguiu segurar a Kawasaki emparelhada até a pequena curva antes da linha de chegada.

Enquanto a orquestra terminava a sua apresentação, Tommy empinava a moto ao lado do rival, exaltando a marca feita por Buhba em seu ombro. A torcida aplaudia de pé mais um feito histórico para a motovelocidade. Tommy agora procurava a amada ao lado do muro, a vitória era toda para ela. Agora eram seis pontos que separavam Tommy de Mancini. Uma segunda colocação no Catar já lhe garantiriam mais um título.

Capítulo 16

O TRÁGICO FINAL

Tomar café da manhã na cama era uma das mordomias que Carol dispensava facilmente. Queria levar Tommy para tomar um café da manhã especial na *The Stud*, uma cafeteria premiada como a melhor da Holanda. Era impossível esquecer-se do delicioso café, doces ou até mesmo as suas cervejas artesanais. Tommy queria aproveitar um tempo para refletir e colocar suas ideias em ordem. Aqueles dias seriam decisivos sobre a sua permanência na motovelocidade.

Enquanto tomava seu café e comia uma torta holandesa, recebeu uma ligação. Não atenderia, não fosse a importância que ele dava aos seus parceiros nos projetos sociais. Eram pessoas extremamente especiais em sua vida.

— Preciso atender. É o Mathew, da Bio. Esse menino é o maior gênio que eu já conheci.

Carol apenas sinalizou que sim. Já havia ouvido a mãe de Buhba falar muito sobre ele e as coisas fantásticas que ele criava e desenvolvia.

— Bom dia, garoto! Tudo bem?

— Sim, Tommy, e por aí? Acompanhei sua vitória. Parabéns!

— Obrigado. Novidades?

— Estão prontos. Pele e capa. vinte por cento a mais de resistência e quinze por cento mais leve.

— Está brincando? Poxa! Perdi a aposta. Que bom!!!

— Nem sempre você ganha, *man*.

— Pode ter certeza que, de alguma forma, eu ganhei. Por favor, ligue pro Buhba e combine a entrega no Catar. Tem que estar lá em para a corrida.

— Ah! Tommy, qual seu tipo sanguíneo?

— A positivo.

— *Off course, brow*! Combino com o Buhba então.

Tommy desligou o telefone e sem economizar elogios ao garoto disse que não poderia dizer a Carol o que era. Seria uma surpresa para a corrida final do Catar. Mas logo tratou de avisar que não existiam barreiras para qualquer exigência de evolução para Mathew.

— Esse menino é demais.

— Quero conhecê-lo. Afinal de contas, vamos trabalhar juntos no projeto da África. Vai ser fantástico.

— Vamos para lá antes do Catar? Podemos convidar o Buhba. Sabia que ele chora feito criança quando volta para os braços da mamãe?

Carol riu bastante, antes de confessar que também sentiu vontade de chorar quando Tommy falou sobre voltar para lá.

— Meu Deus, como aquele lugar faz bem para o coração da gente.

— Sim. A África exerce alguma forma de atração inexplicável.

— Quando eu descobri que era você... foi muito ruim o que eu fiz. Jamais poderia ter duvidado do meu amor que se deitava em meu ombro. Eu agi contra meus próprios instintos.

— Você está aqui. Nós estamos aqui. É passado.

— Por que você me perdoou?

— Não era sobre perdoar. Você não teve culpa por não saber. Liga pro Buhba.

— Ok!

Carol mais do que depressa pegou o celular e ligou.

— Carol, tudo bem?

— Buhba, estamos em Amsterdã tomando café e queremos saber se você quer visitar a mama.

— O que é isso? Café ou bistrô?

— Não! A sua mama na África.

— Estão brincando?

— Não! Tommy me disse que você ia chorar.

Do outro lado Buhba gargalhava antes das lágrimas rolarem pelo seu rosto.

— Esse Tommy! Me conhece como ninguém. Por mim está fechado.

— Ok! Buhba combinamos a saída depois.

— Eu disse que seria fácil convencê-lo. Eu adoro aquela família. A mãe dele é fantástica.

Os dias em Amsterdã ficaram marcados pelas emoções. Não se tratava apenas de acordar ao lado do amor da vida e amar incondicionalmente. Era sobre não desejar nada diferente. Andar de mãos dadas no Museu Van Gogh, na Casa de Anne Frank e na Casa de Rembrandt, passeios inéditos para os dois que muito conheciam sobre o mundo e que lhes conduzia a inúmeros *déjà-vus*.

Tommy tinha vários compromissos, inclusive no Brasil onde seriam lançados dois novos modelos da Kawasaki. Além dos compromissos da marca, deveria participar do Programa do Pedro, exibido todas as madrugadas no canal aberto mais assistido do país. Era um programa muito querido por Tommy, pois era seu companheiro nas noites de insônia. Participar do programa seria um sonho realizado por ele, apesar de não gostar de aparições públicas, pois tinha um carinho especial pelo programa e pelo Pedro, do qual tornou-se amigo.

Tudo era importante, mas Tommy não queria deixar de viver aquele momento especial da sua vida. Combinaram que seria uma passagem rápida. Apenas três dias e rumariam para o Catar. Tommy não suportava a exposição para merchandising, mas era uma necessidade contratual e uma paixão pela marca desde criança que ele jamais deixaria morrer. Associar seu nome à Kawasaki foi um sonho do menino pelas Ninjas.

Naquele dia, Carol e Tommy ficaram no hotel o resto do tempo. Eles se amaram muito, como se sentissem o tempo se esvaindo e uma necessidade imensa de aproveitar tudo o que podiam. Estavam apaixonados e pensavam muito sobre o futuro. Desejos, necessidades, viagens pelo mundo e até mesmo um filho estava nos planos. O tempo estava avançando rapidamente e a monotonia em seus dias era descartada. A vida lhes oferecia uma dinâmica extraordinária para que eles vivenciassem novas oportunidades.

Tommy já era considerado o maior piloto de todos os tempos em todo o mundo e sabia que esse protagonismo não seria eterno. Poderia encerrar a carreira como o melhor de todos os tempos e finalizar com mais um título. Não havia a necessidade de ambos viverem o sonho de apenas um deles, então eles trabalhariam juntos unindo seus projetos sociais. Deveriam buscar as parcerias com outros nomes famosos, além do seu contrato vitalício com a marca de esportes.

O cansaço já vinha aproximando-se devagar e a chegada de Carol o fazia lembrar que não poderia ser eternamente o melhor. A sua paixão pela marca Kawasaki seria um amor eterno e eles sempre poderiam contar com ele. Inclusive já havia projetos para o lançamento da versão Legend levando o nome do piloto no tanque da moto. O melhor piloto de todos os tempos e a moto de velocidade mais desejada do mundo. Tommy estaria imortalizado no mundo das duas rodas.

Conheceriam mais sobre o mundo e levariam as suas ideias de respeito aos seres vivos e de proteção à fauna e à flora de todo o mundo aliados à Bio, nascida do incentivo de Tommy às ideias de três jovens. Hoje eles tinham a sua empresa entre as mais valiosas do mundo, defendendo royalties de carbono da New Forest, Free Energy, By BIO, MAR – Most Advantage Recovery e 3000, além das invenções que revertiam fundos para a Social Green Life. Eram cinco empresas figurando entre as mais valiosas do mundo.

Eles adoravam viajar, conhecer o mundo e novas paisagens. Projetavam-se tomando os vinhos do sul da América Latina, caminhando nas savanas da África, nas cidades históricas da Europa ou em qualquer parte do mundo. Poderiam dividir seu tempo entre as vivências e a doação do seu tempo para o bem comum e a formação de pessoas simples. Estava praticamente decidido entre eles. Tommy faria a sua última corrida.

Deixar aquela loucura das corridas provavelmente significaria estar livre dos mistérios e angústias que os perseguiram nos últimos dias.

Estava bem claro nos olhos de Carol que viver intensamente poderia ser o melhor remédio para a sua saúde, pelo menos enquanto não aparecesse um doador. Viver em uma cabana na África ou em um chalé no sul do Brasil eram ideias muito bem-vindas.

Os dois gostos e desejos eram bem parecidos. Viver aventuras em saltos de paraquedas, ultraleve, trilhas de motos em busca de cachoeiras ou a velocidade de uma moto em uma estrada qualquer. Eram aventuras que os dois gostavam de compartilhar e seriam vivenciadas frequentemente no dia a dia dos dois. Dividir esses compromissos com as aventuras se tornaria um hábito muito saudável em suas vidas.

Dois dias depois, estavam os três no aeroporto de Amsterdã esperando o voo para a África, quando o diretor de marketing da Kawasaki ligou para Buhba, cobrando a presença de Tommy nos eventos. A última semana do campeonato seria a mais rentável para a equipe, pois as vendas da marca teriam a chance de aumentar muito aproveitando a presença na mídia. Estar novamente à frente da categoria mais rápida do mundo, aliada ao lançamento da nova H2R, era tudo o que a marca precisava para perpetuar no nome Kawasaki às motos mais rápidas do mundo.

— Ele está aqui ao meu lado fazendo a recuperação da mão e descansando. Estaremos lá no dia marcado. Precisamos cuidar do campeão, ou não?

Buhba era incisivo em suas *tag questions*. Enquanto falava, encostou a garrafa de água gelada na mão em que Tommy havia sofrido uma contusão, no último acidente e insistiu em deixá-la ali quando Tommy tentou tirá-la. Desligou seu smartphone e segurou com as duas mãos a garrafa gelada na mão de Tommy.

— O que foi? Está gelada.

— Eu não gosto de mentiras e disse que você estava fazendo tratamento.

Buhba era um cara sério, mas às vezes não perdia uma piada, principalmente para tirar algumas risadas dos dois.

— Quero o Frederico no Catar.

— Concordo com você. Sinto falta daquele baixinho.

— Todos gostamos dele. Mas quem vai buscá-lo? Já sei. Eu.

— Eu e a Carol vamos direto da África para o Brasil. Você pode ficar mais uns dois dias com sua família, depois vai para a França e pega o Fê. Na terça-feira que vem rumamos todos para o Catar. Você da França e nós do Brasil. O que acham?

— Por mim está bem.

Buhba alegrava-se em poder curtir a família um pouco mais.

— Carol?

Carol demorou um pouco a responder. Ela estava nitidamente cansada de viagens. Precisava cuidar-se em algum lugar tranquilo que lhe fizesse bem.

— Sim. Tudo bem.

— Daqui a dez dias estaremos onde você desejar. Vamos cuidar de você e da nossa paz.

— Eu adoro viajar! Mas a perda de tempo nos aeroportos e dentro de um avião que estão me fazendo mal.

— Descanse agora.

A família de Buhba esperava eufórica, com um belo almoço posto à mesa. Era alegria total, especialmente para a mãe dele. Carol almoçou e quis logo visitar a escola para avaliar o desenvolvimento do projeto. Era um dia normal de aula, assim ela poderia acompanhá-las. Carol empunhava o violino que havia deixado na escola em sua última visita. Estava bastante empoeirado, sinal de que ninguém havia mexido nele, comprovando o respeito daquele povo.

O auditório subia em um ritmo bastante acelerado e estava ficando ainda maior e mais bonito do que ela imaginava. Projetado para ter uma acústica perfeita, tinha o palco em linha reta e um semicírculo que se abria à sua frente, com cadeiras elevadas até o seu final, aproveitando um desnível do solo. Caberiam ali trezentas e vinte pessoas sentadas, desenhado por Tommy. Atrás havia mais duas salas que poderiam ser utilizadas para outras atividades.

Tinha razão quando disse que lhe faria bem estar ali, valendo a pena cada segundo dentro do avião. Não era só pelo auditório, mas a família de Buhba e as crianças que lhe faziam muito bem. As carinhas sofridas lhe transmitiam uma resiliência muito grande e uma vontade de viver acima de qualquer dificuldade. Levar até elas a estrutura de uma escola de primeiro mundo, era a prova de que as oportunidades promovem as diferenças.

A Bio, de Mathew e as irmãs gêmeas Samantha e Scarlet, estava criando um laboratório ao lado do anfiteatro, com toda uma estrutura para aulas de ciências da natureza, para incentivar as crianças a desenvolverem o seu gosto pelas ciências. Com toda aquela riqueza de biodiversidade, buscar a motivação de pessoas dispostas a valorizar e salvar as riquezas de um país, parecia ser uma excelente forma de trabalhar a ética e a cidadania. Era a bioética colocada em prática por três jovens em favor de algumas centenas de crianças.

— Hoje trouxe uma pessoa muito especial que alguns já conheceram na primeira vez em que ela esteve visitando a nossa escola. Como foi num domingo nem todos estavam aqui.

— Eu sou a Carol e hoje eu posso dizer que um dos maiores prazeres da minha vida é estar aqui com vocês.

Carol começou a tocar antes que as lágrimas inundassem os seus olhos. Era emocionante ver tudo o que a África poderia reverter de sabedoria, paz, amor para qualquer pessoa que investisse um pouco de seu tempo para colaborar na sua transformação. Ali a doação se confirmava no mais puro sentido de evolução interna de uma pessoa. Se a motivação é intrínseca, ali certamente ela estaria intimada a apresentar-se.

Logo chegaram Tommy, Buhba e mais alguns irmãos que ficaram parados na porta da sala, para não atrapalharem a música tocada pela maestrina. Estava muito empolgada tocando para as crianças. Ao terminar, Tommy entrou na sala para desejar uma boa-tarde para os alunos. As crianças o adoravam por tudo o que representava para aquela comunidade e ele sempre colocava a professora e os alunos acima de todos os parceiros e dele próprio. Elas tinham muitas carências e a elevação da sua autoestima talvez fosse a maior entre todas.

Precisavam aproveitar aquela paz, pois logo estariam novamente dentro de um avião rumando para o Brasil, para cumprir mais alguns compromissos de merchandising. Então, nos dias em que estiveram ali, acompanharam as obras do teatro, visitaram o Parque Nacional de Virunga e os seus mais famosos habitantes, os gorilas. Era encantador poder desfrutar da natureza no seu estado bruto.

A Bio investia muito naquele espaço e na sua conservação, por meio do Projeto Akin, que trazia o nome do pai de Buhba, onde o investimento era resgatado de caros projetos desenvolvidos em países mais ricos, Estados Unidos, Canadá, Austrália, China, Rússia, Japão, Coreia do Sul e vários outros do continente europeu. A venda dos royalties de carbono investido em grande proporção na biodiversidade de países mais pobres.

Para a Bio, investir na escola era também um reconhecimento por ter sido Tommy, o primeiro a acreditar na capacidade e criatividade dos irmãos. Eles, ainda muito jovens, explicavam suas teorias para Tommy com tanto amor que foi impossível não se apaixonar pelo planeta que eles demonstravam poder existir, pelo reconhecimento de que o planeta precisava respirar e que a persistência dos jovens poderia mudar a consciência acomodada da grande maioria. Tommy criou uma startup para ajudá-los a começar. E o pequeno trampolim deu início a uma jornada sem parada no desenvolvimento das empresas.

Estava chegando a hora de despedir-se da Mama África, da família de Buhba e de toda a comunidade. Carol demonstrava toda a sua empolgação de querer voltar logo, enquanto Tommy estava profundamente introspectivo, parecia triste, tanto que Buhba o chamou de lado para uma rápida conversa antes da partida.

— Triste?

— Não sei ainda. Sinto-me muito bem aqui, tanto que, às vezes, me sinto parte daqui.

— Mas você é uma parte muito grande desse lugar.

— Eu ainda vou retornar muitas vezes para cá. O fim está chegando.

— Você sempre vai ser o campeão. Tudo tem o seu tempo e essa decisão cabe só a você. Vai despedir-se apenas das corridas e não das pessoas.

Tommy abaixou a cabeça, abraçou o amigo, enquanto olhava Carol despedindo-se da família. Ela fazia daquilo um ato muito breve, como se fosse voltar amanhã. Ele, ao contrário, deu um abraço muito longo em todos daquela sorridente família e ainda mais demorado na mãe de Buhba. Tinha um carinho enorme por aquela mulher que lhe dava lições de vida a cada instante em suas passagens pela África.

Já no avião, Carol tocou no mesmo ponto em que Buhba havia lhe falado na despedida.

— Você está muito triste. Quero que repense se é o que você quer mesmo. Deixar a sua bela carreira e toda essa agitação, talvez ainda não seja o momento.

— Sim, é o momento exato de parar. Mas tem algo que parece ir muito além do que um simples final de carreira. Acho que estou ficando velho.

Ambos riram da situação e então Tommy deitou-se no ombro de Carol, como sempre fazia. Era exatamente sobre a sua marca que ele se recostava e se refazia internamente. Era como se ele carregasse as suas baterias ali no ombro da sua amada. Carol fez cafuné em seus cabelos lisos, enquanto lembrava de Buhba falando que eles poderiam ter filhos lindos, por terem olhos e cabelos exatamente iguais.

No Brasil, havia combinado de rever a sua família. Todos tinham dupla nacionalidade por causa da mãe brasileira e uma casa no interior de São Paulo. Estavam ansiosos por revê-lo, depois de muito tempo, já que ele não tinha parada. A última vez havia sido no funeral de seu pai que havia morrido repentinamente, em Oak Park. Seria uma passagem rápida pela pequena Descalvado, onde sua mãe passava muito tempo. Depois ficaria em São Paulo, onde participaria da gravação do Programa do Pedro.

Carol estava preocupada, porque Tommy continuava em estado

melancólico. Conversava em separado com cada uma das pessoas que eram importantes para ele. Sua família e seus amigos de infância estavam ali, também reunidos. Fazia questão de abraçar e sentir-se perto de todos. Apresentou Carol a cada um deles e referia-se a ela como o amor de sua vida. Mas, para ela ainda existia aquela dúvida, se aquela tristeza era por ele despedir-se da grandiosidade da motovelocidade.

Reuniu os seus familiares para comunicar-lhes que estaria retirando-se da motovelocidade. Era chegada a hora de viver a vida sem toda aquela correria. A mãe levantou-se da cadeira onde estava sentada e foi em direção ao filho para o abraçar de maneira muito intensa. Foi difícil separar-se daquele abraço.

— Tudo tem a sua hora, meu filho. Deus sabe o momento do início e do fim de tudo. Você viveu intensamente a sua carreira e foi um exemplo para todos. Isso é o mais importante.

Ela nunca esteve confortável com o filho arriscando a sua vida em corridas acima dos trezentos quilômetros por hora e nunca havia assistido a uma corrida em um autódromo. Sempre sentia o coração pulsar fora do seu peito, por medo e angústia. O pai, enquanto vivo, e os irmãos tentavam acalmá-la a cada corrida, ao que ela sempre respondia que era melhor não saber antes de ter terminado. Mas, sentia como se o filho ficasse exposto à sorte a cada segundo daquelas longas e perigosas corridas. Era justamente assim que ela se referia ao esporte praticado pelo filho.

Na segunda-feira gravaria o programa, Conversa com Pedro, que iria ao ar na segunda-feira seguinte, um dia após a corrida. A expectativa do canal era aumentar a audiência com o piloto campeão da motovelocidade. Um brasileiro de coração, nascido nos Estados Unidos.

O programa naquele dia seria especial com a sua participação. Geralmente havia dois ou três convidados. Durante a entrevista, Pedro procurava tirar do piloto seus maiores segredos. Perguntas sobre os italianos, Ducati, paixão pela Kawasaki, cachorros, África, projetos sociais e, como não podia deixar de ser, amor. Em certo momento, Pedro conversava sobre as músicas que ele ouvia no capacete e citou Carol que imaginava estar assistindo à sua frente, mas como as luzes da plateia agora estavam apagadas, não conseguia vê-la. Quando a iluminação a buscou, a cadeira estava vazia. Então, ela começou a tocar uma música de sua composição ao piano e, ao final, veio sentar-se ao seu lado. Para sua surpresa ela seria a outra entrevistada.

— Carol, vou perguntar direto a você que acabou de chegar. Procede a aposentadoria de Tommy para vocês viverem esse amor?

— Ele vive uma vida muito intensa dentro das pistas e está em plena disputa do título. Não estou sabendo de nenhum pedido de aposentadoria.

— Quando ninguém mais acreditava em Sarajevo, uma maestrina realiza um projeto de música maravilhoso com trezentas crianças e suas famílias.

As câmeras pegaram as lágrimas escorrendo pelo rosto de Tommy.

— Bom, eu sou uma pessoa desesperada por mudança e inconformada com o sofrimento e o desprezo pelas nossas crianças. Sarajevo tem uma cultura musical muito presente e um povo de uma moral elevadíssima. Uma guerra jamais poderia destruir a autoestima deles.

— Você se refere a elas como as nossas crianças. Mas elas estão tão longe de nós, em outros países.

— Cada criança é uma nova possibilidade de transformação do mundo. Eles são a nossa evolução e nós não nos damos conta de que eles mais ensinam do que aprendem.

— Mas e nossas crianças aqui?

— Tudo tem o seu tempo. Eu preciso de ajuda porque é difícil dar conta de tudo. Todos são prioridade, mas a demanda mundial é grande. No Brasil, temos um braço de nossa ONG em Poços de Caldas, que funciona exatamente como em Sarajevo.

— Tommy, como você vê esses projetos da Carol?

— Acho louváveis as atitudes dela e admiro muito a sua batalha para angariar fundos. Apostar nas crianças é acreditar no futuro e que o ser humano pode melhorar. Pena que os governos não compreendem o poder da música e dos esportes dentro das escolas, em favor da educação.

— Você tem uma ligação muito forte e é muito bem-visto em uma comunidade perto de Beni, na África, e dizem que você é muito bem recebido por lá. Por que essa ligação?

— Buhba é um irmão que a vida me apresentou. A mãe dele é uma das pessoas mais fantásticas pela educação de crianças que eu conheci em toda a minha vida. Ela parou uma batalha da guerra civil da República Democrática do Congo, na frente da sua sala de aula, embaixo de uma lona, com um livro e um giz em suas mãos. É uma heroína, um dos meus maiores exemplos. Estar ao seu lado e do seu povo é uma das minhas maiores alegrias.

— Sem pensar no Brasil agora, ajudar a África que é um dos maiores patrimônios da humanidade seria uma virtude e eu te pergunto, pois você é nosso ídolo, acelerando, refletindo e agindo nos entremeios da sociedade. Você também é um herói da motovelocidade. Aliás, vocês são a maior união de heróis que eu conheço. Você investe lá?

Ao silêncio de Tommy, Carol tomou a frente na resposta.

— Existem tantas crianças e povos no mundo que precisam de ajuda. Não se trata aqui de aparecer ou não na TV ou em qualquer outra mídia. Bastaria ajudar alguém que mora perto de você, doar um pouco do seu tempo, amor, carinho, música, esporte e dividir o pão. A distribuição é muito desigual e realinhar essa equação é uma obrigação.

Emocionado pela resposta de Carol, Pedro insistiu na pergunta a Tommy.

— Brilhante a sua resposta, Carol! Mas e quanto ao Tommy, você investe na África ou não?

— Existem muitas pessoas ajudando que não querem aparecer e isso é bom porque as pessoas não estão fazendo pela troca ou pelo orgulho. É somente pelo prazer em ajudar.

— Carol, seu nome é mais vinculado aos projetos sociais.

— Eu me desliguei de várias atividades para me dedicar à formação de jovens em comunidades carentes e busco ajuda na coparticipação ativa para os projetos sociais aos quais eu me dedico.

— Quero finalizar o programa de hoje aplaudindo vocês dois, desejando boa sorte ao Tommy na última corrida da temporada, no Catar, no domingo. Mas, principalmente, gostaria de reiterar o meu obrigado aos dois por lutarem pelas crianças do mundo. Antes de terminar, mostraremos algumas fotos das comunidades antes e depois que vocês resolveram ajudar.

Sem saber que as fotos seriam apresentadas ao final do programa, os olhos de Tommy e Carol estavam cheio de lágrimas, assim como os de Pedro.

— Em meio a tanta emoção, posso lhe pedir que toque violino pra nós.

— Claro que sim.

Carol enxugou as lágrimas e posicionou-se com o violino para tocar. Tocou a composição sem final, pois sabia que rebuscaria ainda mais as emoções de Tommy.

De São Paulo, Tommy e Carol partiriam direto para o Catar. Ambos estavam ansiosos por receber Frederico, o filhote que adorava ficar entre eles e por isso tinha o apelido de Between. Buhba já estava partindo com ele da França. Chegariam ao Catar na terça-feira, dois dias antes do início dos treinos livres para a corrida decisiva da temporada.

O Catar não era exatamente o tipo de local em que eles gostariam de estar. Tommy, Carol e mesmo Buhba preferiam estar em locais menos projetados e mais naturais. Mas a última corrida estava programada para ser num local marcado pela magnitude empresarial gerada pelo petrodólar. Ali tudo parecia ser um tanto quanto artificial ou produzido para um fim específico.

Chegando ao autódromo, Buhba teve a sua primeira conversa com Anderson e Amanda, dizendo-lhes que, apesar da aparente tranquilidade, a segurança não deveria ser afrouxada, principalmente em referência a Carol que voltava a sofrer as consequências da doença. Buhba era quem coordenava toda a segurança e sabia que poderia confiar cegamente nos dois que já os acompanhavam há algum tempo.

Tommy iniciaria os treinos livres logo na quinta feira, tomando todos os cuidados porque qualquer deslize ou acidente poderiam custar o título do piloto. Portanto, realizou apenas algumas voltas de reconhecimento da pista sem forçar o motor da sua Kawasaki. Pôde acompanhar o tempo das Ducatis à frente. Ele mantinha a terceira posição nos treinos, colado ao tempo do Mancini, com Benedetti liderando.

Na sexta-feira, os treinos repetiram os resultados, com os três tempos ainda mais colados. A diferença nessa corrida é que Cardoso estava na quarta colocação, com tempo muito próximo ao de Tommy. Cardoso era a mais grata surpresa dessa corrida, levando a segunda Kawasaki com extrema habilidade à quarta colocação a poucos milésimos de segundos atrás de Tommy.

A alegria por ter novamente o Frederico junto a eles era muito grande, pois o pequeno não se continha em toda a sua felicidade ao estar entre Tommy e Carol. Porém, o próprio Frederico parecia estar triste olhando fixamente para Tommy, algumas vezes ele uivava. Em primeiro plano parecia engraçado, mas para quem o conhecia bem, ficava preocupado.

— Meu amigão, o que está acontecendo?

No sábado, antes dos treinos livres, Tommy caminhava reconhecendo a pista com Frederico quando encontrou-se com a Victória. Frederico parecia muito confortável ao lado dela. Ele identificava as pessoas que realmente gostavam de Tommy, e esse era um caso.

— Que fofo!

— Geralmente ele é dócil com todo mundo.

— Carol está bem?

— Sim, ela está muito bem.

Novamente percebeu a chegada de Mancini correndo em sentido contrário do autódromo, porém sozinho. Victória estava com ombros à mostra, deixando transparecer a sua marca, muito parecida com a de Carol. Aquele mistério voltava à tona na cabeça de Tommy. Ela insistia em parecer mais íntima e parecendo real para Mancini. Tommy, apenas observava, aguardando o resultado. Entendia tudo aquilo como um jogo. Novamente tentou beijá-lo para impressionar o Mancini.

Nas duas primeiras tomadas de tempo, na sexta-feira, Tommy

andava forte fazendo o segundo tempo, há poucos milésimos de segundos atrás de Benedetti. A Kawasaki andava bem no circuito apelidado de Caquito, por Tommy, em referência a um pequeno cacto, pelo seu formato e por estar no deserto. Cardoso voltava a andar mal e estava em décimo primeiro, apesar das curvas fechadas serem muito providenciais para o desempenho das japonesas.

Tommy chamou Cardoso de lado, conversou sobre seu desempenho e lhe disse que poderia melhorar muito se seguisse alguns conselhos. O jovem havia sido contratado pelas corridas que havia feito na duzentas e cinquenta cilindradas, ali ele andava forte e talvez ainda sentisse o peso das mil cilindradas. Tommy precisava ajudá-lo na sua preparação para ser o primeiro piloto já no próximo ano. Ele ocupava a sétima colocação no campeonato, pontuando em todas as corridas, apenas dez pontos atrás do quarto colocado.

— Dê uma volta forte na minha frente. Tenho certeza de que vai se dar bem nesse circuito.

— Eu estou andando no meu limite.

— O limite está sempre muito além do que podemos fazer. Confie nas suas habilidades. Use o meu capacete.

— Vocês agora serão um só. Música, Kawasaki e você. Aqui corta o som dele.

Tommy apontou para Luca, referindo-se às falas técnicas do chefe de equipe.

— Sério?

— Vamos lá, campeão!

Cardoso estava empolgado com a ajuda do grande ídolo. Tommy jamais teve uma conversa nesse tom com o jovem piloto. Às vezes passava um detalhe da corrida, discutiam estratégias, mas hoje era diferente. Tommy parecia transferir o cargo de primeiro piloto para Cardoso. Sem nada dizer sobre encerrar a carreira, era perfeitamente compreensível que o maior piloto de todos os tempos queria despedir-se com mais um título também por equipe.

Cardoso saiu acelerando forte, demonstrando uma clara mudança em sua autoconfiança. Talvez o status de ser segundo piloto o deixasse um tanto quanto travado, principalmente perante a presença de Tommy na equipe. Tinha uma regularidade incrível, pontuando em todas as corridas, mas sem grandes resultados por não arriscar e não expor o seu limite. Grandes campeões não surgem dessa maneira.

Tommy partiu logo atrás, estudando as linhas deixadas pelo jovem, analisando as possibilidades de melhoria na sua postura. A Kawasaki não era como nenhuma outra moto e não precisava ser domada em sua selvageria. Domesticada, ela se igualaria a qualquer outra. Ninja e piloto deveriam tornar-se parte um do outro, numa simbiose selvagem, ultrapassando os limites de cada um, para muito além de uma simples vitória.

Cardoso bateu o terceiro tempo nos treinos, atrás de Benedetti em primeiro, o próprio Tommy, e à frente de Mancini, que amargava um quarto lugar. No retorno aos boxes ambos puderam ver a cara de poucos amigos de Mancini e Benedetti. Mancini ainda sonhava com o título, precisando tirar uma diferença de seis pontos. Ele tinha que vencer e não permitir que Tommy chegasse em segundo. Precisava da ajuda do Benedetti. Uma queda de Tommy seria providencial.

— Você ainda vai ver muitas caras amarradas e quanto mais, melhor pra você.

— Você tinha razão. Temos que ser um só em selvageria.

— Agora você sabe o que é uma Ninja.

— E eu jamais poderia imaginar o poder dessa música. Quero um capacete desse pra mim. Peça para colocarem os seus adesivos nele. É seu.

— Amanhã às sete horas vou caminhar pela pista e se quiser analisar alguns pontos do trajeto será bem-vindo.

— Claro que eu vou com você. Tommy, obrigado!

Tommy estava amarrando as mangas do macacão na sua cintura para retirar-se dos boxes quando foi advertido por Luca.

— Ele não precisa ser igual a você. É um grande pontuador.

— Claro! E logo será o melhor... se ninguém atrapalhar.

— Deixe ele fazer o trabalho de equipe.

Tommy saiu sem responder. Jamais havia pensado em pedir a cabeça do chefe de equipe porque sabia que ele entendia muito de motores japoneses e vinha contribuindo bastante para o desenvolvimento deles. Não era grande agregador de pessoas dentro dos boxes. Jamais conseguiu conquistar a confiança de Tommy, de Buhba e da grande maioria dos mecânicos, mas tinha a confiança da fábrica japonesa.

— Carol, vamos tomar um café? Quero que conheça o Chac`Late.

Tommy quis animar Carol para sair um pouco, mas ela não estava se sentindo bem.

— Não quer ir com o Buhba? Eu não estou me sentindo muito bem.

— Então ficaremos aqui mesmo. Você vai melhorar. Nós vamos cuidar de você.

— Eu vou ficar bem. Não precisa deixar de fazer as suas coisas só porque eu estou indisposta.

Tommy pediu a Buhba que encomendasse café completo. Ficariam ali mesmo próximos ao motorhome e caso preciso estariam assistidos pelos melhores médicos no melhor hospital do Catar. Estava quase terminando e Carol logo seria cuidada pelos seus médicos. Só mais um dia de treinos, a corrida no domingo e, após o seu término, Tommy faria o anúncio de encerramento da sua carreira, com ou sem título.

Entraram para a sala de concentração. Agora ali havia uma cama muito confortável, onde o casal passava as suas noites, durante a estadia nos circuitos. Ambos entraram em consenso e iriam morar em um local frio. Mas toda aquela vida corrida enfim teria um pouco de paz e tranquilidade. Falavam muito em morar próximos às vinícolas gaúchas.

À noite, o céu no Catar apresentava uma infinidade de estrelas brilhantes, que combinavam perfeitamente com o vinho frisante brut escolhido por Carol. Duas espreguiçadeiras foram colocadas bem próximas da linha de chegada. Não era uma coisa usualmente concedida aos pilotos, esse tipo de festa particular. Mas, nada era impossível para Buhba, um anjo/gênio que concedia a realização de infinitos desejos ao casal.

No dia seguinte, Tommy levantou-se, procurou pelo Frederico para acompanhá-lo. Cardoso já o esperava, com Frederico em seu colo, deixando transparecer a sua ansiedade em assimilar alguns truques do grande campeão. Frederico era muito brincalhão e receptivo aos afagos de Cardoso. O caminho era longo e já cedo estava bastante quente, provavelmente o pequeno chegaria no colo do piloto.

Tommy logo passou a falar sobre técnicas e estratégias de pilotagem, explicando o que poderia ser melhorado, comparando com o que ele havia visto acompanhando o jovem, colado em sua rabeta, no treino. Deveria exigir mais a excelência da parte ciclística da Kawasaki, que poderia deitar muito mais do que as outras motos, principalmente nas curvas fechadas.

— Extremamente selvagem! — lembrava Cardoso sobre a conversa do dia anterior.

— Sim. Você jamais deve domá-la. Una-se a ela nessa selvageria.

— Daqui a pouco teremos os treinos classificatórios. Sinta a moto ao mesmo tempo em que ela sente você. Apaixone-se pela Ninja.

Antes de terminarem a volta o pequeno Frederico já estava com a língua de fora. Tommy sempre levava um saquinho para pegar os cocôs que o pequeno deixava pelo caminho, mas nunca sem antes brincar que eram presentinhos para os italianos escorregarem. Cardoso ria muito com o pequeno e sentia-se bem ao lado do seu grande ídolo. Tommy, que sempre era muito fechado e introspectivo, estava muito diferente no Catar.

Chegando ao motorhome ouviu Carol ao telefone, conversando com alguém de uma Associação Protetora de Animais. Ela dizia não se conformar com o grande número de animais abandonados na cidade. Então, para sua surpresa, ouviu-a dizendo que poderiam pegar o seu piano que estava no sítio e organizar uma rifa para arrecadar fundos para a Associação. Então, ele a amava ainda mais.

À tarde, próximo ao início dos treinos classificatórios, Tommy estava conversando com Buhba, sobre a preocupação dele com Carol e pediu ao amigo para que esquecesse o treino e ficasse com ela. Do motorhome eles poderiam acompanhar os treinos. Novamente disse que logo tudo aquilo estaria terminando e todos eles teriam uma vida um pouco mais tranquila. Falava sobre Cardoso quando ouviram.

— Você não vai entrar na pista com esse capacete.

Luca, antes do início dos treinos, tentava ser incisivo com o jovem que sem nada dizer vestiu o capacete, montou na moto e abriu o som da comunicação, fazendo piscar as luzes no equipamento que estava nas mãos de Buhba, que rapidamente colocou o equipamento e abriu o seu som.

— Pode falar.

— Diga ao campeão sempre que ele sempre será o maior de todos.

— É o seu momento, garoto.

Cardoso foi um dos primeiros a sair dos boxes querendo a pista livre à sua frente. Saiu acelerando muito forte, passando por cima do pé do Luca que ainda insistia pela troca do capacete. Antes de abrir a sua volta rápida, Cardoso lembrava-se da sua conversa com Tommy e que tudo tem o seu tempo. Tommy passava para ele a responsabilidade de continuar levando a Kawasaki ao lugar mais alto do pódio.

Tommy esperou para sair para a sua volta. Queria assistir pela tela no box a volta de Cardoso, que estava bastante empolgado, fazendo, nas três primeiras passagens, os melhores tempos. Finalizou sua primeira volta com o melhor tempo, abrindo para mais uma volta rápida. Cardoso diminuía o seu tempo em cada passagem. Para a surpresa de quase todos, menos para Tommy, o jovem piloto português quebrava o recorde da pista.

Buhba desesperadamente tirou o fone do seu ouvido e colocou próximo ao ouvido de Tommy, para ouvir os gritos de Cardoso.

— Selvagem Tommy. Selvagem Kawasaki. Ninja selvagem. Obrigado, Tommy.

Tommy estava extremamente feliz por saber que ajudou o jovem piloto a crescer tanto, em apenas um final de semana. Só precisava acreditar que a sombra de Tommy não deveria ser seu algoz, mas sim a sua maior motivação dentro das pistas. Seria difícil para Tommy ou qualquer uma das Ducatis, de Mancini ou Benedetti lhe tirarem a incrível marca e a *pole position* do Catar.

— Diz pro garoto que esse é o meu melhor dia nas pistas em muitos anos.

Tommy, Mancini e Benedetti entraram na pista ao mesmo tempo. Todos os três aceleravam muito tentando superar um jovem piloto que finalmente começava a colocar o seu nome entre os maiores pilotos e a Kawasaki na luta por equipes. Agora, Cardoso assistia e retribuía a sua torcida por Tommy. Luca sentiu-se obrigado a dar os parabéns para o garoto.

Na pista, os três não estiveram por perto nas suas tomadas de tempo. Tommy chegava muito forte na sua última volta, e Luca lhe confirma as melhores passagens, caminhando para bater o tempo de Cardoso. Sutilmente, antes da sua chegada Tommy soltou um pouco do seu acelerador. O seu final de semana seria muito mais feliz com o jovem piloto conquistando a sua primeira *pole position* e o recorde da pista.

Carol sempre tinha por perto a presença de Amanda fazendo a sua segurança. Naquela tarde, ela pediu para que a segurança a acompanhasse em um suco assistindo aos treinos. Anderson também estava ali por perto. Carol conversou bastante com Amanda, percebendo que ela havia nascido em uma comunidade muito pobre no Brasil e demonstrava ter muito conhecimento da vida da maestrina.

— Que grata surpresa, o Cardoso conseguiu a *pole position*.

— Desempenho brilhante.

Amanda demonstrava conhecer muito sobre os pilotos e a motovelocidade, muito além do que deveria ter conhecido no pouco tempo em que os acompanhava. Ela era uma mulher inteligente, vegana como Carol e falava sobre sua passagem pelo UFC, figurando entre as grandes estrelas do esporte, com chances de disputar o título, mas que o destino a chamara para cumprir outras missões.

A festa no box da Kawasaki era por conta da brilhante *pole position* conquistada por Cardoso, a primeira em sua carreira, acompanhada do recorde da pista. Cardoso procurou por Tommy para lhe agradecer pelos toques no final de semana mais feliz da sua carreira, porém não o encontrou. Tommy largaria na quarta posição em um grid que teria uma formação inédita. Cardoso, Benedetti, Mancini e Tommy na quarta colocação.

Buhba era uma pessoa perspicaz e naquele momento estava mais do que clara toda a confecção daquele grid de largada para a corrida. Percebeu que Tommy soltou o acelerado no final porque a quarta posição lhe garantia estar na parte de dentro da pista, de onde ele poderia proteger Cardoso. Estava nítido para Buhba que ele desejava a vitória de Cardoso.

— Mesmo sem jogar xadrez, garanto que você é o melhor estrategista que eu conheço.

— Do que está falando, Buhba?

— Você mostrou o caminho para o garoto, soltou o acelerador e quis a quarta posição para protegê-lo.

— Ele é bom. Só precisa de autoconfiança.

— Está estranho há alguns dias. Alguma sensação diferente?

— Não. Estou me retirando, com ou sem título. A Ninja estará muito bem representada. O garoto é bom.

— Não estamos falando somente de motovelocidade.

— Me preocupo mais com a Carol agora. Quero me divertir mais um pouco. O Cardoso só precisa entender que o Luca é o freio da Kawasaki. Fora isso, ele provou que só depende dele. Provavelmente terá o Pita como companheiro. Esse outro garoto tem dado show nas quinhentas cilindradas. Eles disputavam muitas provas quando jovens nos Grandes Prêmios de Portugal. Fizeram grandes disputas nas duzentas e cinquenta e nas quinhentas cilindradas.

— Só quero deixar claro que deixo a motovelocidade junto com você.

Buhba fazia questão de lembrar que sua fidelidade não tinha nada a ver com a Kawasaki ou qualquer outro piloto. A aposentadoria de Tommy implicava na sua retirada dos circuitos da Moto GP. Buhba gostava de estar na África, ao lado do seu povo. Todas as suas conquistas seriam revertidas para lá. Depois da aposentadoria de Tommy, Buhba estaria dividido entre as suas viagens e os projetos desenvolvidos em Beni.

No domingo pela manhã, Tommy surpreendeu-se quando ao levantar não encontrou o companheiro Frederico. Ao procurá-lo pôde notar que ele já estava novamente no colo do Cardoso, esperando para mais uma volta de reconhecimento. Frederico era muito amável com todos que faziam parte da vida de Tommy, que sempre dizia em tom de brincadeira que se fosse aprovado por ele, era de confiança. Porém, naquele dia demonstrava um comportamento diferente do habitual. Não queria deixar Tommy sair do motorhome. Postou-se na sua frente como um verdadeiro sentinela.

— Ele é sábio.

Tommy e Cardoso foram surpreendidos pela voz de Buhba que chegava pelo outro lado do motorhome.

— Ele provavelmente quer ficar um pouco mais com você e a Carol.

As arquibancadas, logo cedo, estavam lotadas, como em todas as etapas da gloriosa categoria de motovelocidade. Porém, a maioria dos fãs ainda não sabia que aquela seria a última corrida do maior campeão de todos os tempos. O anúncio viria na entrevista que deveria ser marcada pelo Buhba em meio à corrida, comunicando que Tommy daria uma coletiva em frente à linha de chegada e seu público, certamente um dos locais mais importante de sua carreira.

No Catar, estaria sendo estreado por Tommy mais uma invenção de Mathew. Tommy havia pedido duas coisas para ele, a primeira era para elaborar e confeccionar um macacão que lhe oferecesse segurança sem ser de origem animal, desafiando-o a aumentar a durabilidade e leveza. A segunda era uma pele artificial para cobrir a marca de nascença de Carol, aos quais pediu sigilo absoluto.

Cardoso foi convidado a conhecer a sala de concentração de Tommy antes da corrida e compreendeu a missão do ídolo. Deu-lhe um beijo em seu rosto em sinal de gratidão.

— Eu vim para a Kawasaki para estar ao seu lado. Essa semana foi muito importante, não pela pole ou pelo recorde. Mas por saber que esse é você de verdade.

— Seja o melhor que puder sempre. A cada dia, nas pistas e fora delas. Nossa vida não se resume às vitórias.

Carol quis ficar no box da Kawasaki, apesar de não estar se sentindo bem. Queria passar confiança para Tommy, em sua última disputa por mais um título em sua carreira. Amanhã eles estariam realizando outros desejos, longe dali. Mas naquele momento ela gostaria de compartilhar pela primeira vez a champanhe do título com ele. Sabia o quanto era importante para ele, retirar-se com um título e o seu beijo antes de colocar o capacete seria mais uma motivação.

Ela já estava usando a pele desenvolvida para cobrir a sua marca de nascença. Havia ficado perfeita, sem nenhuma diferença da sua pele natural. Além de Tommy, apenas Buhba sabia dessa sua marca. Não era de usar blusas que deixassem seus ombros à mostra, apesar de não ver nenhum problema na sua marca, até gostava dela. Naquele dia, usava uma blusa preta de alças, que permitiam a visão de sua pele perfeita, cobrindo a marca, conforme pedido por Tommy.

Carol pôde perceber uma notória diferença no macacão de Tommy. Era todo preto, com logos dos patrocinadores e a qualificação com A+, sinalizando ser doador de órgãos. A doação de órgãos ainda é muito deficitária em todo o mundo, incapaz de suprir a demanda, e o exemplo de um grande campeão seria muito bem-vinda, principalmente na formação consciente dos jovens doadores.

Carol tinha um chaveiro de canguru, talhado em um pedaço de madeira, feito por um dos meninos de Beni. Achou estranho, com tantos animais selvagens ali tão pertinho, o menino talhar em um pedaço de madeira um canguru. Mas ficou fácil compreender depois que ele contou à maestrina histórias dos diferentes continentes. Já havia feito a Estátua da Liberdade, Torre Eiffel e outras que viu nos livros.

O pequeno canguru representava a sua vontade em surfar nas praias da Austrália. A professora sempre dizia que ninguém podia tirar-lhes o que estava em suas mentes e em seus corações. Ele queria conhecer o mundo e assim seria. A mãe de Buhba era realmente uma pessoa fantástica e o que ela fazia por aquelas crianças era acima de tudo a doação completa de si mesma. Uma verdadeira heroína.

A visão do canguru de braços cruzados, na parte de trás do macacão de Tommy era acompanhada da frase "Save the Cangurus", no mais claro sinal de evolução de Tommy. Finalmente alguém dava um passo gigante, para que fazendas de criação de animais começassem a desmoronar pela chegada de produtos revolucionários, que não colocassem os animais na categoria de "produtos". Carol abraçou Tommy, sem deixar de lado a sua preocupação.

— Mas é seguro?

— Garantia do Mathew de segurança e leveza. Logo todos estarão utilizando por melhorar o desempenho. Nós vamos pela vida, dos cangurus, é claro.

— Mas já é um grande passo. Obrigada, campeão!

Logo aproximou-se de Victória que fazia as suas curtas entrevistas com os pilotos antes de entrar no ar. Mesmo com toda aquela agitação, ela usava saltos ainda mais altos naquele dia, com uma saia acima dos joelhos e uma blusa deixando à mostra a sua marca, ainda mais visível quando jogava os cabelos. Fez questão de parar ao lado de Carol e deixar os seus ombros lado a lado, próximos à marca de Tommy. Carol olhou-a no fundo dos olhos e a viu em espírito, uma das Mães de Spalla.

— Roupa nova, Tommy? Material sintético?

— Mudança de planos pela vida dos cangurus. Certamente deixarão de ser um produto.

— Já estava na hora.

— Boa sorte, campeão!

Ela não era de cumprimentar ou despedir-se dos pilotos com beijos. Mas despedia-se de Tommy como se quisesse chamar a atenção de todos nos boxes.

Pilotos em suas armaduras e sobre suas motos. Ainda dentro do box, Tommy viu as duas Ducatis passando à sua frente, ambos os pilotos pararam ao lado de Tommy e o encararam. Menos mal porque o garoto já havia passado. No entanto, aquele final de semana havia sido muito especial para que Cardoso percebesse que aqueles olhares faziam parte de um jogo exercido dentro da motovelocidade, principalmente por pessoas que precisavam de alguma forma superar as próprias fraquezas.

Tommy estava ali debruçado sobre sua moto, com as mangas ainda amarradas à sua cintura, olhando para o nada, pensando em tudo o que ainda estava por acontecer e tudo o que já havia vivenciado. Carol estava ali ao seu lado, Cardoso, que seria seu substituto, enfim compreendia a sua força. A beleza daquela equipe que havia lhe proporcionado tantas alegrias. Tudo agora chegava ao fim.

Carol já estava usando a contrapele que escondia a sua marca de nascença naturalmente, sem nada transparecer. Além disso, amou o novo macacão de Tommy, produzido de materiais criados artificialmente, sem qualquer componente de origem animal, com o desenho de um canguru em suas costas.

— Eram eles na Riviera.

— O que está dizendo?

— O *déjà-vu* antes da curva. Eram eles na Riviera. Mancini e Benedetti.

— Tommy, você deve estar confundindo as coisas. São pilotos renomados de uma grande equipe.

Tommy fez um sinal para que Buhba se aproximasse. Rapidamente Buhba chegou preocupado com Carol.

— Era o Benedetti dentro do globo da morte e depois na avenida o Mancini pilotava e o Benedetti estava em sua garupa.

— Explique.

— Os mesmos estilos de pilotagem. Não conseguimos reconhecer na câmera porque ele usava balaclava, mas a maneira como olhou direto. Benedetti. Na estrada era a mesma imagem que eu vi sobreposta antes daquela curva.

— Vou pedir a imagem de novo para o Nikolai.

— O Anderson fica próximo à Carol e você e a Amanda cuidam

da Victória. Precisamos protegê-la também. Buhba, não saia do lado da Carol, muito menos se o Luca lhe chamar.

Cardoso havia colocado o capacete, presente de Tommy, com música erudita e canal aberto para Buhba. Tommy estava mais lento para compor a armadura. Colocava devagar as luvas, também projetadas por Mathew. Era um ritual acompanhado pelo grande companheiro da maior parte de sua carreira. Tommy segurou a mão de Carol e colocou por debaixo do capacete para dar-lhe um beijo na mão. Abraçou o grande irmão Buhba e sentou-se na moto.

Buhba recebeu uma ligação em seu celular e deu dois passos atrás para continuar ouvindo.

— Tommy! Você precisa ouvir.

— Nós estamos com a Victória. Você vai correr, mas não vai cruzar a linha de chegada. Saia antes da última volta e vá encontrá-la no lugar marcado. O Buhba vai te passar as coordenadas antes da última volta.

— Isso é loucura, Tommy. Sempre foram eles, pelo título.

— É muita mais do que isso. A Victória estava aqui há pouco tempos.

— É sinal de que ela não pode estar longe.

— Ela se entregou pra salvar a Carol.

— E o que vamos fazer?

— Vamos fazer o jogo deles. Temos quarenta minutos até a última volta. Não diga nada a Carol para não deixá-la nervosa.

— Eles já estão começando a chamada na TV e ela não apareceu. Então é verdade.

— Coloque a Amanda para tentar encontrá-la e deixe a Anderson ao lado de vocês. Me informe pelo rádio.

— Cuidado, Tommy.

Tommy saiu para colocar-se em sua posição no grid de largada. Estaria logo atrás de Cardoso e deveria protegê-lo, além de proteger-se contra todos. Volta de apresentação liberada. A torcida exaltava-se, executando a ola com a passagem dos pilotos e gritando o nome de Tommy.

— Cardoso, por favor feche o canal comigo — insistia Buhba para Cardoso deixar o canal livre para o seu acesso com Tommy.

As motos já estavam alinhadas para a volta de apresentação e em dois minutos seria dada a largada da maior final de motovelocidade de todos os tempos. Um novato estava intrometendo-se com os grandes. Cardoso não estava cotado entre os favoritos, entretanto largava na pole com a quebra de recorde da pista. Era, sem dúvida nenhuma, o grande momento na carreira do jovem piloto.

Tommy deveria colocar o moto logo atrás dele na primeira tomada de curva e deixá-lo seguir segurando os pilotos da Ducati, fazendo-os perder tempo. As curvas fechadas do circuito de Losail, em Doha, poderiam favorecer esse jogo. Era quase impossível conciliar as preocupações sobre tudo o que acontecia fora e dentro da pista. Tommy falava com Buhba o tempo todo, perguntando sobre Carol, Victória e sobre ligações.

— A doutora Adele está aqui no hospital do Catar, disse que está pronta para receber Carol.

— Como assim? Encontrou algum doador?

— Adele! Você acha que ela está envolvida?

— Não sei mais o que pensar. Tente acalmar a Carol.

— Farei o possível.

Volta de apresentação finalizada, com os motores roncando muito alto. Os dois pilotos da Ducati olhavam fixo para Tommy, que estava logo atrás de Cardoso. Dada a largada Tommy pôde perceber que o garoto havia aprendido muito bem as primeiras lições, tirando tudo o que a Ninja podia render. Chegando em primeiro na curva. Tommy conseguiu colar nele e chegar exatamente junto com Mancini e Benedetti para disputar a segunda posição. Até então estava tudo conforme planejado.

Na disputa da curva, as três motos se tocaram, deixando claro que a luta seria pela vida. Tommy abriu o joelho esquerdo, forçando contra a moto de Benedetti, levando-o a chocar-se contra a moto do Mancini. As três motos balançaram e seguiram em frente. Como outros *déjà-vus*, Tommy viu-se montando um cavalo, enroscando em batalhas com outros dois cavaleiros armados de espadas. Recobrou-se de onde estava ouvindo a voz do Luca pedindo para evitar esse tipo de ação. Nessa disputa quem levava a melhor era o Cardoso abrindo pequena vantagem.

Tommy lembrou-se de suas batalhas com Luca ao longo dos anos. Lembrava-se dele sempre no canto do box falando ao celular. Não era só pelo barulho ou vozes, ele queria privacidade. Tommy acelerava muito forte nas retas e segurava claramente os italianos nas curvas, dando chance para que Cardoso conseguisse uma folga. Fechou o canal de transmissão com Luca e abriu o canal com Buhba, alteração feita na manopla esquerda, mais uma invenção de Mathew.

— Buhba. O Luca também está com eles.

— Tommy, isso está ficando muito confuso. A Victória não apresentou o programa.

— Ele está no celular?

Buhba virou para trás e viu que Luca falava e gesticulava bastante ao celular.

— Sim e parece bastante nervoso.

— Vai ficar ainda mais.

Cardoso já tinha mais de dois segundos de vantagem para o segundo colocado, Tommy fazia a sua parte para ajudá-lo e ele dava tudo o que tinha em sua Ninja. Sua pilotagem hoje era muito mais arrojada e convincente do que em outras corridas. As lições de Tommy tinham resultados aparentes, em muito pouco tempo. O garoto estava solto para buscar a sua primeira vitória dentro da maior categoria da motovelocidade. Enfim, os mecânicos não mais diriam que ele rodava murcho.

Provavelmente, em decorrência de todo o nervosismo dos últimos dias, Carol não estava bem. Estavam se desencadeando, de forma acelerada, vários sintomas da leucemia. Estava muito agoniada tentando compreender tudo o que estava se passando dento e fora das pistas. O box da Kawasaki estava ainda mais agitado do que nas corridas anteriores. Até certo ponto normal, por ser a prova final, mas não era somente isso.

Mancini e Benedetti alternavam-se na terceira posição, com as motos mais velozes aproximavam-se e nos pontos cegos das câmeras tentavam derrubar Tommy. Tommy também era conhecedor dos pontos cegos, pois em suas caminhadas analisava os pontos estratégicos de colocação das câmeras. Aproximando-se da décima volta, na metade da corrida e sentindo que não conseguiria segurá-los por muito tempo protegendo Cardoso, Tommy decidiu que faria o mesmo jogo que eles.

Na décima primeira volta, Mancini emparelhou a moto com Tommy, com as carenagens praticamente coladas e num ângulo cego da câmara da curva, Tommy tocou com a mão esquerda no guidão de Mancini fazendo com ele perdesse o controle da sua Ducati e caísse para a quinta posição. Tommy tinha agora um segundo de respiro com Benedetti aproximando-se novamente. Precisava saber sobre Victória.

— Victória apareceu?

— Nem ela e nem a Amanda.

— Peça ao Anderson para encontrá-las. Não farão nada contra Carol se ela estiver ao seu lado, usando a pele.

Quando Anderson saiu, Buhba percebeu que Luca parecia nervoso enviando uma mensagem pelo celular. Nesse mesmo momento, não longe dali, no motorhome da TV, Amanda chegou à procura de Victória. Era especialista em várias lutas e não utilizava armas. Ao chegar, encontrou dois membros da equipe técnica da TV caídos, sem roupas, atrás do armário. Ao verificar a pulsação viu que os dois já estavam sem vida. Logo depois Amanda encontrou dois homens usando as roupas e os crachás roubados.

— A senhora está com algum problema?

— Sim. Estamos com problema de transmissão em nossas reportagens. Vocês são novos?

— Somos!

Amanda conversava e aproximava-se dos homens preparando para o embate. Disfarçando, aproximou-se e logo disparou um soco no primeiro homem que caiu desmaiado. Trocou alguns socos com o segundo homem e o levou para o chão, onde aplicou-lhe um mata leão. Ela se divertia fazendo aquilo. Já dentro da carreta, havia vários homens próximos à

Victória, que estava amarrada em uma cadeira.

Lembrou-se do rosto de alguns que haviam prestado serviços para as equipes da Kawasaki e da Ducati. Estavam infiltrados durante todo o tempo. Precisava analisar se eles estavam armados. Controlavam alguns equipamentos de comunicação e faziam algumas perguntas para Victória. Percebeu que a repórter havia se deixado apanhar propositalmente para salvar Carol. Ela queria, de todas as formas, dar a entender que sempre teve um caso com Tommy, enquanto eles analisavam a sua marca no ombro para decifrá-la. Ambas faziam parte das Mães de Spalla.

Anderson, ao procurar Amanda, percebeu o seu lenço deixado no chão indicando uma possível direção a ser tomada pelo companheiro. Anderson viu, a uns cem metros à frente, a carreta da TV à qual Victória pertencia. Chegando, viu os homens caídos, indicando que a leoa estava à solta. Ela, literalmente, estava quebrando tudo e todos que lhe aparecessem pela frente, com extrema habilidade nas artes marciais. Usava o seu boxe e Muay Thai perfeitos na luta em pé. Parecia intocável defendendo-se de vários ataques ao mesmo tempo, enquanto apagava os homens um a um. Anderson desamarrou Victória e foi levando-a para fora, quando ela perguntou.

— Não vai ajudá-la?

— Está louca que eu chego perto.

— Você tem medo deles?

— Deles não, mas se eu estragar sua diversão ela me mata também.

Ao sair puxando Victória, Anderson sofreu a intervenção de dois homens, que falavam que iriam matá-lo com as próprias mãos. Anderson, sem soltar a mão dela, soltou um chute com o pé esquerdo estendido no queixo do primeiro que aproximou-se levando-o a nocaute. O segundo não teve melhor sorte e, depois de tentar um soco rodado, esquivado por Anderson, caiu recebendo em seguida uma joelhada em cheio na cara e quase desacordado ainda recebeu mais alguns socos. Os dois falastrões caíram ao chão e provavelmente demorariam muito para acordar.

— Tommy, o Anderson e Amanda resgataram a Victória. Amanda

está cuidando dos envolvidos.

Buhba passou as informações para Tommy percebendo que Cardoso mantinha seu canal aberto.

Agora faltavam apenas cinco voltas e Tommy precisava decidir qual seria a melhor estratégia a seguir.

— Tommy, a Carol está piorando. Preciso levá-la para o hospital. Vamos sair pelo portão C.

Buhba preferiu não comentar sobre a ligação de Adele que dizia estar em um hospital particular em Doha, a menos de um quilômetro dali aguardando a Carol. A cirurgia de transplante de medula seria realizada com urgência. Adele disse que eles deveriam sair sem chamar a atenção e que Victória e Amanda estariam encarregadas de salvaguardá-la e cuidar dos agentes.

Tudo estava cada vez mais confuso para todos eles. A decisão tinha que ser direta de Carol, que confirmou que a necessidade de transplante de medula e de coração eram iminentes e que seu estado estava piorando. Seus instintos diziam que ela deveria confiar em Adele.

— Carol, a história contada pela doutora Adele é verdadeira. Nós estamos aqui para ajudá-la.

— A Sociedade das Mães de Spalla.

— Sim.

— Adele, Victória e eu estamos aqui para cuidar de você.

Amanda surpreendia Carol e Buhba ao confessar que também fazia parte daquela sociedade secreta. Carol estava piorando, mas ainda pôde segurar na mão de Amanda e agradecer-lhe.

— Vamos agora, Buhba. Já deve estar para acontecer.

— O que mais ainda há para acontecer? — perguntou Buhba pressentindo que algo aconteceria com Tommy.

— Não temos muito tempo para explicações.

Na penúltima volta, Tommy tinha Benedetti ao seu encalço e Mancini aproximando-se novamente e bem rápido, enquanto Cardoso encaminhava-se tranquilamente para a sua primeira vitória na carreira. Resolveu frear mais forte nas próximas curvas segurando os italianos ainda mais, para que os demais pilotos se aproximassem. Ainda de quebra precisava aprovar a nova roupa produzida pela Bio e ele só conhecia uma maneira.

Nessa nova perspectiva, se apenas Cardoso pontuasse, vencendo, a Kawasaki se sagraria também campeã por equipe. Cardoso passaria à frente de Benedetti na pontuação e dependendo dos resultados de outros pilotos ainda poderia, surpreendentemente ficar na terceira colocação do campeonato. Seria uma glória para o piloto novato, apelidado pelos mecânicos da própria equipe carinhosamente de "Rodou Murcho".

Cardoso aproximava-se da linha de chegada, enquanto Benedetti e Mancini tentavam de todas as formas tirar Tommy da prova. Mas agora nada disso importava para nenhum deles. Toda aquela batalha sobre as suas motos ia muito além da própria corrida e da conquista do título de motovelocidade. Eles tentavam impedi-lo de chegar até Carol e concretizar uma profecia. Aquele *déjà-vu* voltava em sua visão. Eram cavaleiros de batalhas milenares.

Dentro do carro, no banco de trás, Buhba olhava para Amanda, que o dirigia olhando pelo retrovisor, ainda cobrando pela resposta sobre o que poderia acontecer a Tommy. Carol sentia fortes dores e agora os seus analgésicos já não eram mais suficientes para aliviá-las. O hospital estava bem próximo e chegariam em menos de dez minutos. Adele já os esperava com uma equipe pronta para o transplante. Buhba lembrou-se do Frederico latindo.

Na pista, Cardoso cruzava a linha de chegada, para a primeira vitória de sua carreira, aguardando a chegada de Tommy para definir as posições. Na última curva, antes da reta de chegada, os três pilotos estavam juntos com Mancini e Benedetti tentando fechar Tommy. Os três chegavam para a curva acima de duzentos e noventa quilômetros por hora, em um trecho que, usualmente, era feito a duzentos e cinquenta. O final daquela pequena reta aproximou-se muito rápido. Os três pilotos sabiam que seria impossível realizar a curva chegando naquela velocidade. Tommy e Benedetti conseguiram reduzir, enquanto Mancini, que vinha acelerando mais forte, passou direto chocando-se violentamente contra o muro de proteção. Seria impossível alguém sobreviver a um acidente daqueles. A moto não teve tempo de parar na caixa de brita. Tommy olhou para trás e viu a moto prensando Mancini contra o muro.

Tommy, antes de cruzar a linha de chegada, entrou nos boxes, sendo ainda seguido de perto pelo Benedetti. Não havia interesse em terminar a corrida. Toda aquela louca história contada por Adele estava acontecendo e para concretizá-la, Tommy ainda deveria salvar Carol. Desviando de várias pessoas em alta velocidade chegou ao portão C perseguido de perto por Benedetti. Agora não havia mais diferenças entre as motos, era só habilidade a habilidade dos pilotos.

Nas arquibancadas e pelas TVs, ninguém compreendia o que estava acontecendo. A luta pela vitória e pelo título havia extrapolado todos os limites possíveis e imagináveis. Mancini era levado ao hospital desacordado, com uma fratura no pescoço e várias outras por todo o corpo. O locutor Luciano, também italiano, lamentava tristemente o acidente do jovem piloto da escuderia Ducati. Com lágrimas escorrendo pelos olhos dizia:

— Meu Deus! Meus Deus!

O pequeno portão de tela estava fechado e o funcionário já esperava Tommy, avisado por Buhba, mas não havia tempo para parar. Quando o funcionário aproximou-se, Tommy empinou a moto e acelerou fundo arrancando o portão. Nada o impediria de chegar até Carol e salvá-la, mesmo sem saber o que o aguardava. Benedetti agora estava o tempo todo colado em sua carenagem tentando derrubá-lo com os pés.

A curva Al Khor mais parecia um braço do circuito e para eles a corrida ainda não havia terminado. Naquela reta, a Ducati era mais rápida e Benedetti tentava cercar Tommy que desviava entre os carros acima dos duzentos e cinquenta quilômetros por hora. Quando aproximavam-se do entroncamento das rodovias, a necessidade de frear colocaria Tommy em maus lençóis quando ele se lembrou do canguru, presente de Carol, colocado na luva.

Enquanto isso, no box da Kawasaki, Luca estava desesperado ao ver que Victória havia sido resgata por Anderson e Amanda, agora estava claro para Buhba o seu envolvimento. Ele ainda enviava mensagens pelo celular, mesmo com todo aquele alvoroço.

Tommy aproximou-se da carenagem de Benedetti e mesmo recebendo chutes para derrubá-lo, conseguiu segurar firme a sua moto e colocar o canguru de madeira entre a manopla e o freio de Benedetti. Agora ambos tentavam desestabilizar o outro. Logo na próxima curva, Benedetti não conseguiu frear e ambos enroscaram-se, sendo arrastados por vários metros com as suas motos. Benedetti teve a fatalidade em ter seu corpo amassado pela Ducati contra um carro. Enquanto era arrastado junto com sua moto, Tommy pôde ouvir aquele barulho que parecia um risco de faca em pedra, como ele sempre ouvia em seus sonhos. Era um barulho muito agudo, incapaz de ser confundido. Sentiu a morte próxima e em segundos viu *flashs* de toda a sua vida com Carol. O macacão permitiu que o corpo de Tommy ficasse intacto, entretanto sua cabeça chocou-se contra a sarjeta e ele teve uma fratura na terceira vértebra cervical.

Aquele dia certamente ficaria marcado como o mais trágico dentro da motovelocidade. Inexplicavelmente, três pilotos que haviam disputado o título até a última corrida estavam envolvidos em acidentes fatais de uma disputa muito acirrada. Mancini estava entre a vida e a morte em uma UTI. Mas um fator que ainda seria investigado era o que levou Tommy e Benedetti a disputarem nas ruas de Doha, no Catar.

Tommy foi socorrido em um tempo muito curto, dando entrada no hospital de Doha às quinze horas e quarenta e cinco minutos. Teve diagnosticada a sua morte cerebral, após fratura na coluna, na altura da terceira vértebra cervical e traumatismo craniano. A doutora Adele estava presente no pronto-atendimento e informou que ele era doador, conforme sigla no próprio macacão e documentos no celular de Buhba. Precisava testar com urgência a compatibilidade com Carol, já que eles tinham um relacionamento confirmado.

Ela mesma faria a análise enquanto retiravam os órgãos e Buhba era brevemente interrogado. Estava desolado. Aquela era a pior sensação de sua vida. A questão não era decidir, porque o próprio Tommy já havia tomado essa decisão, há muito tempo antes. Precisava apenas validar o atestado digital de doador que Tommy fazia questão que o amigo carregasse no celular. Buhba enviou-o para o arquivo no hospital.

No autódromo, muitos ainda não entendiam o que estava acontecendo, ainda mais ao saberem da morte de Tommy e Benedetti e negavam-se a deixar o autódromo. Apenas Benedetti, antes de morrer compreendeu que não era Victória a lenda de Spalla, mas sim a maestrina Carol e que, de alguma forma, eles conseguiram encobrir a verdade. Felizmente, ele não conseguiu repassar essa informação para a sua organização.

Mesmo sem cruzar a linha de chegada, mais uma vez, Tommy seria consagrado o campeão da categoria. Mas ele ainda tinha uma missão muito mais importante antes de sua partida. A doutora Adele já havia coletado e analisado as amostras de Carol e Tommy. Segundo a lenda e seus prognósticos não eram somente compatíveis, mas exatamente iguais. Qualquer resultado diferente disso indicaria que estavam errados. Mas Adele parecia já conhecer os resultados. Estava tranquila e confiante. Após conhecer o resultado, a doutora Adele chamou Buhba para uma conversa em particular.

— Eu sei que Tommy lhe contou sobre nossa conversa. Nós tínhamos razão sobre a lenda e as profecias se concretizaram. Essa é a prova do Toque de Deus. Se outras pessoas souberem, essa batalha nunca terá fim e Carol viverá fugindo. A Victória fez o seu sacrifício e viverá escondida, para que Carol tenha paz. Tudo isso será mantido em segredo e o cavaleiro da última batalha não mais poderá contar-lhes.

— Cavaleiro?

— Apenas o Benedetti conheceu a verdade sobre a lenda de Spalla e ele está morto.

— Carol vai ficar bem?

— Ela vai receber os transplantes de medula e coração, que está fraco. Os outros órgãos ajudarão outras pessoas.

— A família de Tommy já foi avisada. Informei antes que soubessem pela TV. Preciso despedir-me dele, antes que retirem os órgãos, por favor.

— Você é o anjo da vida de ambos.

Capítulo 17

Uma parte dele vive em mim

No dia seguinte à cirurgia, Carol acordava no CTI do hospital em Dubai, sempre acompanhada de perto pela doutora Adele. O transplante havia sido um sucesso e a recuperação não seria complicada. Seguindo o protocolo de mais alguns dias de internação, ela estaria pronta para seguir sua vida com alguns cuidados. Além do acompanhamento, certamente haveria uma parceria com Adele, provando ser mais do que uma simples médica.

Ao abrir os olhos e ver Buhba ao seu lado, logo demonstrou a sua preocupação por Tommy.

— Tommy venceu?

— O Cardoso conquistou sua primeira vitória, escoltado por Tommy. O campeão.

— Onde ele está?

Antes que Buhba respondesse, Adele interveio.

— Agora você precisa tomar alguns remédios e descansar.

Buhba levantou-se e fez um sinal com a mão direita, deixando um beijo para Carol.

Adele chamou a enfermeira e saiu, acompanhando Buhba até a recepção.

— Precisamos preservá-la desse desgaste por enquanto. Então acredito ser melhor você voltar apenas na quinta-feira.

— Tem toda razão. Charles, o irmão está vindo, mas só chega amanhã.

— E essa burocracia e demora acabam com a família.

— Sim.

O funeral só iria acontecer dez dias após a morte de Tommy. A liberação do hospital, as dificuldades de traslados e documentação, somados ao funeral exigiam esse tempo. Carol deveria evitar a viagem aos Estados Unidos. Anny e Charles, irmãos de Tommy, estavam cuidando do funeral e da mãe que estava inconformada com a tragédia. O corpo, assim que liberado, seria enterrado em Chicago ao lado do pai.

Carol era uma mulher extremamente forte, não somente pelo seu corpo de atleta, mas a sua força mental era incrível e Buhba apostava nessa força interna para que ela suportasse a perda de Tommy e a presença dele dentro de si. Ela teria que assimilar muito bem que a vida de Tommy em sua passagem pela Terra foi muito bem vivida e que ele estaria feliz vivendo para sempre ao lado dela, de alguma forma.

Mas de qualquer forma a perda a abalaria. O relacionamento dos dois ainda tinha pouco tempo, mas a intensidade com que viveram era muito grande. Ao saber, Carol, sentada numa poltrona, encostou a cabeça na parede e deixou que as lembranças invadissem seus pensamentos. Saltos de paraquedas, viagens de moto, banhos de cachoeiras e até mesmo assistir a um filme com muita pipoca. Tudo era claro e verdadeiro entre os dois.

Buhba havia acertado um hotel perto dali para que Carol se recuperasse e pudesse descansar, o que não foi aceito por ela. Havia um jato alugado para fazer o traslado do corpo e Carol relutou em ficar no Catar. Insistiu para que Adele a acompanhasse e que ela não o deixaria nesse momento, mesmo sabendo que ele já não mais estava naquele corpo. Mas de qualquer forma ela prestaria suas últimas homenagens ao eterno amor.

— Adele, por favor me acompanhe. Eu me sinto bem agora e não posso deixar de acompanhá-lo.

— É muito importante que você fique próxima ao hospital onde realizou o transplante. A viagem é muito longa e tenho que insistir para que você fique. Precisa estar isolada do mundo lá fora por um tempo.

— Você sabe que eu irei de qualquer forma.

— Então, nesse caso, eu a acompanharei sim.

— Buhba, você pode acertar para voltarmos com o Tommy.

— Se a doutora concordar, tudo bem.

— Eu acredito que ela ficará mais tranquila. Vou prover todos os cuidados para a viagem.

Carol permaneceu ali recostada por mais algum tempo, assistida de perto por Buhba.

— O Frederico.

— O que tem o Frederico?

— Ele vai ficar conosco.

Buhba estranhou a fala de Carol por um segundo, até se tocar de que ela se referia a ela e a parte de Tommy que vivia dentro dela. Não entendia ainda o quanto aquilo poderia ser bom ou ruim para ela.

— Federico ainda está com o Cardoso. Vamos pegá-lo logo. Ele disse que o pequeno está muito triste e talvez com você essa tristeza possa diminuir.

— Between. Tommy o chamava assim por ficar sempre entre nós. Dizia que ele tinha ciúme de mim. Mas, na verdade, ele só queria estar *between us*.

Entre muitas das ótimas lembranças dos dois estava o cachorro Frederico. Com certeza ele deveria saber sobre a morte do seu amigo. Os cachorros sempre são os primeiros a sentir. O pequeno amigo não queria deixá-lo sair do motorhome naquele dia. Ficou parado na porta uivando e avisando do perigo. Agora não havia como duvidar de que ele foi o primeiro a perceber a chegada da morte.

A viagem estava prevista para durar pouco mais de treze horas. Carol utilizava máscaras extremamente grandes e protetoras, prevenindo contra qualquer contaminação. Ao entrar, Carol aproximou-se do caixão e ali ficou até a decolagem. Chorou, agradeceu pelos momentos e pela sua entrega. Disse que estariam juntos para sempre e que ela se sentia honrada por carregar uma parte de alguém tão nobre. Carol permaneceu ali, até que a doutora segurou em seu braço e disse que era condição irrefutável que ela descansasse durante a viagem.

Charles estava ao lado de Buhba aguardando para embarcar, enquanto conversava com Anny ao celular. Os detalhes já estavam todos acertados. Chicago deveria receber o corpo daquele americano, naturalizado brasileiro, que ainda menino aprendeu a amar os dois países, e dali saiu para ganhar o mundo e viver seu maior sonho. Ele queria ser o maior de todos os pilotos, mas jamais poderia prever a enormidade de seus feitos.

Aguardando pelo funeral, em Atlanta, havia milhares de fãs do piloto. Depois de muita demora o corpo deveria seguir para Chicago. A família aguardava reunida em Oak Park. O caminhão dos bombeiros, escoltado pelos batedores, saiu do Aeroporto Internacional de O'Hare às vinte e duas horas. Segundo o Chicago Tribune, havia mais de cem mil pessoas do lado de fora do Templo *Frank Lloyd Wright Unity*, frequentado pela família de Tommy. O corpo foi acompanhado pela rodovia por alguns milhares de fãs do motociclismo que se acomodaram da *Austin Gardens* até a *Scoville Park*, praças próximas ao templo.

Buhba estava cansado, sentado em uma antessala. Carol estava consolada por Anny, que demonstrava estar muito serena, apesar de perder o irmão caçula, a quem ela era muito ligada. Charles conversava com os amigos de infância, comuns aos dois irmãos. A mãe, uma mulher forte, estava em pé durante todo o tempo olhando para o caixão fechado. Não se conformava em perdê-lo, logo depois de perder o marido, há tão pouco tempo.

Buhba, em sua visão periférica bem treinada após anos acompanhando a motovelocidade, viu um vulto passando por entre as pessoas tentando aproximar-se de Carol. Ninguém olhava para aquela pessoa. Achou estranho, com a participação controlada dos fãs. Aquela pessoa especificamente lhe chamou a atenção, então tranquilamente caminhou em direção a ela.

Passando pela sala ao lado, Buhba cumprimentava pessoas que nunca havia visto em toda sua vida. Conhecia parte da família e alguns amigos mais chegados, aqueles de infância, os quais ele sempre procurava quando visitava a sua cidade. Sempre dizia que eles eram também parte de sua família. Os fãs seguiam um protocolo, cheio de regras para passar e ver rapidamente o ídolo.

Buhba continuava contornando a sala para chegar pela porta lateral, assim teria a chance de ficar de frente para aquela pessoa. Ele apenas queria vê-lo e compreender aquela indiferença das pessoas pelas quais ele passava. Sentia um calafrio que lhe percorria todo o corpo. Era a mesma sensação que ele sentia quando via os tombos espetaculares de Tommy. Então, Buhba ficou incrédulo ao ver Tommy aproximando-se de Carol.

Tommy olhou para o lado, percebendo que estava sendo seguido pelos olhos por Buhba. Com a cabeça em um curto movimento cumprimentou o amigo. Parecia bastante confortável, sem ser visto entre todas aquelas pessoas. Buhba, ao contrário, precisou sentar-se e logo foi amparado pelas pessoas que estavam ao seu lado. Ele se aproximava lentamente de Carol e da família dele. Era a primeira vez que ele tinha a oportunidade de ver Carol, a família e os amigos reunidos, além de alguns milhares de fãs.

Buhba olhava atônito, mas procurava não transparecer a sua expressão aos que o amparavam. Nem Carol, nem seus familiares podiam vê-lo. Mas então por que ele podia ver o amigo? Nunca teve mediunidade, não era tão familiarizado com os preceitos espíritas. Conversava com Carol sobre o espiritismo e por meio dela compreendia algumas verdades que provocavam algumas reviravoltas em seus conhecimentos católicos.

Acompanhado por dois amigos de Tommy, Buhba foi até a praça ao lado, precisava respirar. Sabia que se, por algum motivo ele podia ver Tommy, logo ele estaria ali.

— Vocês podem me deixar agora. Precisava apenas respirar um pouco.

— Você tem certeza que está bem?

— Tenho sim. Obrigado!

Aqueles minutos de espera, pareciam horas. Buhba pôde rever

durante esse curto espaço de tempo toda a sua trajetória ao lado do grande amigo. Queria entender qual era o motivo especial que lhe presenteava com essa mediunidade, justamente nesse momento. Esperava que o amigo pudesse lhe fazer compreender o significado dessa aproximação.

— Meu amigo!

— Quando eu estava compreendendo que havia chegado ao fim, você me aparece desse jeito.

Ambos sorriram.

— Por que somente eu pude vê-lo?

— Porque você é o escolhido.

— Não sei o que lhe perguntar. Como? Como tudo aconteceu?

— Quando me libertei do corpo físico, no começo foi tudo muito confuso. Demorei a entender. Era como se eu estivesse acordando de um sono profundo, após um belo sonho. Tentei perguntar para algumas pessoas o que estava havendo, mas logo percebi que eles tentavam me trazer de volta. Eu torci para eles conseguirem, mas logo desistiram. Eu me sentei na sarjeta, enquanto eles se preparavam para levar o meu corpo. Era como se eu mesmo desistisse de mim. Caminhei até o mar. Ocorreu-me um misto de sentimentos misturados instantaneamente; medo, solidão, angústia ... e saudade das pessoas, do Frederico. Até de você. — Tommy tentava arrancar um sorriso daquele rosto marcado pelo cansaço e tristeza dos últimos dias. Buhba recebia aquelas palavras com total serenidade. Não havia mais medo ou incredulidade, muito pelo contrário, acalmava-o da tristeza da perda. — Foi um turbilhão de emoções. A sensação de liberdade, o desapego da desencarnação e uma vontade enorme de partir e vivenciar a passagem, antes que fosse tarde demais. Mas, por outro lado, eu tenho a certeza de que fui concebido para protegê-la, por isso não consigo me desligar desse plano terreno. A minha jornada continuará por aqui, não sei se por coragem ou por uma atração inexplicável, já que não posso mais dizer fatal. Tenho *flashs* de vidas passadas, conforme Adele contou. E enquanto esses *flashs* estavam passando pelas minhas memórias, recebi a visita de Gabriel.

— Você quer dizer, o arcanjo?

— Sim. Me disse que havia cumprido a minha missão, mais uma vez.

— Você não tem desejo em conhecer como tudo funciona?

— A minha maior parte está aqui e preciso protegê-la. Ela é perseguida pela inveja, que não foi criada na Terra.

— Você virá outras vezes?

— Eu estarei durante muito tempo com você. Preciso que você escreva essas histórias.

— Você está me pedindo para escrever um livro? Seria uma honra. Quando começamos?

— Calma, meu amigo. Quero estar ao lado da Carol e de minha mãe por algum tempo.

Buhba sempre foi um cara muito dinâmico e prestativo. Para ele, as coisas funcionavam dessa maneira, principalmente os pedidos de Tommy.

— Obrigado por tudo o que sempre fez por mim. Você é uma das pessoas mais incríveis que eu tive a oportunidade de conhecer em todas as minhas vidas.

— Nos conhecemos em outras vidas?

— Tudo ao seu tempo, meu amigo.

— Descanse, porque nossas jornadas serão longas. Carol vai tocar violino em minha homenagem e não seria educado não estar presente.

— Ela vai tocar *Fantasma da Ópera* que você adora.

— Muito oportuno.

A cumplicidade não seria perdida entre os dois, mesmo após a morte de Tommy, assim jamais perderiam a oportunidade de tirar sarro um do outro.

Tommy caminhou novamente em direção ao velório. Esteve ao lado de todos de sua família, amigos e Carol. Em certo momento sua mãe parecia ter sentido a sua presença, olhando fixamente dentro dos olhos do filho, assim como Carol depois que ele tocou sua marca no ombro. Era ali que ele sempre recostava-se e tinha a sua paz, era o aconchego do amor que lhe trazia a tranquilidade quando ele mais precisava. Ela se arrepiava.

Parou ao lado de cada um de seus amigos e com eles falava e dava risadas, relembrando de velhas e boas histórias que vivenciaram juntos na época de adolescência. Eles pareciam ouvir e compreender, porque falavam das mesmas histórias. Em certo momento todos olharam para o grupo porque ora um, ora outro não conseguia conter as gargalhadas e Tommy entre eles divertia-se rindo também. Buhba ria de longe.

Antes da despedida final, Carol, sentada, afastada das pessoas, tocou apenas uma música em homenagem ao Tommy no violino. *Fantasma da Ópera* era uma música que ele adorava ouvir. Todos os presentes tentavam aproximar-se para a despedida, aglomerando-se ainda mais naquele pequeno espaço para ouvir a grande maestrina despedindo-se de Tommy. Adele impedia a aproximação.

Carol, procurando por Buhba entre as pessoas, lembrou o amigo.

— Tenho certeza de que ele está aqui agora e que Tommy viverá para sempre ao lado de cada um de nós. Sobre a música ele diria, "Muito oportuno!", não é mesmo, Buhba?

Assustado com aquela sincronia de pensamentos entre Tommy e Carol, Buhba apenas concordou com a cabeça, olhando para Tommy que posicionava-se de frente para Carol, tragicamente ao lado do próprio caixão para receber a homenagem. Ela conseguia os mais lindos sons daquele belo e antigo violino, mesmo com a péssima acústica oferecida momentaneamente naquela sala lotada de pessoas.

Tommy não quis ver o próprio corpo ser enterrado. Foi para a casa da mãe. Sabia que Carol, o irmão e a esposa dormiriam lá. A irmã passaria mais um tempo e depois iria para a sua casa. Combinaram de tomar um café, com pessoas que vieram da cidade vizinha. Sua madrinha e seus primos ficaram um pouco mais para fazer companhia para sua mãe, que repetia a todo momento que o filho havia morrido fazendo o que mais gostava.

O amigo Buhba ficou no hotel mais próximo. Ele, que sempre foi tranquilo, agora estava ansioso para rever o amigo. Queria logo saber daquelas histórias e já projetava como deveria ser escrito, lembrando-se de todos os ensinamentos da sua mãe. Lembrou-se da maneira como

Adele a levou até Tommy. Não seria um relato, mas um conto de uma bela lenda que pudesse trazer a verdade de maneira muito suave.

A lua estava em seu perigeu, favorecendo à vista de uma bela superlua. Tommy foi para um canto do quintal, onde poderia assistir ao belo fenômeno, sentou-se no chão e logo teve a presença do velho amigo Frederico, que se sentou ao seu lado. Além de o ver, Frederico sentia o carinho de Tommy em suas costas, demonstrando todo o amor que sentia pelo dono. Frederico sempre foi seu companheiro assistindo ao luar. Logo, Carol aconchegou-se perto do Frederico.

— Meu menino, você está aí sozinho vendo a lua? Deve estar com saudade do Tommy.

Frederico olhava para ela e para o lado de Tommy, tentando dizer-lhe que ele estava ali.

— Tenho saudade do seu cheiro, do seu beijo, do seu peso no meu ombro e do seu abraço, que é longo e apertado ... e não tem igual.

Carol falava para que Tommy pudesse ouvir olhando para a lua, enquanto acarinhava Frederico. Era impossível não relembrar todos os momentos em que sentaram para assistir à lua e às estrelas, eles pareciam infinitos, revistos em *flashs*. Tommy recostou-se em seu ombro, de onde ele era a menor parte. Ali era o seu lugar, a sua origem e para sempre o seu destino. Carol sentiu um arrepio lhe percorrer a espinha. Então, ela sentia a sua presença.

Frederico olhou para a cara de Tommy como se estivesse rindo. Aquele era o Between, sempre feliz entre o casal. Tommy sorriu de volta para o amigo. Então Carol olhou fixamente para os olhos de Tommy, sentia a presença do seu espírito. Ficaram ali por um bom tempo, pelo menos até que a lua se escondesse atrás do telhado. Tommy estava feliz ali, perto da sua família, ao lado de Frederico e seu amor.

Carol resolveu ficar mais um dia a pedido de Maria Helena, mãe de Tommy, pois tiveram pouco contato. Devido a toda correria da temporada da motovelocidade, Tommy também havia tido poucas oportunidades de visitar a família. A maestrina foi apresentada à família na ocasião da morte de seu pai. Tommy gostava de descansar nos intervalos entre as corridas, por isso afastava-se na casa da Riviera, o que era perfeitamente compreendido pela família.

Estava acertado que Buhba a acompanharia até Poços de Caldas e Sarajevo para conhecer um de seus projetos mais conhecidos, que abrigava as crianças na escola de música. Depois, de lá rumariam para a África para acompanhar a inclusão do seu projeto na escola da mãe de Buhba. Eles precisavam agarrar-se a algo produtivo para desligar-se um pouco da maneira trágica como tudo ocorreu.

Nas reuniões de almoço e jantar no seio da família de Tommy, ficou acertado que Anny assumiria o cargo de coordenadora pedagógica dos projetos espalhados pelo mundo, difundindo os projetos para regiões com carências sociais.

— Anny, vai ser uma honra para nós podermos contar com a sua experiência.

— Decididas e dinâmicas nossas mulheres.

Adele procurava diminuir a empolgação de Carol, lembrando que deveria reduzir seu esforço e que ainda estava em período de recuperação. Agora o Frederico rodeava Carol, ainda com a máscara, com o rabinho levantado, sinalizando a sua empolgação. Tanto Carol quanto a Anny não admitiriam ter sob seus olhos crianças, pessoas e animais em estado de carência ou abandono. Jamais deixariam de doar seu tempo ou o que fosse possível para ajudar o próximo.

Carol iria sim descansar por alguns dias para depois fazer a rota dos projetos, começando por Poços de Caldas, no Brasil, e depois Sarajevo, antes de partirem para a África. A escola de Poços de Caldas havia começado a funcionar há pouco tempo e Carol não tinha tido tempo de visitá-la e acompanhar o seu funcionamento.

Sabia que o projeto ali funcionava perfeitamente, conforme as informações que lhe eram passadas. O casarão ao lado da praça e do Palace Hotel havia ficado lindo. Era um prédio imponente que estava quase desabando. Mas agora, somado à qualidade do som que ele emitia, havia se tornado mais um ponto turístico da cidade. Talvez até o mais alegre e vibrante, pela nobreza do projeto desenvolvido junto às crianças carentes do município. Era encantador.

Carol, com a tela aberta do computador, mostrava fotos e convidava todos para juntos subirem o Morro do Cristo. A região do sul de Minas Gerais era privilegiada naturalmente pelas exuberantes paisagens oferecidas pela Serra da Mantiqueira e pela abundância em águas e cachoeiras. Infelizmente, por terem passagens aéreas já agendadas, não teriam tempo suficiente para conhecer São Tomé das Letras e Capitólio.

— Nós subíamos o morro a pé, aí nos sentávamos para apreciar essa bela paisagem e descíamos pela estrada.

— Menos, Carol! Ou te interno de novo.

— Já estou cansado só de ouvir. — rindo, Buhba demonstrava todo o seu distanciamento dos exercícios físicos.

— Você parece mais atleta, Adele.

— Sim. Adoro exercícios.

— Lá eu me sentia mais próxima de Deus.

— Com certeza você atraía Deus pela sua música!

— Como sabia que toquei violino lá? Não tem foto.

Adele tentava explicar-se.

— Você sempre toca, em todos os lugares.

— Quando estarei totalmente liberada?

— Logo terá uma vida normal, menina. Apenas alguns meses, check-ups e alguns cuidados imprescindíveis.

Adele colocou a mão sobre as costas de Carol, finalizando com o dedo indicador sobre a sua marca no ombro. Era apenas um aviso para que ela não se descuidasse de fatos ocorridos há pouco tempo. Estava de camiseta cobrindo a marca, porém não estava utilizando a pele produzida pela Bio.

— Aquele salto de paraquedas que vocês fizeram foi lá? — perguntou Buhba.

— Não. Fizemos em Boituva. Eu voei de paraglider uma vez em

Poços e o Tommy fez no Pico do Gavião, em Andradas, bem pertinho.

Carol girou o computador e mostrou com o dedo indicador o ponto onde ficava a cidade de Andradas.

— Tommy era louco pelos esportes radicais e velocidade. Paraquedas, assim como você. Me lembro quando disse que era perigoso. Aí me disse: Buhba, daqui há cinco minutos estarei a mais de trezentos quilômetros por hora na pista. O que é perigoso?

— Eu gostava quando ele corria comigo na garupa de sua moto. Parecia mais fácil na garupa dele.

— Loucuras. Nasci sem asas... e devagar.

Buhba era muito engraçado em sua simplicidade e a sua fidelidade ao amigo era muito grande, jamais diria a Carol sobre as visitas de Tommy ou sobre o livro. Só o faria quando o amigo lhe pedisse.

Dias depois, em Sarajevo, Buhba encantou-se também pelo desenvolvimento do projeto, onde as crianças faziam as suas aulas durante o dia e, à noite, os pais também tinham a oportunidade de participar porque eles já tinham uma forte ligação com a música erudita. O engajamento de todos dentro daquela escola era divino. A vontade de superar as tragédias das guerras era tão grande que, ao sair, a maestrina sempre dizia que deixaria sua alma ali, cuidando deles.

Buhba era uma pessoa extremamente sensível aos problemas sociais, os seus olhos deixavam transparecer diante de certas situações, principalmente onde pessoas eram assistidas pela doação, não só de matéria, mas principalmente do doar-se. A doação de nós mesmos. Carol estava diante de um processo de recuperação sensível, de um transplante, e ela era forte, correria seus projetos como se nada estivesse acontecendo.

— Vamos trazer os adultos para as atividades na África também?

— Depende das parcerias que você me ajudar a conseguir. Eu adoraria vê-los no projeto porque eles possuem uma alegria e musicalidade muito grandes dentro de si.

— Claro que nós vamos conseguir parceiros para agitar aquele auditório o dia todo.

— Assim espero, meu amigo.

Depois de Chicago, Buhba não havia recebido a visita do amigo e isso o preocupava. Ele sempre foi muito além de um escudeiro para Tommy. Preocupava-se com ele a todo tempo. No entanto, tinha uma intuição de que ele o procuraria na África. Tommy sempre teve uma ligação muito forte com aquele local e aquele povo.

— Carol, você não prefere voltar para casa comigo? Está perto agora. O Buhba pode cuidar perfeitamente das obras na África. Assim que estiver um pouco mais descansada nós a avaliamos eu libero você para ir. Até vou junto se me convidar.

— Eu concordo com a doutora. Carol, o Frederico precisa descansar. E você também.

— Já são dois contra uma. Eu vou aceitar o conselho de vocês. Sei que estão preocupados.

— Não, Carol. Eu falo como médica.

— Eu confio plenamente em você, meu amigo. Façamos assim então, tão logo a Adele me libere eu vou.

— Combinado.

— Frederico, nós vamos pra casa. Eu vou aproveitar e terminar de pintar alguns quadros que ficaram parados por causa da correria. Adele, você vem comigo?

— Claro.

Adele olhava para Carol, como quem admira um anjo e talvez ela fosse a portadora da maior parte da verdadeira lenda. Naquele momento, Buhba imaginou o quanto as duas gostariam de saber que Tommy estava por perto e que ele o havia visitado. A doutora deveria ter muitas histórias sobre as Mães de Spalla que ele deveria saber para escrever. Mas tudo deveria ser decidido junto com Tommy. Esperava encontrá-lo na África.

Buhba apostou na ideia de Adele, pois assim ele também teria mais liberdade para conversar com Tommy. Estava muito disposto a começar a escrever um livro sobre aquela bela história de amor e doação, que ele próprio havia compartilhado em grande parte. Não seria somente por um reencontro dos dois em uma vida futura, mas serviria também para o processo de evolução das pessoas que viessem a lê-lo.

Dois dias depois, Buhba acordava na casa de sua família. Ao virar para o lado viu Tommy sentado com os pés sobre sua escrivaninha.

— Por onde esteve?

— Não muito longe. Precisava refletir e o Grand Canyon é um excelente lugar. Que vista maravilhosa!

— Grand Canyon! Maravilha! Quando quer começar? Estou pronto e ansioso.

— Preciso reviver esse tempo fazendo os caminhos por onde vivemos. Rever os lugares, as paisagens e as marcas que deixamos ao longo de tantos séculos. Tudo estará diferente agora e será ainda mais diferente depois. Mas as lembranças voltarão.

Buhba era tranquilo ao extremo, mas naquele momento tinha as mãos inquietas, de uma maneira que Tommy nunca havia percebido antes. As suas mãos demonstram a sua ansiedade.

— Temo por colocar Carol em risco.

— Ela está protegida.

— Comece escrevendo sobre o escolhido, sobre a sua vida. Apresente-se porque você nunca foi e jamais será um mero coadjuvante. Só depois, você relatará a nossa história. Quando terminar esses capítulos eu voltarei.

Então Tommy despediu-se. A partir daquele momento, estaria acompanhando os passos de Carol. Esteve ao lado dela em outro dos momentos mais tristes de sua vida. A mãe lutava realizando vários tratamentos contra o câncer, que teve início em seu intestino e meses mais tarde chegava aos seus pulmões, agora estava internada, em estágio irreversível. Elas sempre tiveram problemas de relacionamento, que as manteve separadas por bastante tempo. Carol viajou para o Brasil, acompanhada por Buhba e Adele.

Amelie já não suportava os tratamentos, à base de quimioterapia pesada. A Carol, restava o consolo de ter tentado melhorar o relacionamento entre elas nos últimos tempos, principalmente depois dos graves problemas de saúde sofridos pelas duas. Durante a visita à sua mãe no Hospital do Câncer em São Paulo, quis que Adele entrasse com ela no quarto. Adele era seu conforto principal nos últimos tempos, a calmaria de que ela tanto precisava. Conversou com a mãe e ficou feliz por ela, apesar de todo o sofrimento ainda estar totalmente lúcida.

— Minha mãe! Sempre tivemos os nossos problemas, nossos afastamentos, mas eu queria que soubesse o quanto sempre a amei e sempre a amarei. Muito de minha força, da minha resistência e de tudo o que me eleva vem do que você, à sua maneira, me ensinou durante toda a minha vida.

— Nós esperamos muito para acertar as nossas pendências. Não precisava ter sido assim durante tanto tempo. Quanto tempo nós perdemos de uma convivência que poderia ter sido linda, como um amor de mãe e filha realmente deveria ser.

— Sim, perdemos muito tempo de nossas vidas com coisas pequenas, sem darmos a verdadeira importância à nossa felicidade e ao amor.

— Minha filha, espero que você me perdoe por todo mal que nosso distanciamento possa ter lhe causado. Há tempos eu venho sentido essa necessidade de estar bem com você, não é só pela doença e pela minha partida.

— Calma, você ainda pode ficar bem.

— Não. Sei que estou vivendo os meus últimos momentos e pelo menos você está aqui. Eu não me perdoaria em partir sem antes lhe pedir perdão.

— Não precisamos pedir perdão. Só precisamos viver esse momento e celebrar a vida e os momentos que tivemos e as lições que tudo isso pode nos deixar.

— As lições. As lições que a vida nos deu, felizes ou tristes. Foram tantas que, embora esteja partindo, só tenho a agradecer a Deus.

Tommy estava ao canto da sala, acompanhando a conversa entre mãe e filha, quando olhou para Adele, em pé ainda próxima à porta. Ele, percebendo que estava no momento da partida de Amelie, retirou-se, pois não era sua tarefa recebê-la.

— Saiba que a sua luta pela vida, pelo conhecimento, pelo seu trabalho, sempre foi para mim motivos de muito orgulho, mas acima de tudo foram muito importantes para a minha formação profissional. Eu sempre quis ser mais para lhe provar que eu também poderia ser competente assim como você sempre foi em sua vida.

Amelie segurou com mais força a mão de sua filha, que chamou Adele para perto.

— Quero que conheça uma grande amiga e a responsável pelo transplante que salvou a minha vida. Adele, essa é minha mãe. Mãe, essa é Adele.

— Muito prazer Amelie. Sempre ouvi sua filha falando muito bem de você.

Amelie, antes de dizer qualquer palavra, olhou profundamente nos olhos de Adele.

— Eu conheço você.

— Não, mãe. Você ainda não a conhecia.

— Sim, eu a conheço.

Adele sorria, estendendo a sua mão à Amelie.

— Talvez eu tenha um rosto comum.

Amelie, mesmo em meio a tamanho sofrimento, mantinha a sua lucidez e estendeu a sua mão até Adele. Sentiu uma sensação imensa de paz e alívio das suas dores.

— Não tem. Eu jamais esqueceria o seu rosto. Me lembro até de suas palavras, durante a tempestade, acalmando as pessoas ao seu lado.

— Como assim, mãe? Era ela aonde? De qual tempestade você está falando.

— Era ela no avião, no dia em que eu conheci o seu pai. Pensamos que seria o nosso fim com toda aquela turbulência. Depois sumiu.

— Você sempre dizia que aquela foi a primeira turbulência entre vocês.

— Sim. Ela era a única tranquila em meio ao caos. Era ela quem acalmava as pessoas que estavam aterrorizadas dentro do avião, inclusive eu e seu pai. Enfim pude conhecer a pessoa, a quem não conseguimos agradecer quando aquele pesadelo terminou.

— Descanse!

Então, Amelie fechou os olhos e descansou em paz, tendo as suas mãos seguras pela filha de um lado da cama e do outro lado por Adele. Carol mantinha a calma, compenetrada na infinidade dos olhos azuis de Adele.

Sobre o autor

Marcelo Brambilla, nascido em Descalvado- SP, Brasil, a 30 de setembro de 1969. Filho de Olympio Brambilla e Nilde Scomparin Brambilla. Graduado em Educação Física e Pedagogia. Pós-graduado em Educação do Ensino Superior e Pós-graduado em Ética, valores e cidadania. Professor da Secretaria da Educação do Estado de São Paulo, desde 1989, Professor da Prefeitura Municipal de Descalvado - 1998 a 2011 e Professor da Rede SESI - SP, desde 2011.